רם אורן

אשראם

ASHRAM
RAM OREN

עריכה: צרויה שלו

קשת, הוצאה לאור בע"מ
ת.ד. 53021, תל אביב 61530
טל. 03-6476140, פקס 03-6470458

עיצוב העטיפה: איה בן רון
הדפסה וכריכה: דפוס ניידט, תל אביב
הטבעה: היי טק פרינט, תל אביב
ניהול ייצור: שלום צדוק

מסת"ב: 965-90130-6-X

מוקדש בתודה
לניסים אמון,
ידיד ומורה רוחני,
על ההדרכה והסיוע

1

"נחש," היא אמרה, "נחש גדול היה מצויר לו על החזה... זה מה שראיתי, ואת זה אני אף פעם לא אשכח..."

דבריה הידהדו בתוך הדממה המתוחה ששררה באולם בית המשפט המחוזי. כל העיניים נישאו אליה. הקהל הרב בלע בשקיקה כל מילה מעדותה, הוא עצר את נשימתו כאשר דיברה על כתובת הקעקע שראתה על חזהו של הנאשם.

על אחד הספסלים הראשונים ישבו הוריה. האם מחתה דמעה בממחטת נייר קמוטה והתנשמה בכבדות. לא היה אפשר להתעלם מן הדמיון בינה לבין בתה. היא הורישה לה את האף הנאה, העיניים החומות הגדולות והעור השחום, אבל השנים החולפות נתנו בה את אותותיהן. הן לא פינקו אותה. יופייה דהה, גופה היה רחב ורפוי, זרועותיה עבות ומבטה כבוי.

לצידה ישב בעלה. הוא חפן את ראשו בשתי ידיו. היה לו שיער שהכסיף בטרם עת וכפות ידיים גדולות ומיובלות, שכיסו את פניו צרובי השמש. ציפורניו השחורות עוררו בי סלידה. תמיד תיעבתי אנשים שלא הקפידו לטפח את מראם.

השופט נשען לאחור על כורסת העור החומה. היה לו מוניטין של איש קשוח, קצר רוח ובלתי צפוי. על ספסל הנאשמים, בין שני שוטרים, ישב שמעון ליטני, הנאשם. שפתיו העבות נמתחו בחיוך קל. הוא היה גברתן אלים, סוחר סמים שכבר ריצה עונשי מאסר ארוכים. שמעתי עליו הרבה עוד לפני שביקש שאגן עליו, קראתי עליו בעיתונים. הוא נאשם הפעם בכך שארב למתלוננת בשעת ערב מאוחרת כאשר סיימה את לימודיה בקורס לקלדניות בעיר, והמתינה לאוטובוס שייקח אותה לביתה במושב. ליטני גרר אותה למגרש ריק ואנס אותה שם בלי שאיש הבחין בכך.

5

הנערה התלוננה במשטרה, נתנה תיאור קלוש של האנס, שלא ראתה אותו קודם לכן מימיה, אבל היא זכרה היטב שבהבזק פנסיה של מכונית חולפת הבחינה בציור קעקע של נחש על חזהו. אחד השוטרים נזכר בפושע עם נחש על החזה, והוא עצר אותו מקץ שעות אחדות.

"אמרת שלא תוכלי לשכוח את הנחש הזה," הזכרתי לה. שמה היה חגית, אבל העדפתי שלא לפנות אליה ישירות. אהבתי לשחק את תפקיד הפרקליט המרוחק, הקר במתכוון.

"אני זוכרת את הנחש כאילו ראיתי אותו היום," היא כעסה עלי. עיניה הביטו בי ובליטני באותה מידה של שאט נפש. לגביה, היינו שנינו אשמים; הנאשם על שביצע את המעשה, אני על שניסיתי לחלץ אותו מעונש.

הנחתי על דוכן העדים דף נייר, עט ועפרונות צבעוניים שהכנתי מראש.

"ציירי בבקשה," אמרתי.

"את מהז?"

"את הנחש, כמו שאת זוכרת."

חגית לקחה את העט ביד בטוחה. היו לה אצבעות ארוכות ונאות וציפורניים ללא צבע. במרכז מצחה נחרשו קמטים של מאמץ, והעיתונאית הקשישה שישבה בשורה הראשונה הסתכלה בה במבט מלא רחמים. היא היתה בת עשרים ואחת, שחומה ויפה, והיה בה אותו קסם פראי, ראשוני ומפתה, שאין כמוהו להסעיר את חושיו של כל גבר. היא הסעירה בקלות את שלי. היו רגעים במשפט הזה שאיבדתי משפטים שלמים מעדותה. דמיינתי אותה שוכבת עירומה מתחת לגופו של הנאשם באונס, מנסה להיחלץ אבל נאלצת להיכנע. ראיתי את עצמי איתה במיטה, ופני הוצפו בדם כשחשבתי על כך. לעתים קרובות מצאתי את עצמי בוהה בה כנער מיוחם. כשנדמה היה לי שהגזמתי, שמישהו בקהל עלול להבחין בכך, מיהרתי לתקוע את ראשי במסמכי המשפט, מעמיד פנים שאני בוחן בעיה משפטית, בעוד שלמעשה התמכרתי להזיות המשתוללות שלי.

ליטני לא נימנה עם הלקוחות הקבועים שלי. הוא טילפן אלי מבית המעצר, מיד לאחר שהשוטרים פרצו לביתו באישון לילה וגררו אותו איתם. השעה היתה בערך שלוש אחר חצות כשטילפן לביתי. הטלפון צילצל בחדר השינה

שלי. עופרה נהמה משהו במורת רוח ומשכה את השמיכה מעל לראשה. נימוס לא היה בדרך כלל הצד החזק של מרבית האנשים שייצגתי. רובם ככולם היו פושעים ותיקים שקנו ומכרו סמים, שדדו בנקים וכספות של יהלומנים, חיסלו חשבונות עם כנופיות יריבות. הם נהגו לטלפן אלי בכל שעה שהתעורר בהם הרצון לעשות זאת ולא פעם בשעות המוזרות ביותר. הם שילמו לי כדי שאהיה מוכן לדבר איתם מתי שירצו.

שמי היה מוכר היטב בקרב כנופיות העולם התחתון, בסימטאות הפשע, בתאי הכלא. הגנתי על רבים שישבו שם, ולא מעטים מהם הכירו לי תודה על שהצלחתי למצוא פרצות במסכת ההוכחות של התביעה ולשכנע את השופטים לגזור עליהם עונשים קלים יחסית.

כל עורך דין פלילי יודע שיש הרבה מאוד כסף בייצוגם של עוקפי חוק. אתה יכול להתעשר בקלות, אם לא איכפת לך להתעסק עם חלאת המין האנושי. לי לא היה איכפת. ייצגתי כל אחד: שודדים, רוצחים, סוטי מין למיניהם, אם רק שילמו לי את שכר הטירחה שקצבתי להם. בשום מקרה לא היה מדובר בפרוטות.

שמעון ליטני נשמע בטלפון לחוץ וחסר מנוחה כמו חיית טרף שנפלה למלכודת. קולו המבוהל אותת לי שהוא יהיה מוכן לשלם לא מעט כדי לשכנע אותי לטפל במקרה שלו. נקבתי בסכום שעבר בהרבה את גבול החוצפה. גם הוא וגם אני ידענו שמרבית עורכי הדין הפליליים היו מסתפקים בעשירית ממה שדרשתי. אבל לא שמעתי מפיו אפילו מילה אחת של התנגדות. הוא היה מסוג הפושעים שידעו לעשות הרבה כסף ולהעריך את החופש שלהם. כשהחופש הזה הועמד בסכנה, הם היו מוכנים לשלם כל סכום כדי להגדיל את סיכוייהם להישאר מחוץ לתאי הכלא. למחרת בבוקר הביא לי שליחו של ליטני את מחצית שכר הטירחה.

תלונתה של הנערה נמסרה בתחנת המשטרה רק ימים אחדים לאחר האונס. היא הסבירה לשוטרים שהיתה בתולה והאונס גרם לה להלם, על כן לא היתה מסוגלת להגיע למשטרה מיד לאחר המקרה. כפי שקורה לא אחת, עשו החוקרים שטיפלו בתיק עבודה שלומיאלית במיוחד. לא נערך מיסדר זיהוי מיד לאחר מעצרו של החשוד, לא בוצע חיפוש אחרי טביעת אצבעותיו על

חפציה של המתלוננת. חלף זמן עד שנערך סוף סוף מיסדר הזיהוי, אבל כל שוטר מתחיל אמור היה לדעת שאין בו תועלת, אחרי שבעיתונים כבר פורסמה תמונתו של ליטני מובא למעצר. המתלוננת הצביעה על ליטני שהוצב בתוך שורה של גברים, וטענה שאין לה ספק שהוא האיש שאנס אותה. לא ניתן היה לערוך בדיקות זרע בגלל האיחור בהגשת התלונה, אבל ללקוח שלי לא היה אליבי, והשוטרים חשבו שיש להם ממילא מספיק חומר כדי להגיש את התיק לפרקליטות ולהמליץ להעמידו לדין. בפרקליטות עברו על החומר והחליטו להגיש כתב אישום.

נלחמתי כאריה כדי לשחרר את ליטני בערבות. כשהשופט בערכאה הראשונה דחה את בקשתי, ערערתי לערכאה שמעליו. טענתי כנגד הסדרים הלקויים במיסדר הזיהוי, אמרתי, כמובן, שהשוטרים נטפלו ללקוח שלי רק בגלל עברו, הבאתי אישור של רופא שתמורת סכום הגון הסכים להתעלם מן העובדה שלא ראה את ליטני מעולם ולהצהיר שהנאשם חייב לקבל אצלו טיפול יום־יומי בגלל מחלה כלשהי. נציג התביעה התאמץ במיוחד לשכנע שמן הראוי להשאיר את ליטני במעצר עד תום ההליכים, אבל השופט קיבל בסופו של דבר את הטיעונים שלי.

ביום שבו שוחרר הלקוח שלי בערבות, חיכיתי לו מחוץ לבית המשפט. עכשיו הוא היה הרבה יותר רגוע. היו לו תכניות לחדש את מלאי הסמים, להתחיל לעבוד ולעשות כסף. האנשים שלו המתינו בכיליון עיניים שייצא מן המעצר, משום שבלעדיו היו העסקים בשפל המדרגה. רק הוא יכול היה להקפיץ בבת אחת את מחזור המכירות, אבל אני לא הנחתי לו ללכת לעבוד. היה לי רעיון דחוף יותר, רעיון שאי־אפשר לסרב לו.

שופט ידוע אמר פעם, שעורכי דין פליליים טובים עשויים להיות בנקל פושעי צמרת, משום שבזכות ניסיונם העשיר במשפטים פליליים הם מכירים את השטח לפעמים טוב יותר מן הלקוחות שלהם. לא פעם השתעשעתי בשאלה, מה היה קורה אילו באמת חציתי את הקווים. לא היה לי ספק שבמקרה זה, העיסוק בפשע, לפחות מבחינתי, היה מסעיר ומשתלם פי כמה מהמקצוע שבחרתי. היה בי, הרגשתי, משהו מהחומר שממנו נוצרים פושעים. אהבתי להסתכן, להמר, ללכת על החבל הדק בין עולם הפשע לעולם החוק, אהבתי כסף.

8

הרעיון שלי לגבי שמעון ליטני היה מסוג הרעיונות האופייניים פחות לעורכי דין ויותר, אני מודה, לפושעים מנוסים. רבים מעמיתי, עורכי הדין הפליליים, היו נרתעים לבטח מרעיונות כאלה. אני לא נרתעתי. לא פחדתי גם ממה שעלול לקרות לי אם זה ייוודע. ידעתי שהסיכויים לכך קלושים מאוד.

תבעתי מליטני לנסוע מיד ליפו, אל אמן כתובות הקעקע שצייר את הנחש על חזהו. נתתי לו הוראות מדויקות מה לומר ומה לעשות. הרעיון מצב חן בעיניו. הוא נסע אל ביתו של האמן, בסימטה ליד שוק הפשפשים. הצייר קיבל את פניו בשימחה והיה מוכן לעשות הכול תמורת כמה מנות של סם. כשיצא ליטני משם, מיהר אל המשרד שלי, נכנס לחדרי, סגר את הדלת מאחוריו ופשט בגאווה את חולצתו. אמן הקעקע עשה, ללא ספק, עבודה נפלאה. לא היה זכר לנחש המקורי שהיה מצוייר על חזהו של הנאשם. המחט שציירה היתה גם המחט שמחקה כליל את הציור הזה. במקום הנחש השחור השתרע עתה לתפארת על חזהו של ליטני נחש אחר לחלוטין. ראשו של הזוחל הארסי, שהיה משורבב מעלה בציור המקורי, נמצא עתה בקצה התחתון של הציור, זנבו קוצץ במחצית, וגופו, שצויר תחילה בצבע שחור בלבד, היה עתה מלא צבעים ססגוניים. חלקי העור שמהם נמחק הנחש המקורי היו אדומות ורגישות ביותר, אבל ליטני אמר שהצייר הבטיח שכל הסימנים יחלפו בתוך ימים אחדים, וכך היה.

"סיימתי," אמרה חגית והושיטה לי את הציור. העפתי מבט מהיר בדף הנייר. היא השתמשה בצבע שחור בלבד.

"את בטוחה שזהו הנחש שראית על חזהו של הנאשם?" שאלתי.

"כן," אמרה, "בטוחה. בחיים שלי אני לא אשכח את זה."

"למה ציירת אותו בצבע שחור?"

"כי הוא היה כזה," אמרה בבוז, "שחור."

הנחתי את הדף לפני השופט.

"אדוני," אמרתי בקול שלו, "ברשותך, אבקש מן הנאשם להסיר את חולצתו ולחשוף את חזהו."

השופט הינהן בראשו. הקהל הביט בשמעון ליטני שקם ממקומו ופשט את

החולצה. אפשר היה לחתוך בסכין את המתח שעמד בחלל.

"זה הנחש?" שאלתי את הנערה.

היא החווירה, ועיניה ננעצו בשופט כאילו ביקשה שישליך אליה גלגל הצלה. אבל הוא לא הביט בה כלל. עיניו נשלחו אל הציור שלה ואל חזהו של הלקוח שלי.

"זה הנחש?" חזרתי ושאלתי.

"לא בדיוק," מילמלה.

"לא בדיוק?" התרעם השופט. הוא היה מהיר חימה יותר ממרבית השופטים שהכרתי, "מה שמצויר על החזה של האיש הזה הוא נחש אחר לגמרי מזה שאת ציירת."

היא התקשתה לדבר, והשופט דחק בה למהר ולהשיב.

"אני לא יודעת מה קרה," אמרה בקול נואש, "זה לא אותו נחש..."

הקהל רחש בהתרגשות כרוח סוערת שחולפת בצמרות עצים. אמה של הנערה חסמה את פיה בתנועה מהירה, כמו ביקשה לבלום זעקת שבר שעמדה להתפרץ מקרבה. אביה קפץ על רגליו ופכר את ידיו בתנועה נואשת. הנאנסת בכתה.

הבעת פניו של התובע אמרה תדהמה מוחלטת, כאשר הציע השופט למחוק את כתב האישום ולסגור את התיק. התובע אף לא הצליח להביא את עצמו לכלל הצהרה שיגיש מיד ערעור. נכון שמערך הראיות בתיק הזה היה בעייתי, נכון שגם אלמלא הפתעת הנחש לא היה קל להוכיח את אשמתו של ליטני, אבל התובע האמין שיש סיכוי סביר להרשעה. הוא התכונן לעבודה קשה אבל בשום פנים ואופן לא למה שקרה.

הנערה ירדה מעל דוכן העדים. הדמעות זלגו מעיניה והיא לא ניסתה למחותן. היא הביטה בי בשינאה.

"אין לך לב," אמרה, "אתה יודע שהוא אנס אותי, אתה יודע שמגיע לו עונש, אתה הצלחת להוציא אותו זכאי במקום שיישב כל חייו בכלא."

היא היתה קרובה אלי, והבושם העדין שלה הטריף אותי כליל. ברגע זה השתוללה במוחי רק מחשבה אחת: איך לעזאזל אני מצליח להשכיב אותה. שלושים השנים שחצצו בינינו רק הגבירו את הרצון שלי לפתות את הנערה. הייתי יכול להרעיף עליה הכול – כסף, מתנות, טיולים לחו"ל, אילו רק

אמרה לי כן.

אמה תלשה אותה במשיכת זרוע חזקה מן הסביבה המיידית שלי. היא אספה אותה בזרועותיה וירקה בפניו של הלקוח שלי שעה שעשה את דרכו אלי. ליטני חדל לחייך ופניו בערו מזעם. החזקתי בו לפני שישתולל ויסבך את עצמו שוב. הוא חרק שיניים וגידף אבל מהר מאוד נרגע, החיוך שב ונמתח על שפתיו והוא הוריד על שכמי את כפו הגדולה בטפיחת חיבה שכמעט הפילה אותי ארצה. "כל הכבוד," אמר.

האולם התרוקן במהירות, ואז, דווקא כשהיה נדמה שהכול בא על מקומו בשלום, בקעה צעקת זעם מפי אביה של חגית. הוא הסתער על הנאשם, הפיל אותו על הריצפה, ושניהם התגוללו שם, מכים זה בזה בפראות. שוטרים שחשו להפריד ביניהם עמלו קשה עד שהצליחו לחסל את התיגרה.

בתום הקרב, היתה חולצתו של הלקוח שלי קרועה לגזרים, ודם רב זב מאפו של אבי הנערה. האב קרב אלי בצעד מתנדנד, משך בכעס את גלימת הפרקליטים מידי וקינח בה את דמו, כמו ביקש להעניש גם אותי. הוא עורר את חמתי. זו היתה גלימת הפרקליטים היפה ביותר שלי. שעות ארוכות עמדתי בסטודיו של חייט לונדוני ידוע, כדי שייקח את מידותי המדויקות ויתפור לי גלימה לתפארת. היא עלתה לי הון תועפות, ועד לאותו רגע הייתי גאה בה כמו טווס שמתהדר ביפי נוצותיו. עכשיו ידעתי שגם אם יסירו ממנה כל סימן לדם שנספג בתוכה, שוב לא אלבש אותה לעולם. פשטתי את הגלימה והשלכתי אותה בשאט נפש על הריצפה.

רציתי לצאת משם מהר ככל האפשר. אספתי את הניירות אל תוך התיק, וביקשתי מליטני שידאג לשלם את יתרת חובו עד הצהריים, במשרדי.

"אין בעיות," אמר, "אני אשלח לך את הכסף." עסקי הסמים של ליטני היו מיכרה זהב שופע, ולרגע התחרטתי על שלא דאגתי לדרוש ממנו מראש בונוס מיוחד למקרה של זיכוי. הוא נדחק אלי וניסר בשקט אל תוך אוזני: "לא צריך קבלה, תיקח את הכול לעצמך, בלי מס הכנסה ובלי מע"מ. מגיע לך."

בחניון של בית המשפט סיימו לרחוץ את הב.מ.וו־קופה שקניתי לפני שבוע. גערתי בהם על ששטיחוני הגומי עוד היו לחים מן הרחיצה וקיצצתי בחצי את הטיפ שנהגתי לתת, משום שהתרשמתי שלא הקדישו הפעם את מלוא תשומת

הלב לעבודה. כשנהגתי החוצה, שאלתי את עצמי איך לא הצלחתי עד היום למצוא מיתקן רחיצה שישביע את רצוני. לא זו היתה הדרך שבה ציפיתי שינהגו בצעצוע שעלה לי סכום כסף, שפועל ממוצע מרוויח בחמש שנים.

סגרתי את החלונות, הפעלתי קלטת של מוסיקה קלאסית, שאפתי לריאותי את הניחוח המשכר של ריפודי העור וניסיתי להירגע. נסעתי למשרדי, בקומה השמינית של בניין המשרדים החדש בלב שדרות רוטשילד. הייתי גאה במשרד הזה. השקעתי בו הרבה כסף ומאמץ, כדי שייראה כפי שרציתי. היה שם ריהוט איטלקי מודרני ושטיחים רכים מקיר אל קיר. הקירות נצבעו באפור, וציורי שמן מקוריים תלו עליהם בחדר הקבלה ובחדרים הסמוכים, שבהם ישבו איתן, עורך הדין השכיר שהיה יד ימיני, ושני מתמחים. היינו צוות קטן אך יעיל, ועשינו כסף טוב.

דינה, מזכירתי המסורה, הזדרזה לבוא אחרי אל החדר עם רשימת ההודעות. הנחתי את התיק על השולחן והבטתי בשדרה הריקה, בעצים שהשירו את עליהם. ההתרגשות שעוררה בי הנאנסת הצעירה לא חלפה. ראיתי אותה ללא הרף מול עיני. הרגשתי מועקה בחזה ומחנק בגרון.

דינה אמרה שהיו כמה הודעות מלקוחות. עברתי ביעף על הרשימה. חלק מן המטלפנים ביקשו שאתקשר אליהם מיד עם שובי למשרד. לא היה לי חשק לדבר עם איש. התשוקה שעוררה בי חגית התפשטה באיברי כמו שריפת קוצים. שום דבר, חוץ מהתעלסות סוערת, לא היה יכול להרגיע אותי ברגע זה.

12

2

יום הנישואין שלנו אמור היה לחול בסוף השבוע הקרוב, אבל אני לא זכרתי אותו. דינה הזכירה לי. זה היה חלק מתפקידה. היא תיארה לעצמה שאשכח, כרגיל.

עשרים שנה בדיוק חלפו מאז עמדנו, עופרה ואני, מתחת לחופה. הייתי בן שלושים ואחת, היא היתה חמש שנים צעירה ממני, בוגרת מצטיינת של החוג למדעי המדינה באוניברסיטת תל אביב. אני עשיתי באותה עת את ראשית צעדי כעורך דין עצמאי, אחרי שנים אחדות כשכיר במשרד גדול של עורכי דין. פגשתי אותה כשעבדה במשרד הפרסום, ששכר את שירותי כעורך דין. היא לא היתה יפהפייה זוהרת. יופייה היה מאופק, אבל היה לה גוף נאה וראש טוב, והיא עוררה בי סקרנות. לפניה היו לי נשים רבות, אבל אף אחת מהן לא החזיקה מעמד. רובן חדלו לעניין אותי כמעט מיד לאחר שהצלחתי להכניס אותן למיטה. הבלגתי על לא מעט טמטום ועילגות שיחה רק כדי ליהנות ממין טוב. אחר כך פשוט איבדתי עניין. רק מעטות נשארו לידי זמן ארוך יחסית.

עופרה היתה שונה מכולן. היא לא היתה אמנם יוצאת דופן במיטה, כבר שכבתי עם נשים סוערות יותר, נועזות יותר, אבל לעופרה היו הרבה תכונות חשובות אחרות. היא היתה הראשונה שלא שיעממה אותי, גם אחרי שתמו ההפתעות והקשר בינינו נכנס לשיגרה מסוימת, היא היתה מוכשרת ושנונה, ידעה לתת את העצות הנכונות, ולא העיקה עלי בכל מה שנגע לחופש האישי שלי. מצא חן בעיני הייחוס המשפחתי שלה שהיה מכובד משלי, סבא שלה היה אדריכל ידוע שבנה את בנייניה הראשונים של תל אביב, אביה, איש חכם ואינטלקטואל אמיתי, היה מרצה להיסטוריה באוניברסיטה העברית בירושלים. התחתנו פחות משנה לאחר שנפגשנו בפעם הראשונה. במהלך

השנים הבאנו לעולם שני ילדים. עינב שהיא היום בת שש עשרה ודרור בן הארבע עשרה.

האם הייתי מאוהב בה אי פעם? אני מניח שכן, לפחות בשנות הנישואין הראשונות שלנו. אחר כך דעכה ההתרגשות והקשר בינינו נכנס לשיגרה. ידעתי שזה איכזב אותה, היא קיוותה שלא אחדל מלחזור אחריה, מלהעניק לה תחושה שאני עדיין אוהב אותה. היא לא הסתירה את העובדה שאהבתה אלי נותרה כשהיתה. אבל אני חיפשתי ריגושים חדשים ובהם השקעתי את כל מה שגרעתי מעופרה. מובן שהייתי קשור אליה, היא היתה חשובה לי, היא היתה בת זוג ייצוגית מאוד לעורך דין מצליח, והיא לא ירדה לחיי כשנעלמתי מדי פעם כדי לבלות עם נשים אחרות. לא רציתי שתדע, לא רציתי שתיפגע. עשיתי הכול כדי שלא ייוודעו לה הרפתקאות האהבים שלי וזמן רב חשבתי שהצלחתי בכך. היום ברור לי שלא תמיד האמינה לתירוצים שסיפקתי. היא פשוט בחרה להבליג כדי שלא לדרדר את יחסינו.

בהתמדה טיפסה עופרה מתפקיד לתפקיד במשרד הפירסום, עד שנתמנתה למנהלת הקריאטיבית. היו לה כל התכונות הנדרשות מאשת קריירה, כשרון, דחף פנימי, אינטואיציה ואינטלגנציה.

דינה דפקה על הדלת ולאחר שהייה קלה נכנסה פנימה עם הנאשם שזוכה. היא לא זיכתה אפילו במבט אחד את פרצופו המאיים. זו היתה דרכה להביע את שאט הנפש שלה.

"הוא בא לשלם, מר שמיר," אמרה והסתלקה.

הבחור הניח שקית חומה על השולחן והוציא משם שבע חבילות עבות של שטרות מקומטים, יתרת חובו.

"אתה יכול לספור," אמר כלאחר יד, מצפה שאאמין שכל הסכום נמצא כאן, ושאין צורך לבדוק. ספרתי בכל זאת. הוא עמד מולי, שפת הגוף שלו שידרה קוצר רוח, אבל אני לא מיהרתי. הכסף אכן היה שם, עד השקל האחרון.

"זה בסדר," אמרתי.

הוא שלח אלי חיוך מכוער. "אני יכול לשאול אותך משהו?"

"כן," אמרתי.

"תגיד, זה יהיה בסדר שאני יילך אל הבחור ביפו בשביל שיעשה לי ציור של הנחש כמו שהיה קודם? אני שונא את הנחש שיש לי עכשיו." בחנתי את פניו. קיוויתי שהוא מתבדח, אבל הכוונה שלו היתה רצינית לגמרי.

הוא הצליח לעצבן אותי.

"אתה באמת רוצה שהמשטרה תעלה על התעלול שעשינו ותשליך אותך ואותי לכלא להרבה שנים?" שאלתי.

הוא חשב על כך.

"טוב," אמר במורת רוח, "תשכח מזה, בינתיים."

כשהלך שיחקתי בחבילות הכסף. הירהרתי מה אוכל לעשות בו. הסכום הגבוה הדהיר את פעימות הלב שלי. כסף עורר בי תמיד התרגשות, כסף שחור אף הגביר אותה. השטרות שנערמו על שולחני עוררו בי הרגשה של חטא מתוק, של שותפות לפשע. נעלתי שש חבילות בכספת, אחת תחבתי לכיס, והתקשרתי לסנדי. היה לה חצי יום פנוי, והיא אמרה שתשמח לשחק טניס.

נסעתי לכיכר המדינה וקניתי במזומן זוג עגילי זהב יקרים.

"יש לי הפתעה קטנה," אמרתי לסנדי, כששתינו אספרסו כפול שעה קלה לאחר מכן בבית הקפה הקטן שנשקף אל מגרשי הטניס בצפון העיר. הנחתי לפניה על השולחן את המתנה שקניתי. היא העבירה את אצבעותיה בשערה החום, הבוהק, שגלש עד כתפיה, ונעצה בי מבט שובב. היה לה חיוך מקסים.

"זה בשבילי?" שאלה אף שידעה את התשובה.

"כן," השבתי, "משהו קטן ממי שאוהב אותך."

היא פתחה את החבילה, חשפה את העגילים ובתום רגע ארוך של תדהמה חיבקה אותי בלהט ונשקה על שפתי. אנשים הסתכלו בנו בקינאה, ואני נהניתי מן הסיכון הכרוך באפשרות שמישהו מהם ירוץ לספר לחבר'ה על הקשר האינטימי שלי עם אשה מצודדת שאיננה רעייתי החוקית.

"זה נפלא," לחשה, "אתה באמת אוהב אותי, נכון?"

השבתי בחיוב. היא היתה אשה נשואה, בת שלושים ואחת, עשירה מכדי לעבוד, משופעת בזמן חופשי שיכלה לעשות בו כרצונה. היה להם בן יחיד, בן ארבע שטופל במסירות על־ידי עוזרת פיליפינית, בית נאה בכפר שמריהו

ודירה מצוידת היטב במלון דירות בהרצליה, שעמדה לרשותנו כל אימת שרצינו. אהבתי אותה בדרך שאני מסוגל לאהוב — לא יותר מדי, לא פחות מדי, במידה מדויקת של מחמאות ומתנות ומתוך ידיעה ברורה שיום אחד פשוט לא ארצה בה עוד. לפי שעה היא היתה בדיוק מה שדרוש לי. היא התנהגה במיטה בפראות של חתול אשפתות רעב, שמסתער על מנת מזון שנקרית בדרכו, היא היתה תובענית כאילו לא שכבה עם גבר זה זמן רב, היא נהגה לצרוח מתענוג והשכילה להחדיר בי את ההרגשה שמימיה לא ידעה מישהו גברי ממני. מה שחשוב לא פחות: היא היתה זמינה כמעט בכל פעם שרציתי. בעלה היה טרוד מדי, הוא הירבה להיעדר מהבית בשל נסיעות עסקים, ולא חשד בה מעולם. לא הייתי המאהב הראשון שלה, ידעתי שלא אהיה האחרון.

היא קמה ממקומה. היתה לה גיזרה משגעת, ובגדי הטניס הלבנים הלמו אותה היטב.

"בוא," אמרה, "אני מתה לחלץ קצת את העצמות."

לבשתי את בגדי הטניס שלי ותחבתי פנימה את הבטן כדי להסתיר את תלולית הכרס הקטנה. סנדי שיחקה מצוין. על המגרש, כמו במיטה, הייתי צריך להתאמץ כדי להדביק את הקצב שלה. אחרי הכול, פער גילים של כמעט עשרים שנה הוא לא מסוג הדברים שאפשר להתעלם מהם.

היא ניצחה בהפרש לא קטן. בחדרי ההלבשה, כשהיינו לבד, נשקתי על שפתיה והרגשתי שאני משתוקק אליה עד טירוף. הלב שלי פעם כתוף ענקי.

"ניסע אלייך?" שאלתי, והיא חייכה בהסכמה.

"בתנאי שתעשה לי גם עיסוי," אמרה, "השרירים שלי נורא תפוסים."

היא שכבה על בטנה בדירת הגג שלהם במלון הדירות בהרצליה. היינו עירומים, ואני עיסיתי את שכמותיה וגבה ואת ישבנה החטוב בתחליב גוף ריחני, שנמצא שם בדיוק לצורך זה. העיסוי מרט את עצבי. רציתי לשכב איתה מיד, והעובדה שלא הניחה לי לעשות זאת הטריפה את דעתי. התחככתי בה תוך כדי מעיכת עורה בתנועות אורך ורוחב, בתיקווה שיתעורר בה צורך זהה לשלי, אבל היא לא הזיזה את ראשה מן הכר שלתוכו נתחבו פניה, נהמה בפינוק וגערה בי כשהעזתי להפסיק לרגע. היא שאבה הנאה מיוחדת מן היכולת לגרות אותי עד קצה גבול היכולת, ורק אז להיסחף יחד

איתי אל תוך סערה חסרת מעצורים.

עשינו את זה, לבסוף, בג'קוזי הגדול שלה. היא רוקנה לתוכו כמות נדיבה של שמני צמחים ריחניים, שכיסו את גופנו בשיכבה חלקלקה. התחבקנו והחלקנו זה על גבי זה בתוך המים החמים המתערבלים בשצף, ליטפתי את שיער ערוותה הרטוב. היא עיסתה את אברי בתנועות איטיות, ותחבה אותו לתוכה בתנועה חדה ומהירה. המים והשמן והשאון העמום של המנוע שחולל את המערבולת הפכו כל מגע, כל תנועת חיכוך, כל נשיקה למשהו מסעיר שאין שני לו. משכנו את ההנאה שעה ארוכה. חיכיתי עד שהגיעה לשיאה שלוש או ארבע פעמים, ורק אז התפרקתי לרסיסים בקול תרועה שהידהד בין הקירות. שכבנו רפויים באמבט, המים החמים הוסיפו לזרום ללא הרף, ונוגה השקיעה עמד בחלונות. היא לחצה על מפסק הערבול, ודממה עמוקה השתררה בחדר.

מבחינתי, זה היה הרגע המתאים ביותר להתלבש וללכת, אבל ידעתי שהיא מצפה ממני לגילויי אהבה נוספים, להוכחה שהקטע המיני איננו התכלית היחידה של יחסינו. ליטפתי אותה, נשקתי לה כמעט בעל כורחי, אמרתי שהיה נהדר ושאני אוהב אותה. היא משכה אותי אל המיטה.

"אתה לא מתכוון ללכת עכשיו, נכון?" שאלה בלחש.

"בוודאי שלא," אמרתי בחיוך, אף שזה היה בדיוק מה שרציתי, "את יודעת שכל מה שאני רוצה הוא להישאר איתך עוד ועוד, בלי לחשוב אף לרגע על הזמן שעובר."

"היית נשאר איתי לתמיד?"

כבר שמעתי ממנה את השאלה הזאת לא פעם. התחמקתי מתשובה חד־משמעית בעבר, וידעתי שיהיה עלי להתחמק גם עתה. לא היתה לי שום כוונה למסד את מערכות היחסים הארעיות שלי.

"את יודעת שהייתי נשאר איתך," אמרתי וליטפתי אותה, "אם הייתי צעיר בעשרים שנה, בלי ילדים, בלי עול של משפחה, זה היה בדיוק מה שהייתי עושה, הייתי מתחתן איתך בשמחה. אבל עכשיו, בשביל מה את צריכה מישהו מבוגר כל כך? וחוץ מזה, אני מכיר את עופרה היטב. היא לא תיתן לי ללכת, לעולם."

"אנחנו לא צריכים את ההסכמה שלה," ניסתה שוב, "אתה יכול לעזוב

אותה ולחיות איתי גם בלי שנתחתן. ובעניין הגיל, זה ממש לא מטריד אותי. בעיני תהיה תמיד צעיר נצחי, שאף פעם לא יזדקן."

העפתי מבט במראה שנשקפה אלינו מפינת האיפור ליד המיטה. ראיתי שם את שנינו, אבל הסתכלתי רק על עצמי. הייתי שרוע על המיטה במלוא המטר־שמונים־ושניים סנטימטרים שלי, עורי היה שזוף מן הטניס והשחייה והבליט את עיני הבהירות, שערי נותר עדיין שחור למרות חוטי הכסף שנשזרו פה ושם, מיפרצי שיער קטנים הצטיירו מעל למצחי, אבל הייתי עדיין רחוק מלפתח קרחת. בחנתי במראה את הכרס הקטנה שלי. היא כמעט לא היתה מורגשת. הסכמתי עם סנדי שאני נראה צעיר מכפי גילי, נראיתי ללא ספק טוב מבעלה השמן והקירח, הבנתי מדוע רצתה אותי.

"לא השבת לי," הזכירה לי בקול מתפנק, "תעזוב את עופרה בשבילי?"

"תני לי לחשוב על זה..." מיהרתי לברוח מן הנושא, "נדבר בפעם אחרת."

נשארתי שם שעה מיותרת, משחק עד תום את המשחק שהיא אילצה אותי לשחק. היה לה נוח לשכב עירומה בזרועותי, לסחוט מפי מחמאות על גופה המרהיב וביצועיה המיניים, למצוא אוזן קשבת לתלונותיה על הרגליו המעצבנים של בעלה. זה היה מייגע, אבל אופייני למרבית הנשים שהייתי איתן. לבסוף היה כבר מאוחר אפילו בשבילה, והיא הזדרזה ללכת.

נשמתי לרווחה כאשר הצלחתי סוף סוף להתלבש ולצאת משם. ירדתי במעלית אל החניון התת־קרקעי, הוצאתי את המכונית ועליתי על הכביש לתל אביב. פתחתי את הטלפון הסלולרי. היו לי כמה הודעות בתא הקולי. עיתונאי של מקומון תל אביבי רצה ריאיון בעקבות ההישג שלי במשפט האונס. כמה לקוחות ועורכי דין התקשרו בעניינים שסובלים דיחוי. דינה מסרה שאמה של הנאנסת מבקשת לדבר איתי בדחיפות.

היה ערב והתנועה לתל אביב התנהלה בעצלתיים. טילפנתי אל דינה הביתה, שאלתי מה רצתה אמה של הנערה. היא אמרה שהאשה נשמעה נרגשת מאוד, אבל לא רצתה לומר לה במה העניין, רק הודיעה שתתקשר אלי למחרת. זה עורר בי סקרנות.

הרעיון לנסוע הביתה לא נראה לי. הרגשתי צורך להיות עם עצמי. חזרתי אל

המשרד הריק. העליתי אור בחדר הכניסה ובחדרי, מזגתי לי קוניאק צרפתי משובח ורוקנתי את הכוס בלגימה אחת. פתחתי את החלון. רוח קלה ציננה את פני שהתלהטו מן המשקה. צנחתי אל תוך הכורסה ועצמתי את עיני. מחי וגופי היו ריקים, וההרגשה נעמה לי. אהבתי את השקט ואת הבדידות. אף פעם לא הייתי זקוק לאנשים אלא לצרכים מיידיים, ולרוב גם בני־חלוף. עם העובדים שלי, מזכירות ועורכי דין, היו לי יחסים טובים, ענייניים, בדרך כלל לא למעלה מזה. היו לי חברים, אבל אף לא ידיד קרוב אחד שאשמח לשוחח ולבלות איתו. אמנם היו לי שניים או שלושה ידידי נפש בפלוגת הצנחנים שבה שירתתי בצבא, אבל זה היה בתנאים של פעילות מיבצעית ומתח, כשהיינו זקוקים זה לזה. אחרי כן נפרדו הדרכים, ושוב לא התעורר בי צורך לסוג כזה של ידידות.

לא אחת, אחרי שנים לצידה של עופרה, שאלתי את עצמי אם אני מתאים בכלל לחיי נישואין. משפחה היא עניין נעים, נוח וחיוני מבחינה חברתית, אבל תמיד הרגשתי שחיים של חופש גמור היו מתאימים לי יותר.

הייתי סקרן מאוד לדעת מה רצתה ממני אמה של הנאנסת. דינה לא ביקשה ממנה את מספר הטלפון שלה, ולא רציתי להמתין עד למחרת כדי שתשיג לי אותו. זכרתי את שם המושב שבו הם גרים, ובמודיעין נתנו לי את מבוקשי כהרף עין. ציפיתי שחגית תשיב לטלפון, ידעתי שקולה יעביר בי רעד, אהבתי את ההתרגשות של מגעי הגישוש הראשונים ביני לבין הנשים שחיזרתי אחריהן. אבל זה לא קרה. אמה הרימה את השפופרת. אתה מטורף, אמרתי לעצמי, לא היית צריך להשיב לאשה הזאת, אתה הרי לא מעוניין במה שיש לה להגיד לך, אתה מעוניין בבת שלה, אתה משחק באש, אתה עומד להסתבך, בשביל מה אתה בכלל צריך את זה?

שמעתי את האם אומרת "הלו", ואני זוכר שדווקא חייכתי. אז מה אם אסתבך קצת? סמכתי על עצמי שאצא מזה בשלום. הצגתי את עצמי בקול רשמי. היא אמרה: "תודה שאתה מתקשר, אדוני העורך דין... אני מצטערת שאני לוקחת מהזמן שלך." היה לה קול מהסס, כמעט נפחד.

"במה אני יכול לעזור לך?" ניסיתי להיות אדיב וחם ככל האפשר.

"אני צריכה להיפגש איתך," אמרה, "זה דחוף מאוד."

הסכמתי מיד. אפילו לא שאלתי מה בדעתה לומר לי.

"מתי את רוצה לבוא?"

"אני יכולה מחר, אם זה בסדר מצידך."

הסתכלתי ביומן. היתה לי פגישה שיכולתי לדחותה.

"בסדר," אמרתי, "מחר בשלוש אחר הצהריים."

"תודה אדוני," התעשת קולה, "אתה בן אדם טוב. אני יבוא בדיוק בשלוש."

בדרך הביתה עצרתי אצל חלפן ותיק שהכרתי, והמרתי את חבילות הכסף המזומן שקיבלתי מליטני בשטרות של מאה דולרים.

כשהגעתי אל הווילה שלנו באפקה, עופרה עוד לא היתה בבית, למרות השעה המאוחרת. עברתי על פני חדרו של דרור. הוא היה ילד שתקן, תמיר וצנום שגידל שיער ארוך עד כתפיו והיה ספורטאי מצטיין. הוא ישב מול המחשב, צמוד לאינטרנט. שאלתי מה העניינים ומה חדש והוא השיב, "אחלה," הביט בי רגע בחשש, שמא אני מבקש להשתקע שם ולנהל איתו שיחה בטלה, וחזר אל המחשב. עינב צפתה בטלוויזיה בחדר המגורים כשהיא מכרסמת חטיף כלשהו. היא היתה זקוקה לדיאטה דחופה, אבל לא התלהבה לעשות זאת. היה לה שיער בלונדיני קצר, פנים נאים, קומה ממוצעת, תיאבון גדול והרבה חברות שהעסיקו את קו הטלפון השני של הבית שעות ארוכות ברציפות. "היי," זרקה לעברי בלי שהיפנתה אלי מבט. ככל שבגרו היא ואחיה, הירבו שניהם לגלות סימנים מובהקים של עצמאות, של נטייה להסתגר בעולמם שלהם. עם כל יום שחלף מצאתי את עצמי, כמו עופרה, מתקשה יותר ויותר לנהל עמם שיחה של ממש.

הכנסתי את הדולרים אל הכספת ובחנתי בהנאה את חבילות הכסף הרבות שגדשו את תיבת הפלדה. נעלתי את הדלת וסובבתי את החוגה. אחר כך הסתגרתי בחדר האמבטיה והתקלחתי במים לוהטים. עטוף בחלוק רחצה הלכתי אל חדר המגורים ולקחתי לידי את העיתונים. החלונות היו פתוחים, ורוח סתיו קלה הביאה איתה פנימה ריח של חורף מתקרב.

שמעתי את דלת הכניסה נפתחת ואת קולה של עופרה קורא "אני כאן." היא נכנסה אל החדר כמעט בריצה, נרגשת, פניה סמוקים, נשימותיה

קצרות. השליכה את התיק על השידה, הדביקה נשיקה קלה על מצחי וצנחה על הספה לידי.

"אוף," רוקנה אוויר, "עברנו את זה סוף סוף."

הבטתי בה בשאלה. ניסיתי להיזכר אם אני אמור לדעת על מה היא מדברת.

"מיקי," היא אמרה, "אתה בטח לא זוכר כלום."

חייכתי במבוכה.

"הקמפיין של הטלפונים," הזכירה לי כמעט בעלבון, "איך יכולת לשכוח?"

"אה," נזכרתי בבת אחת, "כן, בטח. איך זה היה?"

היא חלצה את נעליה ואספה את רגליה תחתיה על הספה. בחליפה הוורודה, בחולצת המשי ששני כפתוריה העליונים היו פתוחים וחשפו רמז של שדיה, ובתספורת הקארה הקצרה, המטופחת, היא נראתה נאה ומושכת, אף על פי שהעלתה מעט משקל מאז הנישואין. שאלתי את עצמי אם גברים מחזרים אחריה, האם הייתי מקנא לה אם היתה נסחפת לאיזשהו רומן חשאי? אולי כן, בעצם אולי לא.

"טוב," היא אמרה, "אם אתה באמת רוצה לדעת, אני חושבת שיש לנו סיכוי מצוין לקבל את תקציב הפרסום שלהם."

היא סיפרה לי שבמשך רוב שעות היום, במשרדיה של החברה החדשה לטלפונים סלולריים, היא ניצחה על צוות המשרד שלה כשבאו להציג לפני הנהלת החברה את הצעתם למסע פרסום נמרץ ומקורי. לחברת הטלפונים היה הרבה כסף, ומשרד הפרסום שבו עבדה עופרה נזקק לתקציב גדול כמו אוויר לנשימה. המיתון במשק נגס קשות ברווחים, והתיקווה הגדולה שלהם היתה שחברת הטלפונים תעדיף את הצעתם על ההצעות של חברות הפרסום המתחרות.

עופרה עבדה על הפרזנטציה הזאת שבועות רבים, יום ולילה. זו היתה גולת הכותרת של מאמציה.

"כמה משרדי פרסום הגישו הצעות?" שאלתי.

"רק שלושה, כולל אנחנו."

"מה הסיכוי שלכם?"

"מצוין. ראיתי על הבעות הפנים של חברי ההנהלה שהם התרשמו מאוד.
מישהו מהם אמר לי בהפסקה, כל הכבוד, עשיתם עבודה יפה... איך היה
היום שלך?"

"לא משהו מיוחד," אמרתי, "תיקים שיגרתיים, לקוחות מעצבנים."

היא הכינה לילדים ארוחת ערב, אחר כך לבשה את האימונית ויצאה
לריצת הלילה שלה.

3

הטלפון צילצל על שולחני מיד כשהגעתי בבוקר אל המשרד. סמל משטרה
במחלקת ביקורת הגבולות בנמל התעופה בן גוריון אמר שיש לו לקוח חדש
בשבילי. היה לי סידור קבוע איתו. כשהמשטרה היתה עוצרת נוסע חשוד
ומעכבת את כניסתו לארץ, הוא היה ממליץ לעצור לפנות אלי כדי שהנוסע
יקבל עזרה משפטית מהירה. התנאי שלי לקבלת תיקים מסוג זה היה
שהלקוחות יוכלו להרשות לעצמם לשלם לי את הסכומים המנופחים שנהגתי
לגבות במקרים כאלה. לסמל שתיווך בינינו שילמתי אחוזים נדיבים משכר
הטירחה שקיבלתי. זה היה עניין מהיר ומשתלם ביותר. בין שהייתי מצליח
להסדיר בסופו של דבר את כניסתו של הלקוח לארץ ובין שלא, התשלום היה
תמיד מיידי ובמזומן.

הסמל מסר לי את הפרטים של המיקרה החדש: בטיסת "אל על" מניו
דלהי נתגלו שלושה נוסעים שניסו להבריח כמות גדולה של כדורי אל.אס.די.
המשטרה חושדת שבטיסה הזאת היו עוד נוסעים ששיתפו איתם פעולה.

"עצרנו כמה חשודים," הוא אמר, "כולם תפרנים שלא יכולים לשים חצי
דולר לעורך דין. אחד מהם עושה דווקא רושם של אדם אמיד. בחיפוש
שערכנו עליו התברר שהוא הביא איתו הרבה כסף במזומן. הוא טוען שאין לו
שום קשר לסמים, אבל המשטרה לא משתכנעת. המלצתי לו עליך, והוא
מבקש שתבוא מיד."

בדרך כלל הייתי שולח לשם את איתן, אבל הוא לא היה במשרד, ולי היה
עוד זמן עד הפגישה הבאה שלי. חבל היה להחמיץ את ההזדמנות לעשות
כמה אלפים במכה אחת. אמרתי שאני מגיע.

סמל המשטרה הוביל אותי אל תא המעצר שבו נמצא הנוסע מהודו. על
ריצפת התא הצר והמצחין ישב ברגליים משוכלות ובגב זקוף גבר נאה באמצע

23

שנות הארבעים לחייו, עיניו היו עצומות וידיו מונחות על ברכיו. לעורו היה גוון של ברונזה מלוטשת, ושערו השחור, החלק, הגיע עד כתפיו. הוא לבש גלימת תכלת ארוכה וענד על חזהו אבן ירוקה שתלתה על רצועת עור חומה. הסמל קרא בשמו, אבל הוא לא זע. לשווא ניסה השוטר להסב את תשומת ליבו פעם ופעמיים נוספות. חיכינו בסבלנות. רק לאחר דקה ארוכה נשם האיש לפתע נשימה עמוקה, ובאיטיות רבה פקח את עיניו, כמו חזר ממקום אחר, הרחק מן התא המזוהם הזה. הוא הסתכל על הסמל במבט סלחני, ונשא אלי את עיניו. היו לו עיניים חומות, ישירות מאוד, מביעות אמון.

הצגתי את עצמי. ההודי אמר ששמו ראם סינג והתנצל על שהיה שרוי בעיצומה של מדיטציה. הוא סיפר שבא לארץ במסגרת סיור עולמי שבו הוא מלמד תורת חיים מיוחדת שנועדה להקל את סבלם של אנשים. היה לו קול רך ושקט והוא הכחיש באנגלית מהוקצעת כל קשר למבריחים שנתפסו. אמרתי שאנסה לחלץ אותו מן המעצר ולהשאירו בארץ ונקבתי בשכר הטירחה שלי. הוא לא נבהל. החתמתי אותו על ייפוי כוח ושוחחתי ארוכות עם החוקרים שטיפלו בתיק. הם סברו שהוא איש מוזר ושמוטב יהיה לגרשו מהארץ גם אם יתברר שאין לו קשר לבחורים שנעצרו.

חזרתי אל המשרד וניסחתי בקשה לבית המשפט לעכב את הליכי הגירוש, עד שיידון עניינו של הלקוח שלי בערכאות המתאימות. נסעתי ללשכתו של השופט וקיבלתי בהליך מהיר צו ביניים, שהורה שלא לגרש את ההודי עד לבירור העניין באופן ממצה בבית המשפט. הזעקתי שליח ושלחתי את העתק הצו למשטרת נמל התעופה.

"אשתך ביקשה שתתקשר דחוף," אמרה דינה כשחזרתי למשרד.

"מה קרה?" שאלתי.

"היא רק אמרה שהיא רוצה לדבר איתך."

עופרה טילפנה אלי למשרד לעתים רחוקות מאוד ורק כשהיתה לה סיבה של ממש. קיוויתי ששום דבר רע לא קרה. רציתי להאמין ששום קרוב משפחה לא מת או חלה פתאום. הלוויות של קרובים־רחוקים וביקורי חולים היו בשבילי בזבוז זמן משווע ועינוי בלתי נסבל.

טילפנתי לעופרה, אבל היא לא היתה במשרד. המזכירה שלה אמרה לי

בקול מגומגם שהיא לא יודעת היכן היא נמצאת והיא תמסור לה שהתקשרתי. היה משהו בנימת הדיבור שלה שהטריד אותי. שאלתי אם קרה משהו, והיא השיבה בהיסוס שהיא לא יודעת על משהו מיוחד שקרה. משום מה היתה לי הרגשה שהיא משקרת. הנחתי את השפופרת, ובתוך דקה או שתיים לא חשבתי על כך עוד.

שעה ארוכה ניהלתי דיון עם לקוח לקראת התחלת משפטו. אחר כך טילפנה סנדי ואמרה שהיא מתגעגעת ושאולי ניפגש אחר הצהריים. התיאבון המיני שלה היה לפעמים בלתי נילאה, אבל זה מה שמצא חן בעיני. הצעתי שניפגש בחמש.

"יש עוד המון זמן עד אז," התפנקה, "תגיד לי לפחות שאתה אוהב אותי, כדי שיהיה לי משהו לחשוב עליו עד שניפגש." אם היה משהו שלא סבלתי בנשים שהייתי איתן זה הצורך המתמיד שלהן בהוכחות לאהבתי. כמה מהן עשו הכול כדי לסחוט ממני וידוי אהבה בכל יום, ולעתים גם פעמים אחדות ביום, בתקופה שקיימתי איתן יחסים.

"בוודאי שאני אוהב אותך," אמרתי כמי שכפאו שד, "את יודעת שאני מטורף אחרייך." התנצלתי שיושבים אצלי אנשים, אף שהחדר כבר היה ריק, וטרקתי את הטלפון.

הספקתי להכתיב כמה מכתבים עד שאמה של חגית הגיעה. דינה ליוותה אותה אל החדר שלי בפרצוף חסר הבעה. האשה נכנסה פנימה והדלת נסגרה אחריה. היא היתה לבושה בשמלת הפרחים הפשוטה שלבשה בבית המשפט והחזיקה בארנק בלוי. נדמה היה לי שקמטי הצער שראיתי על פניה בבית המשפט התרבו ביומיים שחלפו מאז.

"שבי, בבקשה," אמרתי, "תשתי משהו?"

היא לא רצתה לשתות.

"במה אוכל לעזור לך?" שאלתי בקול נדיב והצטערתי שלא אמרתי לה להביא איתה את בתה.

היא סיפרה שזיכויו של הלקוח שלי היכה אותה בתדהמה, שבעלה לא הלך לעבודה מרוב רוגז ושהבת שלהם המומה ובוכה כל הזמן. עדיין לא הבנתי לשם מה טרחה ובאה כל הדרך מהמושב שלה בדרום אל המשרד שלי.

"מהרגע של הפסק דין," אמרה בהתרגשות, "באות המחשבות שלא נותנות לי מנוחה. אני מוכרחה לדעת את האמת, אני רוצה להבין... הנאשם שהגנת עליו אנס את הבת שלי. השופט שיחרר אותו. אני רוצה לדעת למה לא נעשה צדק, למה הוא לא יושב בבית סוהר."

זו היתה שאלה טיפשית, כל מי שהיה מבזבז את זמני בשטות מעין זו היה מוצא עצמו מהר מאוד מחוץ לדלת. אבל, אמרתי לעצמי, אם האשה הזאת תקום עכשיו ותלך הביתה, מאוכזבת מן הסירוב שלי להיענות לה, ייסתם בבת אחת הגולל על האפשרות ליצור קשר עם בתה. הייתי חייב לגלות סבלנות, לפחות עד שאברר אם אכן אוכל להשיג את הנערה.

"אני חושש שלא פנית לכתובת הנכונה," אמרתי באורך רוח, "השופט זיכה את הנאשם, לא אני."

"אבל אתה גרמת לזיכוי," התעקשה, "אתה בטח ידעת שהוא אשם, אז איפה הצדק?"

"אני מילאתי את חובתי להגן על הנאשם."

היא היתה מאוכזבת.

"חשבתי שיהיו לך תשובות שירגיעו אותי ואת הבת שלי... מה אני יגיד לה עכשיו, שאין צדק?"

"תראי," ניצלתי את ההזדמנות, "למה שלא תשלחי אלי את הבת שלך? אני אסביר לה הכל, אני אשתדל להקל עליה."

לא היה, כמובן, כל היגיון בהצעה הזאת. פחדתי שתעמוד על כך שאסביר לך בעצמי את מה שקרה. אבל היא לא התעקשה. להיפך. עיניה אורו כשמעה את ההצעה שלי.

"בטח," אמרה, "אני יגיד לה שתבוא. זה באמת יכול לעזור לה."

היא קמה ממקומה ואימצה אל חזה את הארנק.

"אפשר להגיד לה שאתה התקשרת וחיפשת אותה?" שאלה, "אני לא רוצה שהיא תדע שהייתי אצלך."

"את יכולה להגיד לה מה שתרצי," אמרתי ברוחב לב וליוויתי אותה אל הדלת.

"תודה רבה," אמרה.

עקבתי אחריה במבט מהורהר, בעודה פוסעת במסדרון המוביל אל דלת

הכניסה הראשית. חשבתי על בתה שבעוד יום או יומיים תצעד במסדרון זה
בדרך אל חדרי. ניסיתי לדמיין את השיחה שתתנהל בינינו כשתגיע, את הדרך
שבה אנסה להפיג את חשדנותה ולקרב אותה אלי. הייתי נרגש שוב, בדיוק
כמו ביום שבו לא יכולתי לגרוע ממנה עין, כשעמדה על דוכן העדים.

בארבע וחצי יצאתי מן המשרד. סנדי חיכתה לי בדירת הגג של מלון הדירות.
היא התחילה להתפשט, אבל אני עצרתי בעדה.
"לא," אמרתי, "היום נעשה את זה אחרת."
היא הביטה בי במבט משועשע.
"מה קרה, יש לך פנטזיה חדשה?"
הודיתי באשמה.
"איכפת לך אם... אם זה יהיה הפעם כמו אונס?" אמרתי, והיא חייכה:
"מי אונס את מי, אני אותך או אתה אותי?"
"אני אותך," השבתי.
"מאיפה זה בא לך פתאום?"
"ראיתי סרט כחול," שיקרתי.
נשארנו לבושים. פתחתי את רוכסן המכנסיים ודחפתי את סנדי אל
המיטה. הייתי אלים ובלתי מתחשב, והיא אהבה את זה. עצמתי את עיני
ושיכנעתי את עצמי שאני אונס את חגית. הייתי מיוחם כפי שלא הייתי כבר
זמן רב. קרעתי את חולצתה ואת תחתוניה וחדרתי אליה ללא משחקי אהבה
מוקדמים. היא שיתפה פעולה עד הסוף, גנחה וצווחה והעמידה פנים שזהו
אונס אמיתי, "אל תעשה לי את זה, אני מבקשת..."
זה היה מהיר מתמיד. סגרתי את הרוכסן והזדקפתי. היא נותרה שרועה
במיטה, עירומה למחצה, קרעי חולצתה ותחתוניה ניתלו בגופה. זרועותיה
נפרשו לקראתי. רכנתי ונשקתי לה.
"היית כל כך משכנע, מיקי," אמרה בחיוך, "הכי משכנע שאפשר."
הייתי שבע רצון ורגוע. הנחתי במערכת הסטראו דיסק של פרנק סינטרה
והכנתי לשנינו כריכונים של סלמון מעושן. היה במקרר גם בקבוק של יין
צרפתי לבן. הבאתי את המגש והיין אל המיטה והרמנו כוסות לחיינו.

27

הערב ירד. נסעתי הביתה. לא ראיתי את המכונית של עופרה בחנייה. נזכרתי פתאום בהודעה הטלפונית שהשאירה לי. היה עלי להתקשר אליה, חשבתי, אולי באמת קרה משהו רע.

"אמא הודיעה שתאחר?" שאלתי את ענב.

"לא."

"יודעת איפה היא?"

היא השיבה בשלילה.

זה נראה מוזר. טילפנתי שוב למספר הישיר של עופרה במשרד הפרסום. היא היתה מכורה לעבודה ולא פעם נשארה לעבוד שם בשעות הערב, אבל תמיד הקפידה להודיע שתאחר. הטלפון צילצל ללא הרף, ואיש לא השיב.

טילפנתי לאמה. עופרה היתה מבקרת אותה אחת לשבוע, לאו דווקא ביום קבוע. האם השיבה לי בקול מודאג. לא, עופרה לא היתה אצלה.

"קרה משהו?" שאלה. הרגעתי אותה כמיטב יכולתי, אבל אני עצמי הייתי רחוק מלהיות רגוע. התיישבתי בחדר השינה ושאלתי את עצמי אם עלי להתקשר לבתי חולים ולמשטרה. לפתע, מבעד לרעשי הטלוויזיה שמעתי את דלת הכניסה נטרקת. זינקתי לשם. עופרה ניצבה בפתח. בעיניה עמדו דמעות.

"אני לא רוצה שהילדים יידעו," אמרה ומחתה בגב כף היד את עיניה האדומות.

היא רמזה לי ללכת איתה אל המטבח, מזגה לעצמה קפה והתיישבה ליד השולחן.

"טילפנתי אלייך, ולא החזרת לי צילצול," אמרתי, "חיפשתי אותך בערב במשרד ולא היית."

רציתי שתדע שנהגתי כהלכה, ששום דבר אחר לא העסיק אותי פרט לדאגה אליה.

היא הביטה בי במבט כואב.

"מן השבוע הבא," אמרה, "לא יהיה לי בשביל מה לקום בבוקר."

לא שמעתי מפיה הרבה אמירות נואשות בשנות נישואינו. כוס הקפה שלה הצטננה. היא לא נגעה בה.

"אני מפסיקה לעבוד," הוסיפה.

לא האמנתי למישמע אוזני.

"התפטרת?" שאלתי בתדהמה. לא התקבל על דעתי שאשתי, המנהלת הבכירה שקידמה כל כך את משרד הפרסום הגדול, שבמסיבת העשור למשרד, רק לפני שנתיים, ציינו אותה לשבח גם אנשי ההנהלה וגם נציגי העובדים, שדווקא היא תעזוב לפתע את המישרה הזאת, שהיתה תפורה בדיוק על־פי מידותיה.

"לא," אמרה כמעט בלחש, "לא התפטרתי. פיטרו אותי."

פיטרו? אותה?

"זהו, מיקי. זהו פשוט סוף פסוק... ההצעה שלנו בעניין הטלפונים לא התקבלה למרות כל המחמאות שנתנו לנו, והכישלון הזה השפיע על המשרד הרבה יותר מכפי שחששנו שישפיע. היום בצהריים התכנסו הבעלים לישיבת חירום והחליטו לחסל את העסק."

מכל האפשרויות שיכולתי לחשוב עליהן, זו היתה האחרונה ברשימה. משרד הפרסום שבו עבדה עופרה היה אחד הגדולים בעיר. הוא ניהל תיקים של לקוחות נכבדים מאוד בתחומי המזון, האלקטרוניקה והרכב וגילגל מחזור כספים מרשים. נכון שהמיתון פגע בהם קשות, נכון שעופרה דיברה על כך לא פעם, אבל לא עלה בדעתי שהמצב חמור עד כדי כך.

"אתה זוכר שסיפרתי לך על שני הלקוחות שעזבו אותנו לפני כמה חודשים?" שאלה. זכרתי. מדובר היה בתקציב של מיליונים שעבר לשתי חברות פרסום אחרות, לאחר שהציעו תנאים טובים יותר. זכרתי גם קטעים ממה שסיפרה לי לאחר מכן על קשיים גוברים והולכים של המשרד, על אי־היכולת שלו לעמוד בתחרות הפרועה עם משרדים אחרים.

"כמו שאתה יודע, זה היה כדור שלג שהלך וגדל כל הזמן," המשיכה, כשהיא מקנחת ללא הרף את אפה ואת עיניה, "אחרי הגדולים נשרו כמה לקוחות נוספים, וכולנו התחלנו להילחץ. כל השוק יודע שהמצב הכלכלי הדפוק גורם לכך שכל לקוח מחפש לקצץ בתקציב הפרסום שלו, לצמצם עמלות, להזרים את הכסף שיתפנה לצרכים בוערים יותר, כמו משכורות, הוצאות ייצור, חובות. התוצאה היא, שההכנסות שלנו פחתו במהירות, וכאילו כל זה לא מספיק, ברח לנו עכשיו התקציב שחיכינו לו יותר מכול, תקציב הטלפונים. היום התברר לי פתאום, שכבר חודשים נעשים גישושים

למכור את המשרד, אבל אף אחד לא רוצה לקנות. בבוקר כינסו את העובדים ונתנו לנו להבין שחלק מן האשמה רובץ גם עלינו, משום שלא הצלחנו לעצור את הלקוחות שעזבו ולעצב הצעת פרסום שתכה את כל המתחרים על תקציב הטלפונים. זה לא היה הוגן להעמיס את זה על המצפון שלנו, זה לא היה הוגן להאשים גם אותי, אבל עוד לפני שהספקנו למחות הם הודיעו שאין ברירה, סוגרים."

היא תלתה בי את עיניה.

"מה לעשות, מיקי? תגיד לי." קולה היה שבור והיא ציפתה בעליל שאשמש לה משענת.

"אל תדאגי," אמרתי, "את מוכשרת, ויש לך המון ניסיון מקצועי. כל משרד יקבל אותך בשימחה לעבודה. מחר בבוקר תרימי כמה טלפונים, ואני בטוח שעד הערב כבר תעבדי בג'וב טוב לא פחות."

"אני מקווה מאוד שאתה צודק," אמרה. היא התרוממה ונשקה לי על המצח, "מה עושים הילדים?"

"לא יודע. ממתי הם משתפים אותי במה שקורה להם?"

היא הלכה לחדר האמבטיה והשאירה אותי לבד. אט אט החלה מתגנבת לליבי ראשיתה של תחושת מועקה, שאיימה בפירוש לצבור תאוצה גדולה. פתאום, יש מאין, נוצרה בעיה חדשה והיה עלי להתמודד איתה. המשבר של עופרה, הבנתי, ייאלץ ממני עכשיו להעניק לה תשומת לב גדולה יותר, להתפנות למענה על חשבון החופש שלי, לוותר על כל מה שאהבתי לעשות. ידעתי שזה לא יהיה קל. רציתי להאמין שהבעיה המיותרת הזאת תיפתר בהקדם.

עופרה יצאה לריצת לילה וחזרה מיוזעת ונינוחה יותר. היא הכינה רשימה של אנשים שתיכננה להתקשר אליהם למחרת כדי לחפש מקום עבודה חדש. נכנסנו למיטה, איחלתי לה חלומות נעימים ואמרתי שוב שיהיה בסדר. אבל מעט התיקווה שהפחתי בה התפוגגה במהירות במהלך הלילה. עופרה לא עצמה עין, והתפתלויותיה במיטה לא הניחו גם לי לישון. בארבע לפנות בוקר היא התיישבה במיטה ושאלה אם אוכל להביא לה משהו לאכול. באי־רצון קמתי והלכתי אל המטבח. הייתי עייף, ולא היה לי חשק לטרוח. מצאתי

פרוסת עוגה וצירפתי אליה כוס של משקה קר.

עופרה העלתה אור בחדר. פניה היו חיוורים, וטבעות שחורות הצטיירו מתחת לעיניה. היא הביטה בי במבט מאוכזב.

"אתה אוהב אותי?" שאלה.

"מה השאלה הזאת פתאום?" גילגלתי עיניים במבט תמים.

"שאלתי אם אתה אוהב אותי."

"בטח שאני אוהב אותך," קיוויתי שזה יישמע אמין ככל האפשר.

היא הצביעה על העוגה. היא היתה ישנה ויבשה, רחוקה מלעורר תיאבון.

"פעם," אמרה, "היית נוסע באמצע הלילה עד יפו כדי לקנות לי כעכים טריים..."

ניסיתי לקום מן המיטה.

"אני אכין לך משהו טעים יותר," אמרתי.

"כבר לא צריך," אמרה והניחה את העוגה והמשקה על השידה בלי שנגעה בהם. אחר כך כיבתה את האור. השתררה דממה כבדה. קיוויתי שתצליח לישון.

אני מניח שבסופו של דבר נרדמתי לכמה דקות, אבל אנחה כבדה שעלתה מפיה של עופרה העירה אותי. העמדתי פנים שאני ישן, כדי שלא תטריד אותי. בחוץ שרר עדיין חושך. הזמן חלף לאיטו. רציתי שיעבור מהר יותר, שיגיע כבר הבוקר, שאוכל ללכת למשרד ולהשאיר את עופרה לטפל בענייניה. לא חשבתי שיש עוד משהו שאני יכול לתרום לנושא. מילות ההרגעה שהרעפתי עליה אמש השפיעו לא יותר מגלולות אספירין על חולה שנמצא בסכנת חיים.

סוף סוף עלה השחר. היום האיר. הילדים הלכו לבית הספר, ואנחנו אכלנו ארוחת בוקר. לעופרה נותרו עוד ימי עבודה אחדים במשרד, בעיקר כדי לסייע בחיסול שאריות, אבל היה ברור שאין לה חשק להקדים ולהגיע לשם. שלא כדרכה, היא לא מיהרה לשום מקום, ואני לא העזתי לגלות סימנים של קוצר רוח. עברתי איתה על רשימת משרדי הפרסום שתתקשר אליהם כדי לחפש עבודה, וביקשתי שתטלפן אלי כדי לספר לי מה קורה. לבסוף צילצלו מן המשרד שלי וסיפקו לי תירוץ מצוין להימלט מן הבית.

"תראי שצדקתי," אמרתי כשצעדתי לעבר הפתח, "לא תהיה לך שום בעיה למצוא עבודה חדשה."

4

נסעתי לתחנת המשטרה בנמל התעופה כדי ללחוץ שישחררו את ההודי. מפקד המשטרה לא הצליח להסתיר את מורת רוחו כשראה אותי.

"עשית לנו תרגיל," אמר בכעס של כדורגלן שהחמיץ שער בטוח, "כדאי שתדע שהיינו מגרשים אותו עוד הלילה אילו לא היית מוציא צו שמשאיר אותו כאן."

שאלתי מה יש להם בכלל נגד האיש הזה.

"האמת?" השיב המפקד, "שום דבר, רק שהוא לא מוצא חן בעינינו. יש לנו מספיק מטורפים בארץ הזאת גם בלעדיו." הוא היה, כמובן, מאושר הרבה יותר, אילו היו לו הוכחות שהאיש אכן בלתי שפוי. במקרה כזה אפשר היה לגרום בנקל לביטול הצו שהוצאתי. אבל למשטרה לא היו שום ראיות שהאיש מטורף, גם לא כאלה שיחזקו במישרין או בעקיפין איזשהו חשד פלילי נגדו. אמרתי שאגיע עד בג"צ אם הם ימשיכו להתעקש. מפקד המשטרה עשה כמה טלפונים, נתן לי לחכות שעה ואחר כך אמר: "ניצחת. נשחרר אותו היום."

הלכתי אל ראם סינג כדי להביא לו את הבשורה. הוא עמד במרכז התא והתעמל בתנועות מוזרות. לרגע הייתי מוכן להאמין שחושיו של מפקד התחנה לא הטעו אותו.

סיפרתי להודי שהוא עומד להשתחרר ועיניו אורו. חיכיתי עד שיחזירו לו את חפציו האישיים ואת הכסף שנלקחו ממנו כשנעצר. הוא שלח יד לארנקו ושילם לי את שכר הטירחה. אמרתי שאם יזדקק לעזרה, אעמוד לרשותו. לחצנו ידיים. היתה לו יד חמה, כמעט לוהטת. משכתי את ידי מהר ככל שיכולתי, ודימיתי לחוש גלי חום מתפשטים בגופי. שמחתי לצאת החוצה, אל המקום שבו הפיגה הרוח הקרירה את הלהט המוזר.

בתחנת דלק שתיתי קפה מהיר ונסעתי לבית המשפט, שבו עמד להימשך משפטו של לקוח, שנאשם בשורה של מעשי מירמה. זה אמור היה להיות יום קשה עם מיצעד של עדי תביעה והגנה, התנגחויות בין פרקליטים, גערות של שופט קצר רוח. הלכתי לקרב כמו תמיד, לא נלהב מדי, לא מעורב מדי, אבל מקפיד להעמיד פנים שאלחם עד טיפת דמי האחרונה למען הלקוח שלי.

עליתי במעלית כשהפלאפון צילצל לפתע. דינה הודיעה שאמה של חגית מחפשת אותי בדחיפות, ושאלה אם זה בסדר שתיתן לה את מספר הטלפון הנייד שלי. היו לי עוד דקות אחדות עד התחלת המשפט, והייתי סקרן לדעת מה היא מבקשת לומר לי. האשה טילפנה ללא שהיות. קולה היה עגום ומתנצל.

"הבת שלי," אמרה, "לא רוצה לדבר איתך. אמרתי לה שחיפשת אותה, והיא שאלה בשביל מה. אמרתי שאתה רוצה לדבר איתה על המשפט, להסביר לה כמה דברים. אני לא יודעת מה לעשות."

ניסיתי לומר לעצמי שזו ההזדמנות שלי לרדת מן העץ. היה עלי לסגור את הטלפון ולשכנע את עצמי שממילא לא היה שום סיכוי שייווצר איזשהו קשר ביני לבין הנערה. אבל התשוקה שסערה בקרבי ללא הרף, בלתי הגיונית ובלתי נשלטת, מחתה כל ניצוץ של היגיון. הלכתי לקרן זווית של אולם ההמתנה ואמרתי: "תני לי את הבת שלך לטלפון."

האם היססה לרגע ואחר כך אמרה: "בסדר, אני ינסה." חיכיתי כמה דקות, שמעתי קולות עולים ויורדים וניסיתי לחשוב על הדברים שאגיד לנערה, אם תצמיד את השפופרת אל אוזנה. לבסוף שמעתי את קולה רחוק ומבוהל.

"מה אתה רוצה?" שאלה.

ההתרגשות שמה מחנק לגרוני. ידעתי שאני הולך על חבל דק, אבל אהבתי לחוש את הסכנה.

הלקוח שלי יצא באותו רגע מן המעלית, הבחין בי וניגש אלי. הברחתי אותו מן המקום בתנועת יד עצבנית. גייסתי את כל משאבי הקסם האישי שלי כדי להשיב לשאלה שנשאלתי.

"יש כמה דברים שרציתי להבהיר לך אחרי המשפט ולא הספקתי," אמרתי.

"איזה דברים?"

"דברים שנוגעים למה שקרה בבית המשפט, דברים שאולי יכולים להבין מדוע החליט השופט מה שהחליט. תוכלי להגיע אלי למשרד?"

ידעתי שאם מישהו היה מגיש תלונה ללשכת עורכי הדין על השיחה הזאת, היו שוללים לי את הרישיון בתוך עשרים וארבע שעות.

"שום דבר לא יכול לעזור לי," אמרה. לא היה עוד פחד בקולה, רק השלמה כואבת עם מציאות שלא תוכל לשנותה.

ניסיתי להיראות, לשם שינוי, להוט פחות: "את רשאית, כמובן, לעשות מה שאת חושבת לנכון. אני אדם עסוק מאוד ואם תחליטי לא לבוא יהיו לי הרבה דברים אחרים לעשות בזמן שיתפנה. חבל רק על ההזדמנות שאת מחמיצה..."

השתתקתי. הבאתי בחשבון שהיא תנסה לסרב, אבל סמכתי על אמה שתעשה הכול כדי שבתה תחזור בה. היתה שתיקה ארוכה בטלפון.

"אין לי זמן," אמרה לבסוף, "יש לי בחינות."

"תתקשרי אלי כשתסיימי אותן?"

"אני לא יודעת. שלום."

האם חשדה בי? האם אמרו לה חושיה, שהכוונות שלי אחרות לגמרי מאלה שהצגתי בפניה? חשתי שהקלפים נטרפים לי לפתע. למען האמת, לא ציפיתי שתאמר לי לא. כעסתי על אמה על שלא התערבה, כעסתי על עצמי על שלא הצלחתי לשכנע, כעסתי על הלקוח שלי שניסה שוב להתקרב אלי ולזכות בתשומת ליבי, כעסתי על הנערה שבחרה להקיף את עצמה בחומה בצורה ולא הניחה לי להבקיע אותה.

בצהריים נסעתי למשרדי. לא היו, לשם שינוי, שום הודעות בשבילי. התרווחתי בכיסא המנהלים המסתובב, הרמתי את רגלי על השולחן, שילבתי את זרועותי מאחורי ראשי ועצמתי את עיני. ציפיתי לשעה של שקט מוחלט.

"מיקי," שמעתי לפתע קול מוכר, "אתה עסוק?"

הרמתי את עיני וראיתי את עופרה מתקרבת אל שולחני. התפכחתי בבת אחת.

עופרה היתה מבקרת במשרד רק לעתים רחוקות, וגם אז טרחה לוודא

תחילה שאני נמצא ופנוי בשבילה. זה לא היה ממינהגה לבקר במפתיע. היא נראתה רע. פניה היו חיוורים ונפולים, ללא איפור, שערה לא היה מסודר.

"הלכתי למשרד בבוקר, אבל לא יכולתי לסבול את האווירה הקשה שהיתה שם," אמרה, "חזרתי הביתה וגם שם לא יכולתי להיות. לא רציתי שהילדים יראו אותי בבית באמצע היום." עינב ודרור עדיין לא ידעו שאמם נותרה ללא עבודה. היה לה קשה לספר להם אמש, אולי יהיה לה קשה לספר להם גם היום.

"ניסית לחפש מקום עבודה חדש?" שאלתי.

היא פלטה אנחה עמוקה.

"אתה יודע מה הכי מרגיז אותי?" אמרה, "טילפנתי לכל החברים הטובים שלי במשרדי הפרסום הגדולים, דיברתי עם עמירם ומתי ואורנה וגילי, עם כל אלה שרק לפני כמה חודשים הציעו לי הרים וגבעות כדי שאעבור אליהם, אתה זוכר כמה פגישות היו לי איתם, כמה ארוחות צהריים, כמה מאמצים הם עשו כדי לשכנע אותי שמה שהם מציעים הוא הדבר הנכון ביותר שצריך לעשות?"

היא לא חיכתה לתשובה.

"ובכן, דיברתי איתם הבוקר. הם כבר ידעו שהמשרד שלנו מת... שמועות עוברות מהר בענף הזה. שאלתי אם ההצעות שהציעו לי עדיין אקטואליות. פתאום כולם היו נורא אדיבים, אבל גם להם, הם אמרו לי, יש בעיות, מיתון, תחרות קשה, הוצאות גבוהות ו'מי כמוך עופרה יודע שהשוק קשה עכשיו...' איך שאני שונאת אותם!"

"אולי תנסי גם משרדים אחרים?" שאלתי בקול שנועד להפיח בה תיקווה.

"כל האחרים קטנים בשבילי," אמרה, "אני הרי לא אוכל להרשות לעצמי לרדת ברמה. איזו צורה תהיה לזה, אם אעבור מג'וב בכיר כל כך לאיזשהו תפקיד של מתחילים?"

"תירגעי," אמרתי בנימה מעודדת, "אני בטוח שיהיו לך עוד המון הזדמנויות לעבודה."

"אל תשלה את עצמך, מיקי," אמרה וצנחה אל תוך הכורסה מול שולחני, "לא יהיו עוד שום הזדמנויות בשבילי."

זה היה מצב חדש שלא היא ולא אני היינו רגילים לו. עד שפוטרה, היתה עופרה אשה גאה, עצמאית, מצליחה ומכירה בערכה. פיטוריה אילצו אותה להתמודד עם מצבים שלא צפתה גם בחלומותיה הרעים ביותר. עולמה המקצועי חרב עליה בבת אחת ללא שום התראה מוקדמת, וזה הכאיב לה מאוד. לא פחות הכאיבה לה העובדה שפתאום איש לא הציע לה מישרה אחרת. היא נאלצה לבקש, להתחנן, להיות תלויה בחסדי אחרים, להידחות שוב ושוב. ממרומי פיסגת תפקידה, ממרומיה של עמדת השפעה והערכה, היא הידרדרה למעמד של מיטרד.

מיום שאני זוכר את עופרה, תמיד היתה עסוקה מעל לראש בלימודים או בעבודה. לרוב היתה חוזרת מן המשרד רק בערב, ולעתים תכופות הביאה עבודה גם הביתה. מבחינתי, לא יכולתי לצפות לסידור נוח יותר. מובן שבסופי השבוע הקפדנו לבלות יחד, כל המשפחה. כשהילדים היו קטנים, הרבינו לנסוע איתם לטייל, אחר כך בילינו את הזמן הפנוי עם חברים, באתרי נופש, בבטלה נעימה בבית. פעמיים בשנה היינו יוצאים לחופשה בחו"ל. כמה פעמים נוספות הייתי נוסע בענייני עסקים. רק לעתים רחוקות היתה עופרה מצטרפת לנסיעות האלה. לעתים הייתי מצרף לנסיעה אחת מן הידידות הדיסקרטיות שצברתי במרוצת השנים. עם סנדי, למשל, הייתי בחו"ל כבר פעמיים. בעלה האמין שהיא נוסעת לקניות.

ודווקא כשהסידור החשאי שלי כבר דפק כמו שעון שוויצרי, דווקא אז פוטרה עופרה ונשארה בבית. השינוי הזה בחייה איים להשפיע גם עלי. חשתי שמעתה, בין שהיא תרצה ובין שלא תרצה, היא תישען עלי יותר, היא תצפה שאהיה זמין לעתים תכופות יותר. אין ספק שיהיה לזה מחיר.

מכשיר האינטרקום זימזם. דינה אמרה שמישהו ששמו ראם סינג הגיע. לא הבנתי לשם מה הוא בא. שיחררתי אותו ממעצר, קיבלתי את כספי, מה עכשיו? רציתי להתחמק מלפגוש אותו, אבל פתאום חשבתי שעופרה תהיה משועשעת למראהו, אולי היא תצליח לחייך סוף סוף. אמרתי לדינה לשלוח אותו אלי ולעופרה אמרתי שתתכונן לפגוש טיפוס מיוחד במינו.

ראם סינג נכנס לחדר בקומה זקופה, לבוש באותה גלימה שבה פגשתיו בפעם הראשונה. על רצועת העור שענד על צווארו תלתה אותה אבן ירוקה

מלוטשת, שנצצה באור הבהיר שמילא את החדר. הוא נראה מרשים עוד יותר מאשר בתא המעצר. הסתכלתי על עופרה וראיתי את עיניה נפערות בהפתעה, כאשר ההודי קרב אלינו בצעדי חתול חרישיים, הצמיד את כפות ידיו זו לזו והרכין עליהן את ראשו במחוות ברכה מסורתית.

"אני מבקש את סליחתכם על שהתפרצתי ככה אל החדר... אין בדעתי לגזול מזמנכם."

הוא הושיט לי תיבת קטיפה קטנה.

"רציתי להביע בדרך זו את הוקרתי," אמר.

פתחתי את הקופסה. בתוכה, על תלולית מרופדת, היתה מונחת אבן ורודה יפהפייה. הוא אמר שעל־פי האמונות הרווחות במזרח, זהו קמע בדוק שמחזק את האהבה ומהדק את הזוגיות. הודיתי לו והצגתי לפניו את עופרה.

הוא נעץ בה מבט ארוך ואמר: "את מתוחה מאוד, גבירתי. מתח מביא מחלות. היזהרי." חשבתי שנדרשה חוצפה רבה כדי לומר זאת לאשתי דקה אחת בלבד לאחר שהוצג לפניה. עם זאת, היה עלי להודות שהוא צדק. ידעתי עד כמה היא מתוחה.

בלי לשאול את רשותה או את רשותי, היפנה ההודי את כפות ידיו אליה, העבירן על פני גופה מרחוק בתנועות איטיות מאוד. לא ידעתי כיצד לנהוג, גם עופרה לא. זה היה מביך. רציתי שיסיים ויילך כבר. לבסוף, לאחר פרק זמן שנראה כנצח, הוא קד קידה ואמר:

"אני מקווה גבירתי, שעכשיו תחושי טוב יותר. יום נעים לכם."

מיד לאחר מכן סבב ונעלם בפתח.

"אני מצטער," אמרתי לעופרה, "לא תיארתי לי שזה מה שיקרה."

היא הביטה בי בחיוך.

"לא תאמין," אמרה בקול רענן יותר, "אני באמת מרגישה טוב יותר..."

נזכרתי בידו הלוהטת של ראם סינג שלחצה את ידי, אבל לא אמרתי דבר.

"אתה יודע," אמרה עופרה מהורהרת, "אף פעם לא האמנתי באנשים כאלה, במחוללי ניסים ובבעלי ידי חשמל, פתאום ההודי הזה בא ועושה דברים שאני לא מסוגלת להסביר אותם, פתאום אני מתחילה לחשוב שאולי באמת יש אנשים המייצגים תופעות שהשכל הישר לא מסוגל לקבל אותן..."

אמרתי לה שהיא מגזימה, שמדובר כאן לכל היותר ביכולת טלפטית או

ביכולת אחרת שגובלת באחיזת עיניים. היא משכה בכתפיה.

"ונניח שזה כך," אמרה, "למה בכלל חשוב להתעמק בסיבות, כשהתוצאות מדברות בעד עצמן?"

היא לקחה ממני את הקופסה שהביא לי ההודי. היה לה מצב רוח טוב.

"אתה רוצה לאכול איתי צהריים?" שאלה.

למען האמת, לא היה לי חשק רב. העדפתי להישאר במשרד במקום לטרוח לחפש חניה ולהתייגע במציאת נושאי שיחה שלא ייראו מאולצים מדי. היא הבחינה בהיסוס שלי.

"אתה עסוק?" שאלה בתיקווה שאשיב בשלילה.

היא לא השאירה לי ברירה. "שטויות," אמרתי, נחמד ככל שיכולתי להיות, "העבודה יכולה לחכות. כבר מזמן לא יצא לנו לאכול יחד צהריים באמצע השבוע. עכשיו, כשאת כאן, אני לא עומד להחמיץ את ההזדמנות בשום פנים ואופן."

היא אמרה שלא נוח לה לצאת כשהיא מוזנחת כל כך, ועל כן תיסע הביתה וניפגש במסעדה. קבענו באחת ממסעדות הדגים על החוף ביפו, והיא הגיעה לשם בדיוק בזמן, מאוששת יותר, לבושה כהלכה, מדיפה ניחוח של הבושם האהוב עליה.

השתדלתי שהארוחה תעבור בנעימים ככל האפשר. הזמנתי יין צרפתי מעולה, מנות גדולות של פירות ים שעופרה אהבה במיוחד. סיכמנו שתספר עוד היום לעינב ולדרור על סגירת המשרד. הצעתי שלא תפגין צער וכאב גדולים מדי, כדי שלא להכביד על הילדים, והיא אמרה שזה בדיוק מה שתעשה. היא אכלה קינוח עתיר קלוריות בלי לשים לב הפעם לשיקולים של דיאטה. לא הזכרנו את ההודי אף במילה אחת.

"תודה," אמרה עופרה כשיצאנו משם, "זה שיפר את ההרגשה שלי."

ליוויתי אותה אל מכוניתה. "אשתדל לא לחזור הביתה מאוחר," אמרתי.

הגעתי הביתה מוקדם מן הרגיל. השעה היתה קצת לפני שש בערב, היה קריר והשמש סיימה זה עתה את גלישתה אל הים. מן הפתח שמעתי את עופרה משוחחת בטלפון. היא ישבה בחדר המגורים, באור האפרורי של הערב המתקרב, ודיברה עם מישהו. כשהתקרבתי, נופפה בידה וסימנה לי שהיא

עומדת לסיים. הדלקתי את האור. היא הניחה את השפופרת והתרוממה בכבדות.

"זה לא היום שלי," אמרה בשפתיים קפוצות. מצב רוחה ירד פלאים מאז הצהריים.

"עוד תשובה שלילית?"

"עוד כמה תשובות שליליות. מתברר שבשום מקום לא מחפשים מנהלת קריאטיבית, או משהו בדרג מקביל. במשרד אחד הציעו לי להיות קופירייטרית. זה כל מה שהיה להם. כמובן שלא ראיתי את עצמי חוזרת עשר שנים אחורה, אמרתי תודה, ותסלחו לי אבל זה לא בשבילי."

היא עמדה מולי עייפה ומאוכזבת. השפעת קסמו של ההודי פגה כלא היתה. לא ידעתי מה לומר.

"סיפרת לילדים?" שאלתי.

"סיפרתי," אמרה.

"ואיך הם הגיבו?"

"לא נראה לי שהיה להם איכפת כל כך. עינב אמרה שזה לא נורא, ושבטח אמצא עבודה אחרת. דרור אמר: מה הבעיה, יש לנו המון כסף ואת יכולה להרשות לעצמך גם לא לעבוד. הם לא מסוגלים להבין עד כמה נפגעתי."

היא השתתקה וקירבה את ראשה אל ראשי, "אני שמחה שבאת מוקדם. הייתי בדיכאון כל אחר הצהריים." היא רצתה ללכת להצגה ראשונה וזה מה שעשינו.

עינב ודרור לא היו בבית. השארנו להם פתק שהלכנו לקולנוע. בחרתי לראות קומדיה. זה היה סיפור משעשע על גבר שנשא שתי נשים, שלא ידעו האחת על רעותה. עופרה לא צחקה. היא הביטה בסרט בעיניים זגוגיות והייתי בטוח שלא ראתה דבר. כשיצאנו לא שאלתי אותה אם נהנתה. ידעתי שלא תדע להשיב. הלכנו לאכול ארוחה קלה בבית קפה סמוך. ניסיתי לשוחח איתה על נושאים שאינם קשורים במה שקרה לה, אבל היא לא התעניינה בשום נושא שהעליתי.

"כל הזמן אני חושבת על זה, שבעוד שלושה או ארבעה ימים אתעורר בבוקר," אמרה לפתע, ללא קשר לדברים שאמרתי, "הילדים יילכו לבית ספר

ואתה תלך למשרד, ואני אשאר שוב בבית לטפס על הקירות. אני חושבת שפשוט אצא מדעתי."

אמרתי לה שהתגובה שלה טבעית, אבל שהיא צריכה סבלנות ושאולי תלך בינתיים ללמוד משהו, להיפגש עם חברות, לקרוא ספרים שלא הספיקה עד עכשיו.

"אתה מכיר אותי," אמרה, "אני מכורה לעבודה, אני חייבת להיות עסוקה, לחיות בלחץ, להתמודד עם אתגרים קשים. אני צעירה מדי בשביל לצאת לפנסיה." הרגשתי שהחששות שלי מתממשים, שהבעיה אכן לא תיפתר בעתיד הקרוב. עכשיו היה ברור שהקשיים שעופרה עוברת יגזלו ממני לא מעט אנרגיה. לא הייתי בנוי לזה. לא היתה לי מספיק סבלנות, לא מספיק נכונות לעזור לה להתמודד עם המצב החדש, להבטיח שגם אם הדברים לא יסתדרו כפי שהיא רוצה אהיה שם כדי להרגיע, לתמוך, להפיח תיקווה. נכון שקשה היה לי לראות את עופרה סובלת, קשה היה לי לשאת את חוסר האונים שלה ושלי גם יחד. אחרי ככלות הכול ניהלנו חיים משותפים זמן רב, בנינו בית, הקמנו משפחה, חלקנו חוויות למכביר. אבל כל אלה, הבנתי לפתע, התקיימו מבחינתי על תנאי. התנאי היה שחיינו יתנהלו על מי מנוחות, ללא זעזועים. זה התאים לאורח החיים ולהשקפת העולם שלי. כשהכול השתבש, היתה שלוות הנפש שלי בסכנה.

היום, במבט לאחור, אני יודע שהטעות הגדולה ביותר שעשיתי היתה שלא עזבתי הכול כדי להישאר לצידה בגוף ובנפש בכל אותה עת שנזקקה לי. אבל לא רק אני, כולנו הרי חכמים רק לאחר מעשה.

חזרנו הביתה. עינב ודרור כבר היו שם, שקועים כל אחד בענייניו. עופרה הציעה לי להצטרף אליה לריצה. פעם, בראשית שנות נישואינו, הייתי עושה זאת. אחר כך פשוט איבדתי את החשק. הרביתי לשחות ולשחק טניס, וזה הספיק כדי לשמור על הכושר הגופני שלי. לרוץ שוב עם עופרה, כשאני צפוי מן הסתם לקיטורים נוספים, היה רעיון רע.

המצאתי תירוץ שיש לי המון עבודה.

עופרה לבשה ללא אומר את האימונית והשאירה אותי לבד. נשמתי לרווחה.

5

יום הנישואין שלנו התחיל רע ונמשך רע. אחרי שחיזרה אחרי כל משרדי הפרסום הגדולים, ניסתה עופרה את לשכת הפרסום הממשלתית וכמה חברות כלכליות גדולות שהחזיקו במחלקות פרסום משלהן. מכולן קיבלה תשובות מתחמקות בנוסח כמעט זהה: כרגע אין לנו צורך, אבל כשיהיה נשמח להודיע לך. היא טילפנה אלי נואשת. היא אמרה שיש לה תחושה שהקרקע נשמטת מתחת לרגליה והיא פוחדת לצאת החוצה ולהוסיף להתמודד על המקום הראוי לה. ניסיתי להרגיע אותה, להגיד לה שזה לא סוף העולם ועוד אי אלו קלישאות שחוקות מסוג זה. השיחה התארכה, ואני חשתי שסבלנותי פוקעת. היו לי תיקים שדרשו טיפול דחוף, לקוחות שהמתינו. רציתי לעזור לה, אבל לא ידעתי במה. יכולתי לסדר לה ג'וב אצל כמה פושעים שגילגלו מיליונים במסווה של חברות בעלות עסקים חוקיים, הם גם היו משלמים לה היטב אם הייתי מבקש, אבל עופרה לא היתה הטיפוס שיקבל עבודה כזאת על עצמו תמורת שום הון שבעולם. היא לא היתה זקוקה לכסף, היא רצתה סיפוק בעבודה. סיפוק בעבודה, ידעתי, לא היה בשבילה רק משאת נפש, זה היה צורך קיומי. רק מאוחר יותר הבנתי, שלא פחות מכול מניע אחר, העבודה היתה בשבילה מיפלט מהתמודדות עם המשברים שבחיינו.

"אתה לא מקשיב לי," אמרה, "יש לי רושם שאתה בכלל לא איתי."

הכחשתי נמרצות, אבל ידעתי שחושיה לא היטעו אותה גם הפעם.

"בואי נדחה את כל הצרות למחר," ניסיתי לנהוג בטבעיות ככל האפשר, "היום זה יום הנישואין שלנו."

"אני יודעת," היא אמרה, "תמשיך לעבוד, אני לא רוצה להפריע." אם יש דבר שאני שונא הוא שטורקים לי את הטלפון לפני שניתנת לי הזדמנות

לומר את המילה האחרונה. עופרה עשתה זאת, אולי במתכוון, אולי כמחאה על שלא הצלחתי להציע לה פתרון מן המשבר. פלטתי אנחה עמוקה וחזרתי לעבוד.

אחר הצהריים ביקשתי מדינה לשלוח לעופרה זר פרחים ענקי. הכתבתי לה את נוסח הברכה: "יקירתי, מי ייתן והשנים הבאות יהיו טובות לפחות כמו הקודמות." ביקשתי שתוסיף בהבלטה את המילה "באהבה".

טילפנתי להורי והזמנתי אותם אלינו לכבוד המאורע. זוג ההורים שלי נימנה עם אותם קשישים מאושרים, שמטיילים יד ביד ומשפיעים אהבה זה על זה. אירועים משפחתיים גרמו להם שימחה מיוחדת, משום שסיפקו להם הזדמנות נוספת להפגין בפומבי את אושרם. הזמנתי גם את אמה של עופרה, ודאגתי שהמעדנייה שבה נהגנו לקנות תשלח הביתה מבחר של מאכלים לפני האירוע. רציתי להיות בטוח שהילדים יישארו בבית הערב. דרור אמר שמצידו זה בסדר. את עינב מצאתי בעיצומה של התקפת בכי. החבר שלה נטש אותה דווקא באותו בוקר, ומאז הסתגרה בחדרה והתייפחה ללא הרף. בקושי הכרתי את הבחור שגרם לה לבכות. ככל שזכרתי הוא היה גבוה מאוד, עם קוקו ועגיל באוזן. קראו לו מוני, או רוני, אם אינני טועה.

"את רוצה לדבר על זה?" שאלתי אותה בטלפון. לא היו לנו שיחות נפש מעולם. ידעתי שלא תתלהב יותר מדי מן ההצעה.

"מה כבר יעזור לי לדבר על זה?" השיבה, ואחרי שתיקה קלה התייחסה אל העניין עצמו: "כן, בטח שאהיה בבית, לאן בכלל יש לי ללכת עכשיו?"

הגעתי הביתה כשעופרה עסקה בעריכת השולחן. במרכזו עמד אגרטל, ובו הפרחים ששלחתי. פתק הברכה היה צמוד בסיכה לאחד הוורדים הגדולים. על השולחן היו מונחות קערות של סלטים, דגים מעושנים, בשרים קרים ומשקאות. חיבקתי את אשתי מאחור ונשקתי לה על עורפה. היא הסתובבה אלי ואמרה בקול יבש: "תודה על הפרחים." היה לה שוב אותו מבע עגמומי שהכרתי בימים האחרונים. חשתי מועקה וכעס. מועקה על שהיא סובלת כל כך, כעס על שהיא דואגת שכולם יידעו על כך. דימיתי אותה ניצבת בכיכר העיר נושאת שלט ענקי: "רע לי!" כל כך התאים לה לעשות את זה עכשיו.

"אני שמח שאהבת את הפרחים," אמרתי.

"אתה שלחת אותם?" שאלה.

"כן... זאת אומרת, ביקשתי מדינה."

"יכולת לפחות לכתוב את הפתק בעצמך... קצת טיפשי שהמזכירה שלך כותבת לי 'באהבה' בכתב ידה..."

הייתי נבוך. זה באמת היה טיפשי. איך לא חשבתי על זה?

אמה של עופרה יצאה מן המטבח ובידיה מגש עם סלטים נוספים. נשקתי לה קלות על לחיה. היא היתה אשה קטנה ועדינה, שאהבה לשאת על גבה השביר את סבל העולם.

"את נראית מצוין," החמאתי לה.

"מה זה חשוב איך אני נראית," אמרה, "מה שחשוב הוא שעופרה תהיה הכי יפה ביום הנישואין שלה, ותביט עליה איך שהיא נראית רע." הסכמתי איתה. אשתי אכן לא היתה במיטבה באותו ערב. בעצם, בכל ערב מאז פיטוריה.

הורי הגיעו בפנים סמוקים וחיוכים רחבים. הם הביאו שתי יונים מפורצלן בתוך קן מרופד בנוצות צבועות זהב, וטרחו שעה ארוכה עד שמצאו להן את המקום המתאים ביותר לטעמם — השידה בחדר השינה שלנו. הם פיטפטו ללא הרף עם דרור, ניסו לבדח את עינב שהיתה כל הזמן על סף בכי ודיווחו באריכות על תכניתם לנסוע בשבוע הבא לפראג. אבי שאל את עופרה אם מצאה כבר עבודה, וכשהתברר לו שלא, הציע לה לנסוע איתם.

"אני חושב שזה רעיון מצוין," מיהרתי לומר. כמה ימים של חופשה מהמשבר שלה התאימו לי מאוד, אבל עופרה ניפצה מהר מאוד את תיקוותי.

"אין לי מצב רוח לנסוע," אמרה, "אולי בפעם אחרת."

הרמנו כוסות יין לחיי נישואינו ולחיי הסיכוי שעופרה תמצא עבודה במהרה, שתינו לחיי הילדים ובריאותם של ההורים, אכלנו וניהלנו שיחות של מה בכך. עופרה היתה שרויה בדכאון ומצב רוחה הרע האפיל על הערב כולו. עינב ודרור מיהרו לשוב לחדריהם והורי איבדו כליל את עליצותם הסוחפת.

כשהתפזרו כולם — הורי הסיעו את אמה של עופרה לביתה — עזרתי לעופרה לפנות את הכלים מהשולחן. כדי לעודד אותה אמרתי שהיה נחמד ושאני מקווה שיהיו לנו הרבה אירועים משותפים כאלה. היא לא התעודדה. "מצטערת שהרסתי את יום הנישואין שלנו," אמרה ונראתה אומללה מתמיד.

עמדתי שם חסר אונים, מתקשה להבין מה בדיוק עלי לעשות. הרגשתי מחנק. כל הערב ניסיתי להעמיד פנים, להתנהג כאילו הכול בסדר. עכשיו כבר לא יכולתי לשקר. הייתי זקוק נואשות לאוויר צח, לניקוי ראש. רציתי להיות רחוק מעופרה, מהבעות הפנים העגמומיות, מהאמירות הנואשות. הלכתי לשירותים והתקשרתי משם לסנדי בטלפון הסלולרי. מעולם לא התקשרתי אליה הביתה. קיוויתי שהטלפון הנייד שלה פתוח. לשמחתי היא השיבה לי מיד. ביקשתי שתתקשר אלי הביתה ותזעיק אותי כביכול למחלקת החקירות של המשטרה.

יצאתי מהשירותים כשהטלפון צילצל. עינב הרימה אי שם את השפופרת וצעקה: "אבא, זה בשבילך, מהמשטרה ביפו." הלכתי לחדר המגורים. עופרה סיימה שם להסיר את המפות המוכתמות. הרמתי את השפופרת, האזנתי ואחר כך אמרתי בכעס: "עכשיו? אתם יודעים מה השעה?" המתנתי רגע, כאילו כדי לתת למישהו בצידו השני של הקו את ההזדמנות להסביר, ואחר כך הודעתי. "טוב, בסדר. אהיה שם בעוד עשרים דקות."

עופרה הביטה בי בעיניים שואלות.

"אני מוכרח לרוץ למשטרה," אמרתי, "לקוח שלי נמצא במחלקת החקירות." היא שאלה מתי אשוב. אמרתי שזה לא יימשך זמן רב ושאטלפן אליה כדי להודיע מתי בדיוק אחזור.

יצאתי מהבית וטילפנתי לסנדי. קבענו שאאסוף אותה בתוך רבע שעה. בעלה, גם הפעם, היה במסע עסקים כלשהו בחו"ל.

6

היא המתינה לי סמוך לחווילה שלה בכפר שמריהו.

"ברחת מהבית?" צחקה סנדי.

סיפרתי לה שלא אוכל להישאר איתה זמן רב, כי עופרה פוטרה מהעבודה ועלי להיות לצידה יותר מתמיד. סנדי נשמעה מודאגת.

"מה יהיה?" שאלה, "עכשיו היא תתעלק עליך ולא תעזוב אותך לרגע."
הרגעתי אותה:

"עופרה תמצא עבודה מהר מאוד," אמרתי, "היא בחורה מוכשרת. תסמכי עליה."

נסענו לאורך הפרדסים. סיפרתי לה על אירועי הערב.

"מסכן שלי," אמרה, "אילו היינו נשואים, זה לא היה קורה לך, לא הייתי נותנת לך שום סיבה לברוח."

נהגתי את המכונית אל שביל פנימי של אחד הפרדסים ועצרתי. סנדי ידעה בדיוק מה אני צריך. היא רכנה על מכנסי, פתחה את הרוכסן ושלחה ברקים לתוך גופי. ישבתי בעיניים מצועפות ובלב הולם. חשתי הקלה.

"עכשיו יותר טוב?" לחשה.

"עכשיו הרבה יותר טוב," אמרתי. התנעתי את המכונית, חזרתי אל הכביש והגברתי את המהירות. רוח קרירה שנשבה דרך החלונות הפתוחים שיחקה בשערותינו. הייתי קל כנוצה, מנותק מן העולם. רציתי לנסוע כך עוד ועוד, לא להפסיק, לא לשוב אל המציאות שארבה מעבר לפינה.

שבתי הביתה אחרי חצות. עופרה שכבה במיטה וקראה ספר. היא תלתה בי את עיניה.

"מה היתה הבעיה?" שאלה.

לקחתי מן הארון לבנים חדשים ומגבת. "עצרו לקוח שלי," אמרתי, "החוקרים רצו לעשות איתו עיסקה. הוא לא היה מוכן להסכים לפני שיתייעץ איתי."

"איפה זה היה?"

"במחלקת החקירות ביפו."

"הבטחת לטלפן אלי כדי שלא אדאג."

"צר לי, לא הצלחתי."

התחלתי לצעוד לעבר חדר האמבטיה, קולה המתרחק ליווה אותי: "הייתי מודאגת," אמרה, "טילפנתי לשם."

נעצרתי בו במקום.

"טילפנת למחלקת החקירות ביפו?" שאלתי.

"כן," היא אמרה באותה נימת קול שיגרתית, "והם אמרו שלא היית שם."

מכל הימים שבעולם, דווקא ביום הנישואין שלנו היא היתה צריכה לגלות ששיקרתי לה. ידעתי שהכלל הראשון שבעלים בוגדניים צריכים לשנן ללא הרף הוא, שאסור להסס, להתבלבל, לאבד עשתונות כשתופסים אותם על חם. טענתי אפוא בלהט שהייתי במחלקת החקירות כמו שאמרתי לה, העליתי את ההשערה שהיא בוודאי שאלה עלי במקום הלא נכון, אבל הרגשתי שלא הצלחתי לשכנע אותה. עופרה היתה חכמה מכדי לקנות בקלות תירוץ עלוב כל כך. נמלטתי אל חדר האמבטיה, השתהיתי שם במתכוון וכשיצאתי נשמתי לרווחה: אשתי היתה שרועה על בטנה ללא ניע. כיביתי את האור ונכנסתי לאט למיטה, מקפיד שלא להרעיש.

מהר מאוד הבנתי שהיא לא נרדמה.

"אני לא יודעת איפה היית," אמרה בקול חנוק, פניה כבושים בתוך הכר, "אני יכולה רק לנחש. אתה יודע שאני לא איזו מטומטמת שאפשר לסדר אותה בקלות. הרבה פעמים בשנים האחרונות עצמתי עין, הדחקתי חשדות, התעלמתי מסימנים שהעידו שאתה לא בדיוק הבעל הנאמן שאיתו התחתנתי. כל עוד היו לי רק תחושות, לא הוכחות, שתקתי. בסך הכול היה לי טוב איתך, היה לי אותך והילדים שלי, העבודה שאהבתי, האנשים בברנז'ה שהעריצו אותי. אבל הפעם ההתפרפרות שלך שונה מתמיד, כואבת מתמיד. אתה יודע

למה? כי עשית לי את זה דווקא בזמן שאני כל כך זקוקה לך. עזבת אותי בשעות שבהן ציפיתי ממך להחזיק אותי בזרועותיך ולמחות לי את הדמעות. עזבת אותי כי עם התחליף מחוץ לבית אתה לא צריך להתמודד, אליה ברחת כדי לשכוח אותי ברגעים הקשים ביותר שלי. רצית לשכוח אותי, מיקי, ועל זה אני לא אסלח לך."

מובן שהכחשתי הכול. אמרתי שהיא טועה, ביקשתי שתאמין לי שלא היה עולה בדעתי לפגוע בה לעולם.

"אני לא רוצה להמשיך לדבר על זה," אמרה. ניסיתי לחשוב על דרכים להפיס את דעתה. כעסתי על עצמי על שלא יכולתי לשאת את מועקת הערב עד הסוף, שפיתיתי את עצמי לברוח, שהגשתי לעופרה במו ידי סיבה לשקוע עוד יותר בתוך דיכאונה. נרדמתי בקושי.

התעוררתי עם שחר. מקומה של עופרה במיטה היה ריק. הלכתי לחפש אותה בבית ומצאתי אותה במטבח, יושבת ליד השולחן ובוהה בכוס קפה ריקה. אמרתי בוקר טוב, מזגתי לעצמי קפה והצעתי למלא את הכוס שלה. היא כיסתה עליה בכף ידה. שתיתי לבדי. בחוץ בקעו קרניה הראשונות של השמש, וציפורים צייצו בעליזות.

"אני חושב שאנחנו צריכים לשוחח," אמרתי.

היא קמה בליאות ממקומה, בלי להתייחס לדברי, הניחה את הכוס בכיור ויצאה מן המטבח בצעדים איטיים. ישבתי שם עוד שעה ארוכה, מתקשה לעשות סדר במחשבותי. עיתון הבוקר נחת בחבטה על מישטח הדשא. יצאתי לאסוף אותו וקראתי את הכותרות בתיקווה שיסיחו את דעתי. זה לא קרה.

עינב נכנסה אל המטבח. הצצתי בתמיהה בשעוני. היא לא התעוררה מעולם מוקדם כל כך.

"אני רעבה נורא," אמרה ופלשה אל תוך המקרר.

"את בסדר?" שאלתי.

"אני בסדר גמור," השיבה, "לא יכולתי לישון כל הלילה מרוב שימחה. מוני חזר אלי."

"זה רק מוכיח," אמרתי, "שלא צריך להתייאש אף פעם."

היא ערמה על השולחן מאכלים שונים ופצחה באכילה.

"אתה לא מבין," אמרה, "זה בגלל האבן שאמא נתנה לי."
לא הבנתי.
"איזו אבן?"
"האבן שהודי אחד נתן לכם מתנה," אמרה עינב.
עכשיו נזכרתי.
"את יכולה להסביר לי מה הקשר?"
היא דיברה מתוך פה מלא: "אמא נתנה לי את האבן כשסיפרתי לה שמוני עזב אותי. על הקופסה היה כתוב שמי שמחזיק באבן יזכה באהבה ובזוגיות טובה. אמא אמרה שאולי היא תביא לי מזל."
"ואת משוכנעת שמוני חזר אלייך בזכות האבן?" אמרתי בציניות כבושה.
"אלא מה?" אמרה הילדה, "איך אפשר להסביר את זה אחרת? לפני יומיים הוא הודיע שלא נתראה שוב, והלילה הוא התקשר ואמר שלא יוכל לחיות בלעדי."
שמתי לב שזו היתה השיחה הארוכה ביותר שניהלתי עם בתי במשך חודשים רבים.
"אולי את צודקת," אמרתי כדי שלא לגרור אותה לוויכוח, "אולי האבן באמת עוזרת לך."
הלכתי להתגלח ולהתלבש. עופרה שכבה במיטה. הרדיו הפתוח השמיע מוסיקה קלאסית. עיניה היו עצומות.

7

בדרך אל בית המעצר באבו כביר איתרתי סימנים ראשונים של כאב ראש. פטיש הלם ברקותי, אמנם בקצב איטי בינתיים, אבל זה הטריד אותי והשכיח ממני כל דבר אחר, לרבות מה שקרה ביני לבין עופרה.

סוהר הכניס את אבנר גבעתי לחדר הביקורים. זה לא היה הדבר שרציתי לפתוח בו את הבוקר, אבל אביו לחץ והבטחתי לו שאעשה זאת. הוא היה עשיר למדי ורצה לשכור את שירותי בכל מחיר. כשהסכמתי לייצג את הנאשם, שלף אביו בשימחה את פינקס הצ׳קים שלו.

זה היה מיקרה פשוט. אבנר גבעתי, בעל חנות למכירת מוצרי חשמל, הטיח את ראשה של אשתו, יפה, בקיר דירתם. היא נפצעה, נזקקה לטיפול רפואי והגישה נגדו תלונה במשטרה על התעללות מתמשכת. הוא נעצר עד תום ההליכים ובער מכעס.

״אני אחסל אותה,״ היו המילים הראשונות שאמר לי. הוא היה גבר נאה, מלא ביטחון עצמי, חסר השכלה, חסר נימוסים ונמהר מדי, ״אני אחסל אותה בגלל הביזיון שעשתה לי, בגללה אני יושב בכלא עם פושעים, בגללה אבא שלי מתבייש לצאת לרחוב.״

אמרתי לשוטה שישב מולי שאני נמצא שם כדי לחלץ אותו מן התסבוכת, לא כדי לשמוע מהן תכניותיו לעתיד. יעצתי לו לשמור את השטויות האלה לעצמו, לפני שמישהו ידווח על כך לתביעה. הוא השתתק, אבל שפת הגוף שלו הוסיפה לשדר עצבנות בלתי פוסקת. תיחקרתי אותו שעה ארוכה. הוא אמר שהפעם הראשונה ששמע את המילה התעללות היתה כשהמשטרה עצרה אותו.

״יפה לא הבינה, שאחרי כמה שנים חיי הנישואין זה כבר לא מה שהיה,״ אמר, ״התחלתי להתפרפר. התעצבנתי כשהיא התעצבנה מזה. החיים בבית

נהפכו לגיהינום עד שהתפרצתי והיכיתי את הראש שלה בקיר. אז מה? בגלל זה צריך לתקוע אותי במקום המסריח הזה?"

רשמתי לעצמי כמה הערות. היו, כמובן, שאלות שעדיין לא היו לי תשובות עליהן, שאלות שיכולות היו לחרוץ את גורל המשפט. מי, למשל, יהיה התובע וכמה שיעורי בית הוא יכין, מי יהיה השופט, האם הוא מאלה שהחליטו נחרצות להטיל את העונש המירבי על גברים שמתעללים בנשותיהם, או שיהיה פתוח גם לשמוע טענות משפטיות ותירוצים אישיים? ואיך תהיה העדות של הנאשם, האם יאמין השופט לסיפור שלו, האם יאמין לאשתו? התביעה קראה לזה התעללות. אני חייב להוכיח להם שהם הגזימו.

הרגשתי שעשיתי מספיק מאמץ בשביל בוקר רצוף כאבי ראש. נסעתי למשרד. כשהגעתי לשם, כבר היה הכאב בלתי נסבל. לקחתי אופטלגין ונשכבתי על הספה בחדרי. ביקשתי שלא יועברו אלי שיחות טלפון עד להודעה חדשה. הכדור הרדים אותי. לא ידעתי כמה זמן ישנתי. כשהתעוררתי, פחת הכאב אבל היתה לי בחילה וטעם רע בפה. צילצלתי לדינה וביקשתי קפה חזק. היא מסרה לי את רשימת האנשים שהתקשרו. אמה של חגית היתה אחת מהם. ביקשתי שתקשר אותי איתה.

האם ביקשה סליחה בשם בתה. היא אמרה שעלי להבין שהילדה נמצאת במצב נפשי קשה, מסוגרת בבית ומסרבת אפילו ללכת ללמוד בערב. לא היתה לי סבלנות לשמוע אותה. התנצלויות והסברים היו הדבר האחרון שרציתי ממנה. ציפיתי שתהיה לה השפעה גדולה יותר על בתה, אבל לא זה מה שהשתמע מדבריה. שיערתי שאם אהיה קשוח יותר, זה עשוי להביא יותר תוצאות. קטעתי אותה ואמרתי שאני מבין ושעליה לסלוח לי כי ממתינה לי המון עבודה, על כן לא אוכל לשוחח איתה עוד, אולי בפעם אחרת.

"אני לא אפריע לך, אדוני עורך הדין," נחפזה לומר, "רק רציתי שתדע שדיברתי עם הבת שלי והיא מסכימה לבוא."

מצב הרוח שלי השתפר פלאים, כאילו בלעתי מנה כפולה של ויסקי משובח. כמה טוב שלא ויתרתי. סוף סוף הייתי בדרך הנכונה, סוף סוף נוצר הקשר שהשתוקקתי אליו. עם זאת, היתה עוד בעיה קטנה בדרך ביני לבין שימחה אמיתית. היתה בעיית המצפון שלי. לנגד עיני עמדה לפתע עופרה.

שאלתי את עצמי, אם אינני פוגע בה יתר על המידה בתכניות שאני עושה להרפתקה חדשה פחות מיממה אחרי שהכאבתי לה כל כך ביום הנישואין. לרגע חשבתי לוותר, אבל כמו תמיד לא יכולתי לעֲמוד בפיתוי. שיכנעתי את עצמי, שבעצם, המצפון שלי יכול להיות נקי, רציתי להאמין שפרשת האהבים החדשה שלי לא תשפיע על עופרה כלל ועיקר, כי היא לא תדע על כך דבר. לא היה לי ספק שאנקוט הפעם את כל אמצעי הזהירות הדרושים.

"מתי הבת שלך יכולה לבוא?" שאלתי בקול אדיש לכאורה.

"מתי שתרצה, אדוני."

דיפדפתי ביומן וקבעתי לשעות הצהריים יומיים לאחר מכן. לא רציתי לעורר את הרושם שאני להוט מדי.

"תודה," אמרה האשה, "אני מבטיחה שהיא לא תעשה לך בושות."

היום התנהל לאט לקראת קיצו. עופרה לא טילפנה. אחר הצהריים טילפנתי הביתה בעצמי. היא הרימה את השפופרת עם הישמע הצילצול הראשון, ונשמעה מאוכזבת כשזיהתה את קולי. תיארתי לעצמי שציפתה לבשורה כלשהי בענייני עבודה. ניהלנו שיחה קרה ומאולצת. שאלתי אם יש חדש, והיא אמרה שלא.

"יש משהו שאני יכול לעשות?"

"לא חושבת."

איש מאיתנו לא הזכיר את אירועי ליל אמש. רציתי לשבור את הקרח, אך לא ידעתי איך. סיימתי את השיחה בתחושה קשה. לא יכולתי להתרכז בעבודה. עילעלתי במסמכים שנערמו על שולחני, פתחתי וסגרתי תיקים משפטיים, ולא מצאתי מנוח.

הטלפון צילצל כעבור שעה קלה. דינה אמרה: "הבת שלך רוצה אותך דחוף."

שמעתי את קולה של עינב. הוא היה מתוח ומבוהל.

"אמא לא מרגישה טוב," אמרה, "היא הקיאה המון, היא שוכבת עכשיו במיטה נורא חיוורת, ולא יכולה לדבר..."

"תקראי לדוקטור בראון. אני בא," אמרתי ומיהרתי הביתה.

ד"ר אורי בראון כבר היה שם כשהגעתי. הוא התגורר במרחק בתים

אחדים במעלה הרחוב, ולמרבה המזל היה בבית כשעינב טילפנה להזעיקו. עמדתי בפתח חדר השינה כשבדק את עופרה. הוא הבחין בי ונד בראשו. עינב ודרור הציצו פנימה.

עופרה שלחה אלי מבט עייף. היא שכבה רפויה, ידיה מוטלות לצד גופה וניכר היה בה שהיא מתקשה להשיב לשאלותיו של הרופא. אורי בראון היה רופא המשפחה שלנו וידיד ותיק. הוא הכיר היטב את ההיסטוריה הרפואית של כל אחד מאיתנו, הוא ידע שעופרה נפלה למשכב רק לעתים רחוקות, בריאותה היתה ללא דופי ופרט לבדיקה שיגרתית אחת לשנה לא נזקקה לרופאים.

הבדיקה לא נמשכה זמן רב. ד"ר בראון הזדקף ואסף את מכשירי הבדיקה לתוך תיקו. הוא אמר: "כמובן יהיה צורך בכמה בדיקות נוספות, כמו דם ושתן, אבל על־פי ההתרשמות שלי הן לא יגלו שום דבר יוצא דופן."

ביד רכה ליטף את לחייה של עופרה.

"נראה לי שכל מה שקורה לך הוא יותר עניין של לחץ נפשי ופחות תוצאה של ליקוי בריאותי כלשהו. את שרויה במתח רב, וזה לא טוב. מתחים ולחצים, את יודעת, מזיקים לגוף, לפעמים אפילו מזיקים מאוד, את חייבת לעשות כל מאמץ כדי להשתחרר מן המצב הנפשי הזה."

הוא הניח על השידה ליד המיטה בקבוקון עם גלולות להרגעה מיידית, והציע לה לקחת אותן שלוש פעמים ביום.

ליוויתי אותו בדרכו החוצה. סיפרתי לרופא על פיטוריה ועל הקשיים שבהם היא נתקלת בחיפושיה אחרי מקום עבודה חדש. לא סיפרתי על מה שאני עוללתי לה.

"עכשיו אני מבין," אמר ד"ר בראון, "בכל אופן, כדאי שתדע שהתרופה שנתתי לה היא לא הפתרון המושלם למצבה. לצערי, ראיתי אצלה סימנים ברורים של דיכאון — ירידה באנרגיה, תחושת ריקנות, קשיים בריכוז, בכי מופרז, איבוד חשק לבצע פעולות רגילות. אני הייתי מציע שתשכנע אותה ללכת לפסיכולוג. זה עשוי לעזור הרבה יותר." הוא הבטיח לעקוב מקרוב אחרי ההתפתחויות.

נכנסתי אל חדר השינה עם כוס מים. לקחתי גלולה מהבקבוק והגשתי לעופרה. היא התרוממה בקושי רב. החזקתי אותה בזרועותי כאשר בלעה את

התרופה והשכבתי אותה לאחר מכן.

"עכשיו תרגישי הרבה יותר טוב," אמרתי. היא העוותה את פיה בהבעה של ספק.

"דיברתי עם ד"ר בראון כשיצא מכאן," אמרתי, "הוא חושב שכדאי לך להיפגש עם פסיכולוג."

בתנועה איטית, כמו מטוטלת של שעון שאיבדה את הקצב, הניעה את ראשה מצד אל צד כאומרת לא. היא לא היתה מימיה אצל פסיכולוג. היא היתה אשה בריאה בנפשה, שלא עברה משברים כלשהם, אשה שעשתה תמיד רושם שהיא יודעת להתמודד עם כל מצב בתחום המקצועי והאישי. התעלמתי מסירובה.

"את חייבת להתחזק," אמרתי, "את חייבת לחזור אל השיגרה, אל החיים הנורמליים, לחדש את חיפושי העבודה, לשוב ולהיות אופטימית, להאמין שהכול בסופו של דבר יסתדר על הצד הטוב ביותר. תרופות ההרגעה לא יועילו לך לאורך זמן."

שפתיה נעו.

"אני לא אלך לפסיכולוג..." אמרה בלחש, בקושי.

היא התעקשה וזה הרגיז אותי. רציתי שתקבל טיפול פסיכולוגי, משום שעייפתי מן האווירה העכורה שהישרתה סביבה. למה היה לה קשה להבין את זה?

"אני רוצה את טובתך," אמרתי באיפוק, "אני אמצא לך את הפסיכולוג הטוב ביותר בארץ."

היא לא השיבה, ועיניה נעצמו לאות שמבחינתה השיחה הזאת הגיעה אל קיצה.

54

8

תרופת ההרגעה פעלה במהירות הבזק. דקות אחדות בלבד לאחר שבלעה אותה, שקעה עופרה אל תוך שינה עמוקה. יצאתי על בהונות רגלי וסגרתי את דלת חדר השינה. עינב ודרור חיכו לי.

"דוקטור בראון אומר שזה שום דבר רציני," צינזרתי את חוות הדעת של הרופא, "אמא פשוט עייפה וצריכה לנוח."

"תגיד לנו אם נוכל לעזור, בסדר?" אמרה עינב ודרור נד בראשו לפני שחזרו לעיסוקיהם.

הלכתי לחדר העבודה שלי, שתיתי חצי כוס ויסקי וניסיתי לנתח את המצב. הייתי תמים דעים עם ד"ר בראון שרק פסיכולוג יוכל לחלץ את עופרה מן המשבר. חששתי שאם תמשיך להתנגד, התוצאה עלולה להיות בלתי הפיכה.

טילפנתי לאמה ודיווחתי לה על מצבה של עופרה. שאלתי אם תוכל להשפיע על בתה לקבל טיפול נפשי. ידעתי שאין סיכוי גדול שתסכים. היא היתה קנאית מאין כמותה לשמה הטוב של המשפחה, גאה בהצלחותיהם של ילדיה וטורחת לטאטא אל מתחת לשטיח את כישלונותיהם. יותר מכול היה חשוב לה מה יגידו השכנים ומעט ידידותיה שנותרו בחיים. נזכרתי שכאשר חלתה פעם ונזקקה לאשפוז, התעקשה לשכנע את החובשים שיניחו לה לרדת ברגל אל האמבולנס מדירתה בקומה השלישית כדי שהשכנים לא יראוה נישאת באלונקה. לקחתי בחשבון שהיא לא תרצה אפילו לשמוע על פסיכולוג, אבל פניתי אליה בכל זאת, משום שהיתה קרובה מאוד לעופרה. היתה אפשרות סבירה למדי שעופרה תשמע בקולה.

האם, כצפוי, היתה מזועזעת כששמעה את מה שביקשתי.

"הבת שלי לא צריכה פסיכולוג," עלה קולה כמעט לדרגת צעקה, "היא

חזקה, היא תצא מזה."

"אני מקווה מאוד שאת צודקת," אמרתי.

"אני מבקשת ממך, מיקי, בכל לשון של בקשה," אמרה אמה של עופרה, "אל תדבר על זה אף מילה נוספת. לא כל אחד צריך לשמוע ממך, שאתה חושב שהבת שלי צריכה פסיכולוג."

הבטחתי שלא אגיד מילה, אף על פי שהיו לי בהחלט כוונות לחפש איש מקצוע מיומן בתחום זה. לא ידעתי אל מי אוכל להתקשר. שאלתי את עצמי מי יוכל להמליץ על פסיכולוג מתאים לעופרה, ובעיקר מי יוכל לשכנע אותה ללכת אליו. סרקתי את רשימת הידידים שלנו, אבל לא הייתי בטוח שאשתי תתלהב מהרעיון שלי לגייס חברים כדי שישכנעו אותה ללכת לפסיכולוג.

הלילה התעטף בדממה עמוקה. הייתי עייף. כדי שלא להעיר את עופרה, הלכתי לישון על הספה בחדר האורחים. לא יכולתי לעצום עין כי הייתי מוטרד מדי. הפכתי במוחי כל אפשרות לפתרון, משום שרציתי להשתחרר במהירות האפשרית ממעמסת הבעיה של עופרה, היה חשוב לי להחזיר את העניינים למסלולם הקודם. רק בבוקר עלה בדעתי משהו שלא חשבתי עליו עד אז.

חיכיתי ללא סבלנות עד שעת פתיחתו של המשרד. טילפנתי לשם. דינה הרימה את השפופרת. שאלתי אם היא זוכרת את ראם סינג שביקר במשרד ימים אחדים קודם לכן.

"האם השאיר במקרה כתובת, מספר טלפון?" שאלתי בקול מתוח. היא אמרה שכאשר הגיע ההודי אל המשרד ואמר לה שאני מטפל בענייניו, היא ביקשה ממנו את כתובתו ואת מספר הטלפון שלו, כפי שהיא מבקשת מכל לקוח. החמאתי לה על היעילות. היא הכתיבה לי שם של מלון, כתובת ומספר טלפון. זה היה מלון לא גדול על הטיילת. התקשרתי לשם.

"הוא איננו בחדרו," אמרה המרכזנית, "תוכל להשאיר מספר טלפון ואני אמסור לו להתקשר אליך."

עופרה היתה שקועה עדיין בתרדמה עמוקה, כאשר ההודי טילפן אלי זמן מה לאחר מכן. שאלתי אם אוכל לשוחח איתו בעניין דחוף. הוא לא שאל שאלות. בקול רגוע אמר שיתפנה למעני מכל עיסוק בכל שעה שארצה. אמרתי שהייתי רוצה לפגוש אותו בשעה הקרובה. הוא הציע שיגיע אלי

הביתה במונית, אבל אני אמרתי שהעניין אישי מאוד ושאני מעדיף לפגוש אותו במקום אחר. קבענו אצלו במלון.

אכסדרת המלון היתה ריקה למחצה כאשר הגעתי. פקיד קבלה קשיש נשא אלי מבט אדיש. עליתי במעלית ונקשתי על דלתו של ראם סינג. הוא פתח אותה לרווחה, חייך, הרכין את ראשו והצמיד את כפות ידיו זו לזו, תוך שהוא ממלמל כמה מילים לא מובנות. אחר כך גרר בזריזות כיסא והציע לי לשבת עליו, בעוד הוא מתיישב על הספה.

"תשתה תה?" שאל בהצביעו על פינת המטבח, "יש לי תה מיוחד שהבאתי מהודו."

השבתי בשלילה. פתחתי בכמה שאלות של נימוס, התעניינתי איך הוא מסתדר בארץ, והוא אמר שהוא מטייל הרבה, נפגש עם אנשים, ושהוא שבע רצון מן האווירה והאקלים. הוא דיבר במשפטים קצרים וממצים, ללא מילים מיותרות. סיפרתי לו על עינב והאבן והוא חייך בהבנה.

"עינב מאמינה שהאבן הביאה לה אושר," אמרתי.

"בוודאי," השיב, "אבני קריסטל יכולות לחולל פלאים."

"זה בדוק?"

"תראה," אמר, "הרבה אנשים רוצים לשנות את המציאות, אבל לא יודעים איך. במיקרים רבים יש לאמונה השפעה חשובה על השינוי המיוחל. ידוע לך, מר שמיר, משהו על פעולתם של המעגלים החשמליים במוח האדם?"

"לא ממש," הודיתי באי־נוחות.

"המדענים," אמר בקול שלו ובוטח, "תמימי דעים שהמחשבה היא תוצאה של מעגלים חשמלים הנוצרים במוח. מעגלים חשמליים יוצרים שדות אלקטרו־מגנטיים, כלומר יכולים לגרום לשינויים. מה שאני מנסה לומר לך הוא שיש למחשבה שלנו כוח רב יותר מכפי שאנחנו משערים. כך, למשל, אתה יכול לשנות את המציאות גם בעזרת אבני קריסטל, אם יש לך מספיק אמונה ביכולת שלך לעשות זאת."

הוא הסביר שקריסטלים, שלא כמו אבני סלע רגילות, נוצרים בתהליך איטי מאוד בחום העצום השורר בבטן האדמה. זהו תהליך שבו מינרלים מתגבשים במיבנה מדויק תוך השפעות של חום, לחץ, מישקעים ותמורות

במיבנה כדור הארץ. אנרגיה עצומה נדרשת כדי ליצור את אבני הקריסטל, ורובן אוגרות את האנרגיה הזאת בתוכן.

"יש אנרגיות שונות," אמר ההודי, "האנרגיות משתנות בהתאם להרכב המינרלים של האבן. הטורקיז למשל מגבירה את הביטחון העצמי; המונסטון, אבן הירח, משחררת מתחים; הסרפנטיין טובה לפתרון בעיות בעמוד השדרה... אתה צריך כמובן להאמין ביכולתן, אתה צריך להאמין שהמחשבה שלך יכולה לנווט את האנרגיה שלהן לכיוונים שאתה מעוניין בהם..." הוא השתהה לרגע והביט בי בעיניים מחייכות, "אבל למה אני בעצם מטריד אותך בהרצאה הזאת, אני יודע שלא באת אלי כדי לדבר על אבנים. במה אוכל לעזור לך?" לא היתה בקולו סקרנות. הרגשתי שהוא יודע בדיוק מה שאגיד.

"זה בעניין אשתי," אמרתי.

"תיארתי לעצמי. כשפגשתי אותה בפעם הראשונה, ראיתי שהיא נמצאת בתקופה קשה. היה לי ברור שמצבה עלול להחמיר."

"זה החמיר," אמרתי.

"טיפול רפואי קונבנציונלי לא יפתור את הבעיה," העיר, "הוא יביא לה אולי רגיעה זמנית, אבל לא יותר."

"כך חושב גם הרופא שלה," אמרתי.

"במה אוכל לעזור?" שאל.

"אני לא יודע איך עשית את זה, אבל באותו יום במשרד, כשהפעלת עליה את... את התנועות ההן, זה הקל עליה. לכן, חשבתי..."

הוא קם ממקומו כמו כדי להבהיר לי שחבל לבזבז מילים נוספות על עניין שהבין מיד.

"אל תדאג," אמר, "אני אעזור לה, תשאיר לי בבקשה את מספר הטלפון שלך בבית."

הצעתי לשלם לו, אבל הוא דחה את ההצעה בחיוך.

"הייעוד שלי הוא לעזור לאנשים," אמר, "התשלום אינו חשוב כרגע. לכל דבר יש זמן, כל הדברים מגיעים בסופו של דבר למקומם הנכון."

מהמלון נסעתי אל המשרד. היה לי יום שיגרתי, חסר עניין. החזקתי מעמד עד אחר הצהריים, נסעתי אל הקאנטרי-קלאב ושחיתי שעה ארוכה. האוויר

58

היה צונן, המים קרים, והשחייה הרגיעה אותי.

כשהגעתי הביתה מצאתי את עופרה במיטה, נשענת על שני כרים ומשוחחת בטלפון. קולה היה עייף וקצב דיבורה איטי, עיניה היו כבויות כקודם. היא הניחה את השפופרת והתאמצה להתיישב.

"ההודי טילפן," אמרה, "זה היה טיפשי שביקשת ממנו לטפל בי."

"יש לך הצעה טובה יותר?"

"אני לא רוצה שאף אחד יעזור לי," אמרה, "אני מספיק מבוגרת כדי לטפל בעצמי, או קיי?"

"זה מה שאמרת להודי?"

"כן," היא נשמעה נחרצת, "זה בדיוק מה שאמרתי לו."

"ואיך הוא הגיב?"

"הוא שאל אם אין לי התנגדות שיטפל בי מרחוק."

"מרחוק?" חשבתי שלא שמעתי היטב.

"כן, זה מה שהוא אמר. הוא ביקש ממני לשכב במיטה בשעה הקרובה, להיות רגועה ולא להתנגד לטיפול שלו."

"הסכמת?"

"מה יש כאן להסכים? ממילא אני במיטה, הכדור הרגיע אותי ואין לי שום סיבה להתנגד למשהו שאני לא יודעת מהו..."

"להביא לך משהו לאכול?" שאלתי.

"אני לא רעבה," היא עצמה את עיניה, "התעייפתי. איכפת לך להשאיר אותי עכשיו לבד?"

ענב הזמינה אוכל הביתה, פיצה וסלטים, והציעה לי לבוא לאכול. החבר שלה, מוני, ואחיה דרור הצטרפו אלינו כשאכלנו במטבח. רק לעתים רחוקות, רחוקות מאוד, אכלתי ארוחת ערב עם הילדים. הם נגסו בפיצה, פיטפטו על ענייני בית ספר ולהיטים באמ.טי.וי, ופרשו לחדרה של ענב כדי לצפות בסרט ששאלו מספריית הווידאו. עברתי על כמה תיקים בחדר העבודה שלי ואחר כך הלכתי אל חדר השינה שלנו. ליד הדלת עצרתי. מבפנים בקעו צלילי מוסיקה. נקשתי קלות ונכנסתי פנימה. עופרה ישבה במיטה. הרדיו היה פתוח.

"יש משהו לאכול?" שאלה. אחרי הסירוב שלה קודם לכן, זו היתה בהחלט בשורה מעודדת.

"פיצה וסלטים יספיקו לך?" שאלתי. היא הינהנה בראשה. השתהיתי לרגע כדי להתבונן בה. עיניה היו ערות מעט יותר וקולה חלש פחות.

היא אכלה לאט והותירה בצלחת חלק מן האוכל. מיד אחר כך שקעה בקריאת עיתון. הלכתי לחדר העבודה שלי כדי לטלפן אל ההודי.

"איך היא עכשיו?" שאל מיד כששמע את קולי.

"קצת יותר טוב," אמרתי, "רציתי לשאול מה..."

"עשיתי לה רייקי מרחוק, אני שמח שזה עובד." הוא אמר שיתקשר אליה במהלך הערב כדי לתת לה הנחיות נוספות.

"הטיפול חייב להיעשות באותו מקום ובאותה שעה יום יום, במשך ארבעה ימים," אמר, "נראה לך שזה יהיה אפשרי?" הייתי המום למדי. מוחי סירב לעכל את העובדה שהשיפור במצבה של עופרה חל מיד לאחר שההודי הבטיח שכך יהיה. חזרתי שוב ושוב אל האפשרות ההגיונית ביותר, שהתרופות של ד"ר בראון הן שחוללו את השינוי ולא שום קסם בשלט רחוק, אבל לא הצלחתי לשכנע את עצמי לחלוטין.

נכנסתי למיטה אחרי מבט לחדשות. עופרה קראה ספר, ואני צפיתי בתכנית תחקירים חדשה. שתיקה עמוקה וקשה הפרידה בינינו. עופרה לא שכחה את הפגיעה שפגעתי בה, לי לא היה חשק להוסיף ולהצטדק.

הטלפון צילצל ועופרה השיבה. שמעתי אותה אומרת שהיא אכן מרגישה שיפור כלשהו. אחר כך השתררה דממה ארוכה. היא האזינה בתשומת לב למה שנאמר לה באפרכסת.

"אשתדל," אמרה לבסוף. היא הניחה את השפופרת על כנה. "זה היה ראם סינג," אמרה והביטה בי, "הוא אמר שניסה לרפא אותי מרחוק. קשה לי להאמין שזה אפשרי."

"גם לי קשה להאמין," אמרתי, "אבל עובדה שזה עבד. התחלת לאכול."

"עובדה שלקחתי תרופות," אמרה, "זה מה שעבד."

על מירקע הטלוויזיה רואיין רופא שדיבר על מחקר כלשהו בעכברים. "למה לא תפסיקי לקחת את התרופות," אמרתי, "נסי להמשיך בטיפול של ראם סינג, בלי תרופות. בדרך זו נוכל לדעת אם שיטת הטיפול שלו יעילה."

"זה בדיוק מה שגם הוא הציע לי עכשיו," אמרה, "הוא נתן לי הוראות להמשך הטיפול..."

"בהצלחה," אמרתי.

היא לא לקחה את תרופת ההרגעה באותו ערב, ולמרות זאת ישנה היטב עד הבוקר. כשהתעוררה הייתי עדיין בבית. היא נראתה פחות חיוורת, וקולה התייצב. הצעתי שתמשיך להתעניין טלפונית בקשר לאפשרויות עבודה. נסעתי למשרד במצפון שקט ובמצב רוח טוב.

אבל זה לא נמשך זמן רב. ככל שחלפו השעות לקראת הצהריים, חשתי חוסר מנוחה גובר. הייתי מתוח ומבולבל, ולא בגלל עופרה. הפגישה הצפויה עם חגית מילאה אותי אי-שקט. קיבלתי על עצמי הימור גדול, אולי גדול מדי. זו לא אמורה היתה להיות עוד פגישת חיזור עם אחת מן הנשים שרציתי להשכיב. זה היה משהו שונה לחלוטין, חוויה שנעה על גבול הסכנה, על גבול ההתרסקות.

מעולם לא נכנסתי להרפתקה עם נערה צעירה כל כך בנסיבות בעייתיות כל כך. חגית היתה ללא ספק חסרת ניסיון, זכרתי שהעידה בבית המשפט שהיתה בתולה עד שנאנסה על-ידי הלקוח שלי, ידעתי היטב שקשר עם גבר כמוני עלול לסבך אותה רגשית ולערער עוד יותר את מצבה הנפשי. לא זו בלבד, היו לה הורים שאילו רק ידעו על התכנית שלי, היו יורים בי ללא היסוס, לישכת עורכי הדין היתה מחסלת את הקריירה שלי במהלך ישיבה אחת של ועדת האתיקה, ומה שחשוב עוד יותר, עופרה היתה משליכה אותי לכל הרוחות ברגע שהסיפור היה נודע לה. בתוך ההתרגשות שטילטלה אותי הבליחה בקרבי המחשבה שאיטיב לעשות אם פשוט אוותר על כל העניין. היו עוד נשים רבות שיכולתי לכבוש, היו כאלה שכבר כבשתי והן היו נכונות לחדש את הקשר בכל רגע. ההיגיון צידד בחלופה השנייה, אבל התשוקה הובילה אל חגית. הבאתי, כמובן, בחשבון שהיא עלולה להימלט ממני מיד לאחר שתבין את כוונותי, הבאתי גם בחשבון שהיא תישאר. מה יקרה אם יתפתח בינינו קשר, איזו מין הרפתקה זו תהיה? האם תסתפק חגית, כמוני, ביחסי מין בלבד, או אולי תתאהב בי, תיסחף ללא שליטה, תעשה שטויות שיזיקו לי? עשיתי כמיטב יכולתי כדי להדחיק את המחשבות על כך. בשלב

61

הנוכחי היה חשוב לי לסלול את הדרך, לא יותר. ידעתי שאני רוצה את הקשר, שאני זקוק לו. כל טעות קטנה מצידי, כל צעד פזיז מדי עלולים היו לשים קץ לסיפור הזה עוד בטרם יתחיל.

9

חגית הגיעה בדיוק בזמן, ודינה הכניסה אותה אלי. בחנתי את האורחת שלי במבט מהיר, ונראה היה לי שהיא אף יפה יותר משהיתה בבית המשפט. פניה השזופים בלטו על רקע חולצת הטריקו הלבנה. היא לבשה מכנסי ג׳ינס שהיו הדוקים לירכיה ונעלה נעלי ספורט אופנתיות. קמתי מכיסאי כדי ללחוץ את ידה. היתה לה יד עדינה ונעימה שנחה בכף ידי ללא רצון משלה.

״שבי בבקשה,״ אמרתי.

היא ישבה על קצה הכיסא. פניה היו מתוחים, ועיניה אמרו ציפייה. גייסתי את הטוב שבחיוכי ואמרתי דברים שהכנתי מראש: ״אני יודע שזה לא מקובל, אני יודע שעורכי דין לא עושים מה שאני עומד לעשות עכשיו, אבל ראיתי איך פסק הדין השפיע עליך ועל הורייך, וראיתי חובה לעצמי להסביר לך כמה דברים....״

היא לא אמרה דבר, ואני רציתי שתדבר, שתאמר משהו, כדי שיישבר החיץ בינינו. שאלתי אם היא רוצה שאמשיך.

״כן,״ אמרה, ״תמשיך.״

סיפרתי לה על הדרך שבה פועל בית המשפט, על החוק ועל דיני ראיות, על הוכחות מעל לכל ספק ופסקי דין שמזכים מחמת הספק. הבאתי דוגמאות מן הפסיקה.

״זה לא היה הוגן,״ אמרה כשסיימתי, כאילו לא שמעה דבר ממה שאמרתי, ״אתה והשופט ושמעון ליטני הלכתם הביתה ושכחתם הכול, אני הלכתי הביתה ואף פעם בחיים שלי הפצע הזה לא יגליד.״

שתקתי. לא ידעתי מה לומר כדי לשפר את האווירה.

״אני יכולה לתבוע ממנו פיצויים?״ שאלה.

״אני לא בטוח... הוא יצא זכאי, ההוכחות נגדו קלושות מאוד.״

"הוא יצא זכאי מחמת הספק. זה עובד לטובתי," אמרה. היא לא היתה טיפשה, בכלל לא.

אמרתי שאני לא ממליץ שתתבע, על כל פנים לא עכשיו.

"חכי עד שהתביעה תגיש ערעור," הצעתי, "נראה מה יקרה אז." לא היה ברור שיוגש ערעור כזה, אבל רציתי להרוויח זמן וזה מה שקרה.

"בסדר," היא אמרה, "אני אחכה."

ביקשתי שתספר על עצמה, על שיגרת חייה. "אני רוצה לעזור לך," אמרתי, "אני צריך להכיר אותך טוב יותר." היא זעה בכיסאה באי-נוחות.

"מה יש לספר?" אמרה, "כבר דיברתי על זה בבית המשפט."

היא צדקה, אבל אני רציתי שתוסיף לדבר, שתיפתח יותר אלי.

"נכון," אמרתי, "בכל זאת, לא דיברת על הכול. ספרי לי קצת על המשפחה שלך."

כמעט בלי רצון סיפרה שאביה ואמה היו בעצם שכנים, וכך הכירו זה את זה. הם התחתנו במושב. היא הבת הבכורה ויש לה עוד אחות צעירה ממנה בכמה שנים.

בתחילה הקשבתי, אבל תשומת הלב שלי לדברים שאמרה פחתה במהירות. הייתי עסוק בהערצת יופייה. עיני ליטפו את שערה, את פניה המאורכים, את צווארה המושלם, דמיינתי כיצד נראים שדיה מתחת לחולצתה ורגליה מתחת למכנסיים, כיצד עוטפות אותה זרועותי בחיבוק סוער...

הינהנתי בראשי כדי שתיווכח שאני מקשיב. כשהפסיקה לעתים לדבר, עודדתי אותה להמשיך באמצעות שאלות נוספות ששאלתי. העמדתי פנים שאני מתעניין בלימודיה, בתכניותיה לעתיד, במצב רוחה אחרי המשפט. הזמנתי קפה, והיא הפשירה מעט.

אחרי שעה ארוכה הצעתי שנעשה הפסקה. הזמנתי אותה לאכול איתי ארוחת צהריים במסעדה קטנה בבניין סמוך. היא הביעה התנגדות רפה.

"תודה," אמרה, "אני לא רעבה."

הפצרתי בה להסכים בכל זאת, משום שהיא עלולה לשוב הביתה מאוחר. קמתי מכיסאי, והיא התרוממה לאט מכיסאה. חייכתי בקלילות והנחתי את כף ידי על גבה בתנועת זירוז עדינה.

"אני לוקח את חגית לאכול," אמרתי לדינה.

היא הביטה בשנינו במבט מופתע.

"בסדר," אמרה בנימה של אי־נחת והשפילה את עיניה אל המסמכים שנערמו על שולחנה.

בחרתי במסעדה קטנה ואלגנטית ששימשה בעיקר אנשי עסקים. האווירה שם היתה נעימה, התאורה עמומה, והמחירים גבוהים מאלה של מזללות האזור, מה שהבטיח שהמסעדה לא תהיה עמוסה מדי.

חגית היתה נבוכה כשנכנסנו. היו שם בעיקר גברים וחלקם נשאו אלינו עיניים סקרניות. ידעתי מה עובר להם בראש באותו רגע. קיוויתי שחגית לא יודעת. בחרתי שולחן צדדי לשניים והתיישבנו. היא היתה מתוחה.

"אל תרגישי לא נוח," אמרתי בחיוך מבין, "אף אחד לא ינסה לטרוף אותך כל עוד אני כאן..."

עיניה ננעצו בי פתאום במבט חודר.

"אני מרגישה לא נוח בגללך, לא בגללם," היא התאמצה שלא להתפרץ, "אני שואלת את עצמי כל הזמן מה בכלל הביא אותך אלי? האם אלה רגשות האשמה שלך? האם גם אתה לא יכול לישון בלילה כמוני?"

היה רגע מביך. לא ציפיתי לתגובה כזאת, לא היתה לי תשובה מוכנה.

"אין לי רגשות אשמה," אמרתי לאחר היסוס, "עשיתי את חובתי. אני כאן פשוט כדי לעזור לך כי המצוקה שלך נגעה לליבי."

המלצרית חסכה לי את ההמשך. היא הביאה לנו תפריטים ושאלה אם נשתה יין. הסתכנתי והזמנתי שתי כוסות של יין לבן בלי ששאלתי את חגית. היא לא מחתה. עיניה טיילו על פני התפריט.

"לא בא לי כל כך לאכול," אמרה, "אולי רק אשתה קפה."

התעקשתי שהיא חייבת לאכול משהו ובחרתי שרימפס וקלאמרי למנה הראשונה. הנחתי שלא אכלה מימיה פירות ים, והיא עשויה להתרשם מן החידוש. המלצרית הביאה את היין.

"אני לא שותה," אמרה חגית, אבל כשהרמתי את הכוס שלי לחייה היא טעמה מן היין בכל זאת.

"זה היה נורא כל כך?" שאלתי.

"לא," אמרה והסתכלה מבעד לחלון על העוברים ושבים שחלפו על

פנינו. היה קשה לגרום לה ליהנות מחברתי. היא באה אלי משום שאמה לחצה עליה, היא הלכה איתי למסעדה משום שאני לחצתי, זה היה רק טבעי שתרצה לשוב הביתה מהר ככל האפשר.

השרימפס והקלאמרי עוררו בה בכל זאת סקרנות מסוימת. היא טעמה בזהירות והותירה כמחצית המנה בצלחת. עודדתי אותה לשתות מעט יין. היא נגעה בשפתיה במשקה, ואני רשמתי לזכותי עוד צעד פעוט קדימה. לא הצלחתי לשכנע אותה לאכול משהו נוסף ועל כן ויתרתי גם אני.

שתינו קפה, ואני הוספתי לספר לה על עבודתם של עורכי דין, טרחתי להסביר לה שבעצם אין שום קשר בין אישיותו של עורך הדין לבין הנאשם שהוא מגן עליו. אמרתי שאני מכיר עורכי דין רבים שהם אנשים הגונים מאוד ובכל זאת הם מגינים בלהט על רוצחים ופושעים אחרים, משום שזאת חובתם המקצועית. היא האזינה בסבלנות.

"אתה יודע," אמרה לאחר הנאום הקצר שלי, "במשך כל המשפט התפלאתי איך מישהו מסוגל להגן על החלאה הזאת ש... שפגעה בי." אמרתי שאני מבין לליבה, והנחתי את ידי לרגע קט על ידה הפשוטה על השולחן במחווה של עידוד. כל התחושות שלי התרכזו במגע הקל הזה. הוא העביר צמרמורת נעימה בכל איברי גופי.

לא ציפיתי ליותר מן הפגישה הראשונה. רציתי בסך הכול לשבור את הקרח ולהניע את חגית להיפגש איתי שוב. אמרתי לה שהייתי רוצה לחשוב על דרך כלשהי כדי לפצות אותה על עוגמת הנפש. היא הביטה בי בסקרנות.

"איך?" שאלה.

אמרתי שייתכן שיתעורר צורך במזכירה לעבודה מסוימת בשביל המשרד, וחשבתי עליה. היא נראתה לי מעוניינת, היא ביקשה לדעת אם נחוצים כישורים מיוחדים לשם כך.

"אני מניח שאת יודעת להפעיל מחשב, לא כן?"

"כן," אמרה בהקלה, "אני לומדת בקורס לקלדניות."

השלב הראשון עבר אפוא בהצלחה. הקרח נשבר. עכשיו היא תחכה בכיליון עיניים להצעה שאתפור למענה.

שילמתי את החשבון, ושאלתי איך היא מתכוננת לחזור הביתה. היא

אמרה שתיסע לתחנה המרכזית באוטובוס ומשם למושב. אמרתי לה שהאוטובוס לתחנה המרכזית עובר בסביבה רק לעתים רחוקות, וביקשתי מהמלצרית להזמין בעבורה מונית שתיקח אותה אל המושב. חגית הרימה יד בבהלה, אבל אמרתי לה שאהיה שקט יותר אם אדע שהגיעה הביתה מוקדם.

"באמת שלא היית צריך לעשות את זה בשבילי," אמרה, ונדמה היה לי שראיתי ניצוץ מהיר חולף בעיניה. האם הצלחתי לעורר בה התרגשות, האם ראיתי זיק של הערכה או של חיבה פתאומית? ליוויתי אותה אל הדלת ולחצתי את ידה. עמדנו סמוך מאוד זה לזה ובכל כוחי התאפקתי שלא לחבק אותה, להצמיד את גופה אלי ולנשק על שפתיה הרכות.

"תודה," בתנועה איטית משכה את ידה, "תודה ולהתראות."

שילמתי מראש לנהג ועמדתי שם על המדרכה מבלי לנוע, מביט אחריה עד שנעלמה המונית מן העין.

טילפנתי הביתה מיד לאחר שחזרתי למשרד. עופרה נשמעה עירנית יותר, אף שאמרה שלא היו שום התפתחויות חדשות בנוגע לעבודה.

"לא קיבלתי שום תשובה שלילית היום," אמרה, "אבל גם לא תשובה חיובית אחת." ביקשתי לדעת מה עשתה כל היום, והיא אמרה שעסקה בעיקר בקריאה.

"יש בעיתון משהו שיעניין גם אותך," הוסיפה.

לקחתי מדינה את העיתון וגיליתי שם כתבה גדולה על ראם סינג. אל הכתבה היתה מצורפת תמונה צבעונית של המרואיין. הוא נראה בה לבוש גלימה ועונד אבן ירקרקה על חזהו. הכותרת הכריזה על "האיש שמצא את האושר", וכותרת המישנה סיפרה כי "ראם סינג בן הארבעים וחמש, נזיר הודי שלמד ולימד כל חייו את סודותיהם של המיסטיקנים הגדולים, הגיע לישראל במסגרת מסע הרצאות עולמי, שנועד להורות לאנושות כיצד להקל את הסבל שמלווה את חיינו."

קראתי בעניין את סיפור חייו: "אבי, שהיה איש מאמין מאוד," סיפר לעיתונאי, "נתן לי את השם ראם על שמו של האל ראמה. שם משפחתי היה סינג, כשם כת הלוחמים שעימה נימנו אבותי בעבר הרחוק.

"בגיל שלוש התייתמתי מהורי. את אחותי הגדולה גידל הדוד שלי, ואותי

שלחו למינזר ברישיקש, על גדות הגאנגס הקדוש, למרגלות ההימלאיה. למדתי אצל ברהמינים, בני המעמד הרוחני העליון, הייתי תלמיד טוב וציפו ממני לגדולות. ככל שבגרתי, למדתי קשה יותר, עשיתי הרבה יוגה ותרגילים רוחניים אחרים, הקדשתי שנתיים לשתיקה ולהתבודדות.

"כשהתמניתי לאחד המורים הבכירים במסדר, ניתנה לי גישה לגנזים הסודיים שנשמרו במרתף המנזר. לילות ארוכים, לאורה של עששית קטנה, למדתי את הוודות, האופנישאדות וכתבים עתיקים אחרים, חיפשתי את המפתח לחידה שהכול מחפשים את פתרונה: מהו סוד האושר, וכיצד מתחברים בצורה הנכונה אל הפלא הגדול הזה ששמו חיים..." אחרי שנים של לימודים, סיפר, חזר לגואה והתמנה למורה בכיר באשראם המקומי של כת השמים.

על־פי ראם סינג, כתב העיתונאי, כל בני האנוש שרויים בסבל. למעשה משולים החיים על פני כדור הארץ לתקופות מאסר במושבת עונשין. "כולנו אסירים שנדונו לתקופות מאסר שונות. בכל יום אנו סובלים מחרדות, כעס, אכזבה, בדידות, דיכאון, עצב, געגועים ומחלות, וכך אנו מרצים את עונשנו ומשלמים בסבל מתמשך עד יום מותנו. צבירת כסף, זלילה, מין והנאות מזדמנות הם רק הפסקות מנוחה קצרות בסבל, המתחיל בנשימה הראשונה עם הלידה ומסתיים בנשימה האחרונה עם המוות. העולם הזה הוא בעצם תחנת מעבר. לא קל להיות בו, אבל צריך ללמוד להתעלות ולהשתחרר מהסבל. חלק מן הסבל הוא גם הפחד מפני המוות. הפחד הזה משתק את בני האדם, והוא גם מקור כל החטאים. בני האדם רוצים להספיק בחייהם ככל האפשר יותר, בלי להתחשב בזולתם ולפעמים גם בעצמם, הם פוחדים שלא יספיקו הכול לפני מותם. לכן, אם נעקור את הפחד מפני המוות, נוכל לחיות טוב יותר."

הכתבה הסתיימה במסירת פרטים על ההרצאה הראשונה של ההודי, שתתקיים באולם כנסים ידוע בצפון תל אביב. ההרצאה, נאמר שם, תהיה בשפה האנגלית, והכניסה — ללא תשלום.

עופרה החלה להתאושש. בתום ארבעה ימי טיפול היא ירדה מן המיטה והכינה ארוחת ערב לכולנו. אכלנו יחד וצפינו בסידרת מתח חדשה

בטלוויזיה. שוחחנו זמן מה, אבל באוויר עמד מתח קר. היא לא שכחה ולא הניחה לי לשכוח. כשהלכנו לחדר השינה חשבתי שאוכל אולי לעשות מאמץ כדי להתקרב אליה, לשכב איתה, בתיקווה שמעשה האהבה ירכך אותה. יכולתי, אילו רציתי, לחזור אחריה שוב בלהט, לנסות להשיב אותה להיות האשה שהיתה, עליזה, תוססת, ידידה טובה. בסופו של דבר, שמחתי שלא הייתי צריך לטרוח: היא התהפכה על צידה השני ונרדמה.

למחרת בצהריים קבעתי עם סנדי בדירת המלון שלה. היא היתה להוטה לא פחות ממני. עשינו אהבה שעה ארוכה כשהזיעה ניגרת מעל גופנו. אחר כך שתינו קפה. סיפרתי לה על ההודי, והיא צחקה: "אתה צריך לשלם לו הרבה על מה שהוא עושה למען השקט הנפשי שלך." היא צדקה. הייתי בהחלט אסיר תודה לראם סינג על שהסיר ממני את הצורך לטפל באשתי.

חזרתי הביתה, תוך שאני מקפיד לטשטש כל סימן למה שקרה עם סנדי. הסתרקתי, בדקתי אם אין לי סימני שפתון על הצווארון, אם רוכסן המכנסיים סגור. אבל המאמץ היה מיותר. עופרה היתה שקועה לחלוטין בעניין אחר, רחוקה מלחפש סימנים מפלילים על גופי. כשנכנסתי לחדר המגורים היא ישבה שם עם אורח. ראיתי רק את פניה. גבו היה מופנה אלי, אבל לא היה קשה לי לנחש. הוא לבש גלימת תכלת, שהיתה מוכרת לי היטב, שתה תה וניהל שיחה קולחת עם אשתי. היא היתה לבושה בשימלה נאה, לא באותו חלוק שלבשה בימים האחרונים. עיניה נצצו והיא דיברה בהתלהבות. כשהבחינו בי קם ראם סינג ממקומו וקד לברכה.

"מקווה שאני לא מפריע," אמר.

"בוודאי שלא," השבתי ושאלתי את עצמי מה גרם לו להגיע. כאילו ניחש את השאלה, אמר ההודי: "באתי להזמין אתכם להרצאה שלי."

שאלתי את עופרה לשלומה.

"הרבה יותר טוב, בזכותו של ראם סינג. הוא הבטיח שלשם שינוי ייתן לי היום טיפול מקרוב," אמרה.

הוא ישב מולה והביט בה כשדיברה. ידיו השחומות, שבקעו מתוך גלימתו כשני ענפים כהים, היו מונחות על השולחן ללא ניע.

"תישאר איתנו לארוחת ערב," ביקשה ממנו. הוא שלח אלי מבט שואל, ואני אמרתי שאשמח, כמובן, מאוד אם ייעתר לבקשה.

עינב שבה הביתה ועצרה למראה האורח. הוא קם והציג את עצמו, ועופרה אמרה: "תגידי לו תודה, זה הוא שהביא את האבן." עיניה של עינב ברקו.

"תודה," היא אמרה באנגלית, בקול רווי יראה, "אמא נתנה לי את האבן, והיא באמת הועילה לי."

הוא הבחין במבטה שהתמקד באבן הירקרקה שענד על חזהו.

"זו עין החתול," אמר, "היא מצויה בעיקר בהודו, ועל־פי המסורת היא נועדה להגביר את הרוחניות ולהביא אושר."

עינב נטלה כיסא והתיישבה לידינו.

"זה נורא מעניין," אמרה, "אף פעם לא שמעתי על דברים כאלה." ההודי אמר שישלח לה ספר שיעזור לה ללמוד יותר על סגולותיהם של אבני הקריסטל, והיא קרנה משימחה.

אכלנו יחד ארוחת ערב. ראם סינג ניחן ביכולת מופלאה להתחבב על אנשים. קולו הערב ודיבורו המתון הישרו על הילדים ועלינו תחושה של שלווה ונועם.

"הקוסמים, המאגים, המכשפים הקדומים, החכמים הזקנים ומרפאי השבט, מסלקי השדים, לוחשי הלחשים ורוקחי העשבים היו כולם שותפים ליכולת מסתורית לרפא מחלות ולהבריא את גופם ונפשם של אנשים," אמר, "הם לא ידעו בדיוק איך זה עובד, אם קודם יש לכתוש את עצמות העז ואחר כך לומר את הלחשים וההשבעות, או אם קודם יש להתיז מים ולהעלות עשן במעגלים סביב החולה. אבל דבר אחד חזר וקרה שוב ושוב — מחלות נעלמו."

"אצלנו קוראים לזה תרופות סבתא," זרק דרור בחיוך לגלגני ועופרה נעצה בו מבט נוזף. ראם סינג התעלם מן ההערה.

"לא פעם," המשיך, "הקוסמים הופתעו מיכולתם לא פחות מהחולים. כלפי חוץ התנהגו הקוסמים כאילו הם רגילים למעשי ניסים, אבל עמוק בתוכם הם ידעו שמה שקורה הוא גדול מהם. לכוח העליון הזה קראו בשם 'הרוח הגדולה' או 'אל הרפואה', ותמיד הם היו אסירי תודה ומלאי הערכה לכוח הנסתר שפעל דרכם וריפא את החולים שבאו לבקש את עזרתם.

"גם הטיבטים, למשל, היו מודעים לאפשרות הריפוי המסתורית. הם

עסקו בה מאז ומעולם. יום אחד בא יפני, שלמד את דרכי ההפעלה של האנרגיה המביאה מרפא, וקרא לה בשם חדש: רייקי, אנרגיית העולם. ליפני הזה קראו מיקאו יוסואי והוא הביא באריזה חדשה, מודרנית ופשוטה להפעלה, את הקסם הפלאי של יכולת הריפוי הקדומה. הרייקי, הכולל מגע, מדיטציה ולא מעט מסתורין, עוזר גם למטפל ומשפיע בדרכים נסתרות על ההתנהגות האנושית במישורי חיים רבים, נוסף על השפעתו על החולים. ההתחברות ל'אנרגיית החיים' של הרייקי היא מתנה ועוגן, מקור לשקט ולביטחון בחיים. רגעים של רייקי הם רגעים של שקט, של מנוחה, של החלמה.

"האנרגיה זורמת דרך ידיו של המרפא," אמר ראם סינג ופשט את כפות ידיו לפנים, "זה כל כך פשוט, שבעצם כל אדם יכול ללמוד את עקרונות הרייקי וליישם אותם."

הוא סיפר ששיטת הריפוי הזאת היתה נהוגה במזרח לפני אלפי שנים, וסודותיה הוצפנו בכתבי סנסקריט עתיקים והשתמרו שם עד ליום שבו מיקאו יוסואי יצא לחפשם.

"זה קרה לפני כמה עשרות שנים בלבד," סיפר ראם סינג, "במינזר ביפן גילה יוסואי את הכתבים העתיקים שהכילו את סוד הרייקי. הוא נסע להתבודד בהרים במשך שלושה שבועות כדי להגיע לרמה הרוחנית העליונה שאליה הגיעו כותבי הסנסקריט. ביום האחרון לשהותו בהרים, כאשר ירדה החשיכה, ראה לפתע אור גדול מתקרב אליו במהירות ופוגע בו בעוצמה עזה במרכז המצח. בו ברגע היכתה אותו בסנוורים התפוצצות צבעונית אדירה... נרגש ונרעש ירד מן ההרים ובתוך כך נפגעה כף רגלו מאבן חדה, ודם רב החל לזרום מן הפצע. הוא הושיט את ידו אל מקום הפציעה, זרימת הדם נעצרה בבת אחת ושוב לא חש כל כאב. בפונדק דרכים שבו עצר כדי לאכול הפיג בהנחת יד את כאבי השיניים שמהם סבלה בתו של בעל הפונדק, ואז ידע לבטח שהצליח להשתמש כהלכה בשיטת הרייקי..."

עינב שתתה את דבריו בצמא, ואילו דרור גילה התעניינות מהולה בספק. הסתכלתי בעופרה. היא הביטה בראם סינג כמהופנטת. הקשבתי לסיפורים ולא הטרדתי את מוחי בשאלה אם יש בהם ממש. בין שהדברים שראם סינג האמין בהם היו נכונים ובין שלא, עובדה שזה עזר לעופרה.

אחר כך אמר ראם סינג שעליו לעשות מדיטציה כדי להתכונן לטיפול האחרון שייתן לעופרה. הוא ביקש להתבודד במקום כלשהו, ואני נידבתי לצורך זה את חדר העבודה שלי. ראם סינג נכנס פנימה ויצא אחרי עשרים דקות לערך. הוא ביקש שלא נפעיל טלוויזיה או רדיו או כל מקור רעש אחר כל עוד הוא מטפל בה, הוביל אותה לחדר השינה וסגר את הדלת. כמעט שעה נאלצתי לקרוא כתבות מייגעות בעיתונים כדי להעביר את הזמן. כשיצא לבסוף מחדר השינה אמר לי חרש שהטיפול עבר לשביעות רצונו ועופרה נרדמה. לקחתי אותו במכוניתי הביתה. הוא ביקש שאבוא עם עופרה להרצאתו, ואני אמרתי שאשתדל.

הרצאתו של ראם סינג על "הדרך אל האושר" נערכה באולם לא גדול, שכל הכיסאות הוצאו ממנו. הריצפה כוסתה במחצלות שלא הותירו פיסת אריח חשופה. בכניסה לאולם היה דוכן שהציע למכירה ספרים שונים בנושאי מיסטיקה ודוכן של משקאות חמים בשירות עצמי. הקהל היה מגוון, היו שם אנשים צעירים מאוד ומבוגרים מאוד, זוגות ובודדים, הרבה נשים, הרבה ג'ינס ושמלות הודיות ארוכות ותכשיטי כסף זולים. האולם החל להתמלא אט אט, אנשים התיישבו ברגליים משוכלות על המחצלות ושוחחו בלחש. מוסיקה הודית חרישית נשמעה מרמקול סמוי. מניתי כמעט מאה איש. לבסוף נכנס פנימה ראם סינג, לבוש בגלימה התכולה ו"עין החתול" על חזהו. הוא לקח בידו מיקרופון נייד והודה לאנשים שהגיעו. כשהשתררה דממה הושיט את אצבעו והצביע על אשה שישבה לא הרחק ממנו.

"את מאושרת?" שאל ללא הקדמות.

היא היתה כבת ארבעים, שמנה ולא מטופחת ולא ידעה מה להשיב.

"למה אתה מתכוון?" מילמלה.

ראם סינג הסביר בסבלנות:

"האם את מתעוררת בבוקר עם חיוך על השפתיים ושיר בלבב? האם את שבעת רצון מן המקצוע שבו את עוסקת, מן הבעל שאת נשואה לו או מהחבר שאת גרה איתו? האם את יכולה לומר בביטחון מלא שאת חיה בדיוק את החיים שרצית לחיות?"

היא חשבה רגע.

"לא," אמרה, "ציפיתי ליותר."

ראם סינג פנה עתה לגבר צעיר שישב לידה.

"האם החיים טובים אליך?" שאל. גם הגבר השיב בשלילה. הוא אמר
שהיה מעדיף שחייו ייראו אחרת. ההודי אמר שאילו היה שואל אנשים
נוספים בקהל היה מקבל לבטח מחלקם הגדול תשובות זהות.

"עצרתם פעם לחשוב," שאל, "מדוע כל כך הרבה אנשים סובלים? מדוע
כל כך הרבה אנשים חיים במצוקה מתמדת? אני לא מדבר על מצוקה של
חומר, של מחסור, אני מדבר על אנשים שלכאורה יש להם הכול, אבל הם
שרויים בחוסר מנוחה מתמיד, מאוכזבים מהחיים, אנשים שיש להם הכול
מלבד שקט ושמחת חיים..."

הוא השתהה מעט ומבטו עבר על פני כל אחד מן הקהל שהקשיב לו.

"כל האנושות מקפצת כמו חגבים באפילה, בלי כיוון, בלי לדעת למה.
אנשים ממהרים כל הזמן כמו עש שממהר אל הלהבה, אנשים רצים כל הזמן
קדימה כמו סוס שרודף אחרי קוביית הסוכר שקשורה במוט לפני אפו... הגיע
הזמן להפסיק לסבול. גם הרופאים שלכם, רופאי המערב המתקדמים ביותר,
מודים שיש קשר בין מתח ומחלות. הגוף חולה כי הנפש פצועה, ויש יותר מדי
אנשים חולים... כמעט בכל בית מצויים כדורי שינה, כדורי הרגעה, כדורים
נגד כאב, כדורים נגד דיכאון. אנשים נעלמים לשבועות ולחודשים ולא מגלים
לאיש שהיו מאושפזים בבתי חולים לחולי נפש בזמן הזה. אנשים רבים עם
קרוביהם, עם חבריהם לעבודה, עם בני זוגם. אנשים, בכל הגילים, מאבדים
את עצמם לדעת. ענן כבד של פחד, אכזבה וחוסר מנוחה רובץ על רבים
מכם, וכשענן אפור של מחשבות לא נעימות משתלט על המציאות, לא יועיל
דבר. ההרגשה תהיה של חיים בגיהינום מתמשך... יש יותר מדי לחץ בבלון
האנושי, כל לחץ קטן נוסף עלול לגרום לו להתפקע... לכן אני כאן, כדי
לעזור לכם. באתי כדי להראות לכם את הדרך לחלץ אוויר מהבלון, להרפות,
להוציא מן החיים את הטוב שבהם, לנקות את עולמכם הפנימי מהסבל."

עופרה ישבה לצידי, אבל היתה רחוקה ממני מרחק אלפי מילין. האיש
הזה שבה אותה בקסמו, בקולו הרך, בעיניו היוקדות. היא לא החמיצה מילה
ממה שאמר. שום תנועה מתנועות גופו, כאשר דיבר או טייל לפני הקהל, לא
נעלמה ממנה. חלקו הגדול של הקהל היה אף הוא מרותק אל ההודי.

קולו רעם לפתע: "אני קורא לכם להתעורר, להתעורר מהחלום הרע, להשתחרר מהסיוט. מה צריך כבר לקרות כדי שתבינו שהדלת פתוחה לקראת שינוי טוב יותר? מה יגרום לכם להלם הדרוש, שבוע במחלקה לטיפול נמרץ בבית חולים? פיטורין מעבודה? אל תהיו שבויים בכבלים שכבלתם את עצמכם בהם מרצון, הדלת פתוחה, אני אומר לכם, הדלת פתוחה ואתם יכולים להיות חופשיים..."

המוסיקה ההודית הוסיפה להתנגן עד תום ההרצאה. פרק השאלות והתשובות חתם את הערב.

נסענו הביתה. אף אחד משנינו לא נחשף קודם לכן להשקפות העולם ולדרכי ההתנהגות של המזרח הרחוק, איש מאיתנו גם לא גילה בהן עניין מעולם. מאז פגשנו את ראם סינג השתנו דברים רבים, לפחות לגבי עופרה. היא חזתה על בשרה את פלאי הרייקי, היא החלה לגלות סקרנות לגבי המדיטציה, היא אמרה שהערב שינה את דפוסי המחשבה שלה.

במחשבה לאחור, אני לא זוכר שעלי זה עשה רושם זהה. האזנתי להרצאה, אבל הייתי רחוק מלהיסחף. יכולתי עם זאת להבין מדוע אנשים מוכנים לנסות דרכי התנהגות ומחשבה חדשות. מעל לכול היה ברור שזהו מיפלט נוח מלחצי היום־יום, מחוסר היכולת להתמודד עם בעיות משפחה ומקצוע ועם תביעות החברה המודרנית ההישגית. לפחות חלק מהקהל הצליח בוודאי להשתכנע שהשינוי בחיי היום־יום שמציע ראם סינג קל מאין כמותו לאימוץ. לדעתי, איש לא הבין למה בדיוק הוא התכוון, אבל הוא הוליך אותם אחריו כחלילן מהמלין, הם היו שבויים בקסמו.

אז עוד לא ידעתי עד כמה תרחיק עופרה ללכת אחריו.

10

למחרת בבוקר, מיד לאחר שהגעתי למשרד, ביקשתי מדינה שתטלפן לחגית ותקבע לה פגישת מבחן. רציתי שזה ייראה רשמי, רציתי שחגית תאמין שמדובר בהצעת עבודה רצינית. דינה התקשרה ושאלה אם חגית תוכל להגיע אחר הצהריים. היא קיבלה תשובה חיובית.

חגית הגיעה לבושה במכנסי ג'ינס וחולצת ג'ינס כחולים, שהחמיאו לגופה החטוב. לחצנו ידיים. פניה היו קפואים.

בחדר שררה שתיקה מעיקה. העפתי מבט לאורך השדרה, אל הבתים שנשקפו מבעד החלון. ניצוץ אדמדם אחרון של השמש השוקעת הבליח מאחורי דירות הגג העטורות צמחייה ירוקה. אור היום דעך בבת אחת.

"אמרת שאת יודעת להקליד חומר על מחשב?" הזכרתי לה.

"כן."

קישקשתי משהו על כתבי תביעה ופסקי דין שצריך להקלידם מדי פעם לתוך המחשב שלי. זו היתה שטות מוחלטת. מה שבאמת היה צריך להיכנס אל המחשב, הועבר לשם אוטומטית על־ידי דינה. לא הייתי זקוק לעובדת נוספת, אבל הייתי זקוק לנערה הזאת.

רציתי לעשות רושם רציני ככל האפשר. אמרתי שאני חייב לערוך לה בחינה. הושבתי אותה ליד המסוף שלי ונתתי לה לקלוד שעה קלה חומר משפטי כלשהו. היא עשתה זאת לאט, והיה ניכר שטרם רכשה מיומנות בהקלדה, אבל הרמה המקצועית שלה היתה הדבר האחרון שעניין אותי. הגנבתי מדי פעם מבט אל המחשב, וכשסיימה החמאתי לה על התוצאה.

אמרתי לחגית שאני מוכן לספק לה את העבודה ולשלם לה לפי שעות. היא הנידה בראשה.

"תודה," אמרה בקול שקט.

"יש בעיה קטנה אחת," הערתי כבדרך אגב, "כל העבודה חייבת להתבצע כאן, בתל אביב. כלומר, לא תוכלי לקחת אותה הביתה."

היא לא היתה צריכה לחשוב הרבה.

"בסדר," אמרה, "לא תהיה שום בעיה."

שאלתי מתי תוכל להתחיל, והיא אמרה שתהיה פנויה בכל עת שאזדקק לה. אמרתי שאודיע לה טלפונית והצעתי לה טרמפ אל התחנה המרכזית. לפני שהספיקה למחות אמרתי שאני ממילא נוסע לשם, אף שזה לא היה נכון. היא לא ניסתה להתנגד. ידעתי שהסכימה משום שהרגישה כבר יותר בטוחה בחברתי. זה היה בדיוק מה שרציתי.

ירדנו למרתף החניה ופתחתי למענה את דלת הב.מ.וו. היא ניסתה להסתיר את התפעלותה. פתחתי את הגג החשמלי והפעלתי את המערכת, כדי להרשים אותה עוד יותר. היא התכווצה במושב לידי. כרכתי עליה את רצועת הביטחון וחשתי בגופה מבעד לג'ינס. שערותיה הדיפו ריח נעים של שמפו. הסתרתי במאמץ רב את נשימות ההתרגשות הקצרות שלי. הייתי על סף איבוד שליטה.

"את בסדר?" שאלתי כך סתם, כדי ששתיקתי לא תיצור מתח מיותר.

"אני בסדר גמור," אמרה כמעט בלחש.

כשהגענו אל התחנה המרכזית נפרדתי ממנה בלחיצת יד. שאלתי את עצמי אם נשיקה על הלחי לא תהיה מסוכנת מדי, אבל עד שהחלטתי היא כבר היתה בחוץ, הולכת ונבלעת בהמון.

אחד הלקוחות הוותיקים שלי, פושע שהצליח בתחבולה מתוחכמת לשדוד את מיטענה של מכונית משוריינת להובלת כסף, ברח לאירופה עם השלל והפסיד את כולו בהימורים. בדרכון מזויף סבב מארץ לארץ, בניסיון להתחבר לכנופיה מקומית כלשהי ולהמשיך לעבוד, אבל שום ארגון פשע מקומי לא רצה אותו ושום הזדמנות לעשות כסף מהיר לא ניקרתה בדרכו. הוא היה תשוש ונואש והוא התקשר אלי מפרנקפורט, כדי שאסייע לו לנהל משם את המשא והמתן על הסגרתו לישראל. בשארית כספו מימן את כרטיס הטיסה שלי, את האכסון ושכר טירחה סביר וביקש שאגיע בהקדם האפשרי.

מבחינות רבות, זו היתה נסיעה בעיתה. הייתי זקוק לחופשת התרעננות

הרחק מעופרה. חוץ מזה, סנדי הציעה שתצטרף אלי ליומיים־שלושה. מה כבר יכול היה להיות רע בזה?

בערב, בבית, סיפרתי לעופרה על הנסיעה. עשיתי זאת כבדרך אגב. הדגשתי שזאת נסיעת עסקים משעממת, הזכרתי לה טיול שערכנו פעם בגרמניה ושהיא עצמה אמרה שפרנקפורט היא עיר בלתי נסבלת. רציתי שתבין שהשהות שלי שם לא תסב לי הנאה.

היא הניחה לי לסיים ואחר כך אמרה:

"דווקא היה מתאים לי לנסוע עכשיו איתך לכמה ימים כדי להתאוורר."

זה היה בלתי צפוי. רציתי לנסוע עם סנדי, לא איתה. רציתי ליהנות, לא להיות בחברתה של אשה שמצבי רוחה משתנים בכל רגע.

העמדתי פנים נעימים ככל האפשר.

"את יודעת שהייתי שמח מאוד אילו נסעת איתי," אמרתי, "אבל אני אתרוצץ שם כל היום בענייני עבודה, בערב בטח אפול על המיטה הרוג. לא אוכל להקדיש לך תשומת לב, לא נוכל לטייל..."

"אין דבר," היא מיהרה להשיב, "אני אסתובב בחנויות. כבר מזמן לא קניתי לי בגדים."

הרגשתי ששום הסברים לא יועילו. היו לי רק שתי אפשרויות: להיכנע, או לא.

"זה לא יילך, עופרה," אמרתי ולקחתי את העיתון שהיה מונח על שולחן הקפה הסמוך, "בפעם אחרת, טוב?"

היא לא השיבה.

פרנקפורט היתה גשומה ואפורה, אבל שום דבר לא יכול היה לקלקל את מצב הרוח שלי. הצלחתי לנער מעלי את עופרה, וחיכיתי בכיליון עיניים לסנדי שעמדה להגיע.

הלקוח בא אל בית המלון שבו התאכסנתי, סיכמנו את תנאי ההסגרה, אחר כך התקשרתי למטה הארצי של המשטרה בירושלים ודנתי איתם בסידורים הנחוצים. הם הסכימו, בתמורה להסגרת הפושע ולהודאתו באשמה, לשחרר אותו בערבות עד למשפט ולהעניק לו עוד אי אלו הטבות מסוג זה. אני הייתי שבע רצון, וגם המשטרה לא הצטערה על ההסכם. בתוך

77

עשרים וארבע שעות הגיע קצין משטרה מתל אביב כדי לקחת איתו את הלקוח שלי. ליוויתי אותם לנמל התעופה והתנצלתי על שלא אוכל להצטרף אל הטיסה בגלל התחייבויות קודמות. נשארתי שם כדי לקבל את פניה של סנדי, שנפלה אל תוך זרועותי כמה שעות לאחר מכן. לבעלה סיפרה שהיא נוסעת למסע קניות לגרמניה. הוא לא חשד בה גם הפעם.

שכרנו מכונית ונסענו לאורך נהרות הריין והמוזל. מזג האוויר השתנה לטובה. הגשם פסק, השמש זרחה והאוויר התחמם. עצרנו בפונדקים קטנים שאדניות של פרחי גרניום תלו על מרפסותיהם, טעמנו יינות ביקבים משפחתיים קטנים, סרקנו בתי כולבו בעיירות שבהן עברנו, עזרתי לסנדי למלא את מזוודותיה בבגדים חדשים, ראיה חותכת למסע הקניות שאליו יצאה כביכול. בילינו במרתפי בירה, הלכנו לאופרטות, עשינו אהבה עד כלות הכוחות. כמה פעמים פינטזתי תוך כדי כך על חגית. סנדי היתה אמנם נהדרת, אבל הייתי מוכן להמיר אותה בכל רגע בנערה הצעירה מן המושב. לא היה לי ספק שחגית היתה גורמת לי התרגשות גדולה יותר.

בעיקרו של דבר, נהניתי למדי, הייתי חופשי מהעמדת פנים, משוחרר מדאגות. טילפנתי הביתה כדי לשאול מה נשמע ומה קורה עם עופרה והילדים. קולה של עופרה היה קר ועניני. התעניינתי בשלומה, בשלום הילדים בתוצאות חיפושיה אחרי ג'וב חדש. היא השיבה ללא רצון תשובות קצרות וניכר היה בקולה שביקשה לסיים את השיחה במהירות.

ערב הנסיעה בחזרה חגגנו סנדי ואני במסעדה עתיקה ברחוב היהודים ליד כיכר העיר של קובלנץ, שתינו שמפניה שסיחררה את ראשינו. חזרנו מתנדנדים אל המלון ונרדמנו בבגדים.

למחרת נסענו לנמל התעופה, ושם נפרדנו זה מזה כפי שנהגנו לעשות גם בעבר. קניתי בדיוטי פרי כמה מתנות לעופרה, לעינב ולדרור. במטוס ישבנו במושבים נפרדים כאילו לא הכרנו מעולם. בעלה של סנדי המתין לה בנמל התעופה. לי לא המתין איש. אבל בעצם אף פעם לא המתינו לי עופרה או הילדים כשחזרתי מחו"ל. על כן לא העליתי, כמובן, על דעתי שמשהו אינו כשורה.

הגעתי הביתה אחר הצהריים ומצאתי שם רק את עינב. שאלתי היכן עופרה

והיא אמרה: "אני לא יודעת, אמא הלכה לפני שעה." דרור יצא מחדרו, אמר שלום, שאל איך היה ובלי לחכות לתשובה לקח את משחק המחשב שקניתי לו ושב אל החדר. עינב לקחה את הווקמן שהבאתי לה ובעיניים בורקות הזמינה אותי אל החדר שלה.

"בוא," אמרה, "תראה משהו מעניין." בחדר, על שולחן הכתיבה, היו מונחות זו ליד זו כחצי תריסר אבני קריסטל בצבעים שונים.

"האם ידעת," שאלה בהתלהבות, "שאפילו הכוהן הגדול בבית המקדש השתמש באבני קריסטל?" הבנתי שהיא מתכוונת לחושן שענד. לא הבנתי עדיין מה עושות האבנים על שולחנה.

"ראם סינג שלח לי ספר על אבנים," אמרה, "בלעתי אותו בערב אחד."

היא לקחה בזהירות אבן כמעט שקופה, שבתוכה נראו גבישים בגדלים שונים. "אומרים שאלה הם סימני כתב של היבשת האבודה אטלנטיס... אומרים שהשתמשו שם באנרגיה של אבני קריסטל לתאורה, לריפוי, לשליטה במזג האוויר ומה לא."

לא הייתי מוכן להרצאה הזאת, לא הייתי רגיל שעינב תראה בי שותף לחוויותיה. כבר זמן רב לא ראיתיה נרגשת כל כך.

"מי נתן לך את האבנים האלה?" הצלחתי להגניב שאלה.

"קניתי בחנות מיוחדת לקריסטלים."

"את רוצה להגיד לי שאנשים מתפרנסים מזה?"

היא צחקה.

"איפה אתה חי, אבא? יש להם המון קונים שם."

היא לא הניחה לי עד שפירטה בדיוק את תכונותיה של כל אבן.

"כל מה שצריך לעשות הוא להחזיק קרוב אליך את האבן הנכונה, בכיס או בתוך תכשיט, עליך להאמין ביכולת שלהן לעזור, וזה עובד."

הבטתי בה ארוכות, ראיתי את הלהט שאינו מרפה ממנה ונבהלתי.

"את לא עומדת לאבד את הראש בגלל העניין הזה, עינב?!" אמרתי.

"אבא," היא נזפה בי, "לאבד את הראש זו לא ההגדרה המתאימה. הנושא מעניין אותי ואני לומדת את זה. זה הכול."

ביקשתי שלא תגזים, שתשתדל למצוא את האיזון הנכון בין התחביב החדש לשאר העיסוקים החשובים בחייה, לימודים למשל.

היא אמרה שאין לי סיבה לדאוג.

אף על פי כן לא הצלחתי להניע את עצמי להתייחס לזה בקלילות. תחושה של מועקה ליוותה אותי כשיצאתי מחדרה.

הלכתי למטבח כדי להכין לי קפה. על השיש, ליד צנצנות הקפה, התה והסוכר, ניצבו כמה כלים חדשים. באחד היו עשבי תיבול ריחניים, באחר אורז מלא, בכלי נוסף מצאתי עדשים שחורים ובארגז הלחם היתה מונחת כיכר כהה של לחם נטול שמרים, שנאפה מקמח בטחינת ריחיים. כשהוצאתי את החלב לקפה גיליתי במקרר ריבועים חיוורים של טופו. ברכה העוזרת נכנסה כדי לומר שהיא סיימה לעבוד והיא עומדת ללכת הביתה. שאלתי אותה למי כל זה שייך.

"לעופרה," היא אמרה, "היא התחילה דיאטה טבעית. היא אומרת שזה עושה לה טוב."

שתיתי את הקפה שלי כשעופרה נכנסה.

"איך היה בגרמניה?" שאלה ללא עניין, "הצלחת לעשות כל מה שהיית צריך?" השבתי בחיוב ולא גרעתי עין ממנה. היה בה משהו שלא ראיתי קודם לכן.

"כן," השבתי, "עשיתי כל מה שהייתי צריך."

לא יכולתי לאתר בבירור את השינוי שחל בה.

"קרה לך משהו, השתנית," אמרתי.

"אני מחפשת את עצמי, זהו תהליך של שינויים." הרגשתי שהיא לא רוצה לדבר על זה.

נתתי לה את המתנה שהבאתי. זה היה בושם חדש באריזת שי. היא הניחה אותו על השולחן בלי לומר תודה, בלי להעיף בו מבט.

הצבעתי על הכלים החדשים על השיש.

"כן, זה שלי... שיניתי את הרגלי התזונה שלי," אמרה.

היה מוזר לשמוע את זה מפיה דווקא. עופרה נהנתה תמיד לאכול טוב, ולא בדיוק ספרה קלוריות או סבלה מהרהורי חרטה כשאכלה גלידות ועוגות קצפת. שאלתי אם כללי התזונה החדשים מתירים לה לשתות קפה ואם תצטרף אלי. היא הניעה בידה לשלילה ויצאה מן החדר.

עינב והיא הצליחו לבלבל אותי הערב. לא ציפיתי למה שראיתי, לא
הצלחתי לעכל את התופעה ולהגיע למסקנות כלשהן. כל שידעתי היה
שמשהו התרחש בבית בהיעדרי, משהו השתנה באורח החיים, בדרך החשיבה
של אשתי ובתי. הזכרתי לעצמי שאף אחת מהן לא שיתפה אותי בהחלטות
שלה, כאילו לא ייחסו כל ערך למה שיש לי להגיד. לא פעם בעבר היתה לי
תחושה של נתק מעופרה, לרוב ביוזמתי, לרוב משום שהייתי שקוע בעיצומם
של יחסים קרובים עם מישהי אחרת. עתה היתה לי תחושה דומה, אבל
חריפה יותר. עד עכשיו שלטתי אני במערכות היחסים בבית. כשרציתי,
ניתקתי מגע; כשרציתי חידשתי אותו. עכשיו, לפתע, זה לא היה תלוי בי עוד.
היוצרות התהפכו ללא הודעה מוקדמת. תחושה חדשה, שלא ידעתי כמוה,
התגנבה לליבי: חשתי זרות בביתי שלי.

הבית היה שקט, אפילו שקט מדי. מחדרה של עינב שמעתי הדים קלושים
מקטעי שיחה שניהלה בטלפון. מחדרו של דרור לא נשמע הגה. הטלוויזיה
והרדיו היו כבויים. חיפשתי את עופרה ומצאתי אותה בחדר השינה. היא
ישבה על הריצפה, גבה ישר, עיניה נעוצות בבטנה שהתרוממה ושקעה
בגלים איטיים. הסתכלתי בה רגעים אחדים, והיא לא שינתה את תנוחתה.
הרגשתי מיותר. הלכתי למטבח וכירסמתי כמה עוגיות חמאה עתירות
קלוריות. אחר כך צפיתי מעט בטלוויזיה, עד שנמאס לי. חזרתי לחדר השינה.
עופרה שכבה עתה במיטה, עיניה פקוחות אל התיקרה. אמרתי שהייתי רוצה
לשאול אותה כמה שאלות.

"בבקשה," אמרה בקול חרישי.

"מה זה היה?" הצבעתי על המקום שבו ישבה קודם לכן.

"עשיתי מדיטציה," הסבירה, "כשלא היית פה, למדתי את הכללים. אני
מציעה שתנסה. זה יעזור לך."

"במה זה יעזור לי?"

"מדיטציה מאפשרת לך לנטרל כל מיני לחצים, להתרכז במה שנעשה
בתוכך, להתבונן בכל בעיה ובכל מקור של מתח כאילו הם קורים הרחק ממך,
מחוץ למעורבות האישית שלך. עשה את זה פעמיים ביום, חצי שעה בכל
פעם, ותרגיש את ההבדל כמעט מיד."

מצד אחד, חולל בה העניין הזה שינוי לטובה. היא היתה נינוחה, ולכאורה נעדרת מתח. מצד אחר, היא ריחפה בעולם משלה. לא הייתי בטוח ששתי רגליה ניצבות על הקרקע.

"איך הגעת למדיטציה?" התעניינתי.

"ראם סינג לימד אותי."

שוב ראם סינג. הוא השפיע על בתי, הוא השפיע על אשתי. התחלתי לחשוש ממנו.

"ומה יקרה עכשיו?"

"שום דבר מיוחד. אני אמשיך לנהל את חיי, אבל אחרת, וכמובן אשתדל ללמוד עוד ועוד על הדרך הנכונה שאני צריכה ללכת בה."

"ללמוד?" חששתי שלא הבנתי למה בדיוק התכוונה.

"ראם סינג הקים סדנה שבה הוא מלמד את עיקרי התורה שלו. הוא קורא לסדנה הזאת 'גשר אל האור', ואני הצטרפתי. הוא מורה בחסד ואדם נדיר. זאת זכות גדולה ללמוד אצלו."

לאן זה יביא, חשבתי. אילו ידעתי את התשובה, אולי הייתי גם יודע מה לעשות. כפי שנראו הדברים באותו זמן, הכול היה פתוח, הכול אפשרי, גם לטובה, גם לרעה.

עופרה חלטה לעצמה תה צמחים ונרדמה. אני נותרתי ער עוד שעה ארוכה. חשבתי על מה שקורה. את עינב אוכל ודאי לעצור כאשר אבחין בסימנים ראשונים של היסחפות מעבר לעיסוק באבני הקריסטל. עם עופרה זה עלול להיות קשה יותר. אם יסתיים העניין במדיטציה פעמיים ביום ועדשים עם טופו בצהריים, זה יהיה בסדר מבחינתי. אבל אם היא תמשיך להיסחף, לאן היא תגיע? שמעתי על אנשים שהשתעבדו לכתות, אנשים ששינו את חייהם בגלל גורו זה או אחר, שנסעו לאשראמים בהודו והחליטו להישאר שם. עם זאת, לעצור את עופרה עכשיו פירושו להסתכן בהחזרתה לנקודת האפס, אל הדכדוך והייאוש ואל התלות בתרופות. הפכתי בכל אלה ובחרתי לבסוף באפשרות שנראתה לי הנכונה ביותר: להשאיר לפי שעה את העניינים כפי שהם. מבחינתי, פירושו של דבר היה חופש כמעט מוחלט, אי־התערבות בכל מה שאני עושה. היה לזה, ללא ספק, יתרון גדול. על כן, חשבתי לפני שנרדמתי, אולי באמת כדאי להניח לדברים להתפתח בדרכם,

ייתכן שבסופו של דבר יהיה זה דווקא שינוי לטובה. לטובתי.

כשהתעוררתי בבוקר הצד של עופרה במיטה היה ריק. הסתכלתי סביב וראיתי
אותה על הריצפה בתנוחה של מדיטציה. היא לא הרימה אלי את עיניה
כשהלכתי לאמבטיה, וגם לא כשחזרתי משם והתלבשתי. כשסיימה והזדקפה
אמרתי לה בוקר טוב, והיא הינהנה בראשה. אחר כך הכינה ארוחת בוקר
לילדים, ולה עצמה בישלה קפה משורשי עולש והכינה פרוסת לחם נטול
שמרים מרוחה במעט דבש אורז. דרור התבדח ואמר, שאם זה יימשך כך היא
תתחיל בקרוב לאכול קש אורגני, אבל עינב ועופרה אמרו שהוא לא מבין
כלום. הסתכלתי על עינב. היא אכלה בתיאבון את הכריך ושתתה את השוקו.
לא היתה לה, נכון לאותו רגע, כל נטייה לסוגי המזון שעופרה בחרה בהם,
וזה היה סימן מעודד.

מצב הרוח שלי השתפר כשהגעתי למשרד. שיכנעתי את עצמי שאין סיבה
לדאגה, שיש ודאי רבבות נשים וגברים שעושים מדיטציה ואוכלים מזון אורגני
ואינם חדלים לתפקד בעבודה ובבית. על שולחני מצאתי פתק שהפתיע אותי
ועורר בי התרגשות. ברשימת האנשים שהתקשרו היה שמה של חגית. עשיתי
מה שכבר ימים אחדים השתוקקתי לעשות: טילפנתי אליה. היא אמרה
שהתקשרה למשרד לפני יומיים כדי לשאול אם כבר חזרתי מחו״ל והאם אני
זקוק לה. לא עלה בדעתי שתעשה זאת. ובכן, עכשיו זו היא שרוצה לבוא אלי.
כמה פשוט, כמה קל היה להביאה לידי כך. אמרתי לה שאני שמח
שהתקשרה, ושכמובן, הצטברה עבודה רבה. היא אמרה שתגיע מתי שארצה.
היתה רק בעיה אחת: לא רציתי שתעבוד במשרד. אילו עבדה אצלי, דינה
היתה מבינה מיד שאני מעסיק את הנערה הזאת לאו דווקא מטעמים
מקצועיים. תיכננתי אפוא לשכור דירה כלשהי ולהעביר אליה את המחשב
הנייד שלי. דירה שכורה, חשבתי, תתאים בדיוק למטרה האמיתית שעמדה
לנגד עיני. אמרתי לחגית שאתקשר אליה לאחר שאמצא מקום עבודה
מתאים, בהיעדר מקום פנוי במשרד.

מיד לאחר שסיימנו את השיחה טילפנתי למתווך דירות והסברתי לו איזו
דירה דרושה לי. חדר או שניים, בסימטה שקטה, לא רחוק מן המשרד. הוא
אמר שייתן לבקשה שלי עדיפות ראשונה. ביקשתי שלא ישאיר לי הודעות

במשרד או בבית, אלא יתקשר ישירות אלי, לטלפון הסלולרי. הוא לא שאל שאלות. אני מניח שלא הייתי הלקוח הראשון שביקש לשכור באמצעותו דירה חשאית. הייתי גאה בעצמי. הכול התנהל בדיוק לפי התכנית.

11

סמוך לצהריים התחדש משפטו של אבנר גבעתי. על דוכן העדים עלתה אשתו, יפה. היא היתה בת עשרים ושמונה, אבל נראתה לפחות עשר שנים מבוגרת יותר. בגדיה הפשוטים, נעדרי החן, כיסו על גוף מגושם, בלתי מטופח. פניה היו חיוורים, שקיות כהות תלו מתחת לעיניה שהתרוצצו בבהלה לכל כיוון.

הנאשם ישב על ספסל הנאשמים והביט בה בפנים חסרי הבעה. הזהרתי אותו מראש שלא יתפרץ, שידבר רק כאשר תינתן לו רשות הדיבור, שלא ירים את קולו ושיימנע מלשלוח אל אשתו מבטים זועמים. היה חשוב לי שהשופט והתובע יקבלו את הרושם שמי שעומד לדין הוא אדם ככל השאר, לא רע ולא טוב מכל אדם אחר באולם. קו ההגנה שלי היה שמה שקרה בין בני הזוג ניתן לפרשנויות שונות, ולא ברור כלל אם גירסת התביעה אכן תואמת את המציאות.

יפה גבעתי החלה את עדותה בסיפור קורות היום שבו הכירה את הנאשם, במסיבת חתונה של קרובי משפחה. הם יצאו אחר כך חודשים אחדים, הוא הציע לה נישואין, היא הסכימה. שנה לאחר החתונה נולד בנם הבכור, ושנתיים לאחר מכן – בנם השני. הבעל ניהל חנות קטנה למוצרי חשמל והביא הביתה, אל הדירה בחולון, רווחים דלים למדי. אשתו עבדה במישרה חלקית כמטפלת והשלימה את החסר.

"השנה הראשונה היתה פחות או יותר בסדר," העידה, "היו אמנם כמה מקרים לא נעימים, אבל עשיתי את עצמי לא רואה ולא שומעת. חשבתי שזה יעבור..."

"ספרי על המקרים שקרו," ביקש התובע.

"למשל," אמרה העדה, "אבנר היה פשוט נעלם לי וחוזר אחרי יום,

לפעמים אחרי יומיים או יותר, בלי להגיד מילה. יכולתי אולי להבין שלפעמים
גבר צריך קצת חופש, אבל לא יכולתי להבין למה הוא עושה את זה תמיד
כשהייתי צריכה אותו, כשהייתי חולה או כשהילדים חלו, או כשלקחו את
אמא שלי לבית חולים. אפילו בהלוויה שלה הוא לא היה, נעלם וזהו."

"שאלת אותו מדוע הוא עושה זאת?"

"שאלתי כמה פעמים, אבל הוא התעצבן שאני שואלת ולא ענה לי.
פחדתי שאם אני אלחץ מדי זה יהרוס את חיי הנישואין שלי, ולכן בלעתי את
העלבון."

"חוץ מעצבנות, היו לו תגובות אחרות?" המשיך התובע.

"לא בהתחלה. אבל זה החמיר אחרי שהילד השני שלנו נולד. פתאום הוא
התחיל להתפרץ גם בלי סיבה, היה צועק וזורק עלי דברים, צלחות, נעליים,
כל מה שהיה לו תחת היד."

"ומה עשית?"

"מה יכולתי לעשות, שתקתי והתפללתי שהוא יירגע."

"הוא אמר לך מה גורם לו להתפרצות?"

"הכול. העבודה שלי, האוכל שבישלתי, שיחות הטלפון שעשיתי. פעם
הוא בא אלי לעבודה, לבית שבו טיפלתי בילדים, וצעק כמו מטורף על בעלי
הבית שהם משלמים לי מעט. הם שילמו לי דווקא בסדר גמור, אבל הוא
פשוט חיפש כנראה סיבה לצעוק על מישהו. הם נורא נבהלו ופיטרו אותי
בלי לחשוב פעמיים."

"היו ביטויים נוספים לאלימות שלו?"

התרוממתי ממקומי ואמרתי לשופט שאני מתנגד לשימוש במילה אלימות
כי שום אלימות עוד לא הוכחה, ואני מבקש למחוק את הביטוי הזה
מהפרוטוקול. השופט הסכים, והתובע חזר על השאלה בניסוח מרוכך יותר:

"תיארת מצב של הסלמה ביחס של הנאשם כלפייך, האם זה הגיע גם
לפגיעה פיזית?"

"כן. זה קרה כשאמרתי לו שאני רוצה ללכת ללמוד מקצוע. הוא התחיל
להשתולל, אמר שבטח יש לי מאהב ושהלימודים הם רק תירוץ, ולפני
שהספקתי לענות חטפתי אגרוף בפרצוף ותיכף אחריו עוד אחד."

"הלכת לרופא?"

86

"התביישתי. חיכיתי שהסימנים יעברו, וקיוויתי שאולי זה לא יקרה שוב. אבל זה קרה עוד כמה פעמים. בפעם האחרונה הוא תפס את הראש שלי ודפק אותו בקיר. חיכיתי שייכנס למקלחת, לקחתי את הילדים וברחתי למעון לנשים מוכות, שם אני נמצאת עד היום."

"עד כאן," אמר התובע והתיישב במקומו, "אלה כל השאלות שלי."

"בבקשה, עורך הדין שמיר," נתן לי השופט את רשות השאלה. קמתי לאט ממקומי ושלחתי מבט ארוך אל העדה. הסיפור שלה לא נגע ללִבי, לא עורר בי רחמים או השתתפות בצער. לא טרחתי ללבן לעצמי את השאלה, אם אני מאמין לה או לא. חשבתי רק איך לתת ללקוח שלי את הטיפול הטוב ביותר. הוא שילם לי, הוא ציפה ממני לעמוד לצידו. היה בדעתי לשכנע את בית המשפט לא רק בכך שהוא חף מפשע, אלא שבעצם, בין שזה נכון ובין שלא, האיש הזה נפל קורבן לשיגיונותיה של האשה שעמדה על דוכן העדים. אמרתי לה בקול שקט:

"סיפרת לנו סיפור נוגע ללב, גבירתי, אבל בואי נהיה לרגע גלויים. גם את וגם אני הרי יודעים שכמעט כל מה שאמרת לא היה ולא נברא מעולם..."

ד"ר אורי בראון ואשתו רותי חיכו לנו לארוחת ערב. הם הזמינו כמה ידידים כדי לחגוג את יום הולדתה של רותי. הם ביקשו שנבוא בתשע, אבל עופרה נעדרה מן הבית, והטלפון הסלולרי שלה לא היה זמין. היא הגיעה הביתה דקות אחדות לפני תשע ואמרה שלא יכלה להקדים, משום שלא התאפשר לה לקום ולפרוש בעיצומה של הסדנה. אחר כך אמרה שהיא חייבת לעשות מדיטציה לפני שנלך. ניסיתי לשכנע אותה לבצע את התרגיל כשנחזור, אבל היא התעקשה.

"מדיטציה יעילה יותר כשעושים אותה על קיבה ריקה," הסבירה לי.

היא פרשה לאחת הפינות למשך פרק זמן שנראה לי כנצח. כשסיימה, התלבשה במהירות, ביקשה מהילדים שידאגו לעצמם לארוחת ערב ויצאנו מן הבית. למזלנו, נמצא ביתם של הבראונים במרחק הליכה קצר מן הבית שלנו. הלכנו לשם בצעד מהיר. שאלתי את עופרה איזו מתנה קנתה לרותי, ידידתה הטובה. היא עצרה במקומה, ואמרה: "מצטערת, שכחתי לגמרי."

כבשתי את כעסי. הזכרתי לה אתמול וגם הבוקר לקנות מתנה לרותי.

היתה לי בהחלט הזכות לגעור בה, אבל לא היה טעם להעכיר את האווירה. ממילא היה כבר מאוחר מכדי לעשות משהו בעניין זה. על כל פנים, עופרה לא נראתה נרעשת בגלל המתנה. בקול רגוע אמרה שתמצא תירוץ ותביא לרותי מתנה בפעם אחרת.

בפינת האוכל המרווחת בבית בראון כבר ישבו ליד השולחן המארחים ועוד שני זוגות ידידים, שהרבינו לפגוש בנסיבות חברתיות. עופרה התנצלה וגם אני מילמלתי כמה מילים של צער על האיחור. רותי ואורי חייכו אלינו והזמינו אותנו אל השולחן. הרמנו כוסות יין לחיי רותי והתנפלנו על המרק שהוגש למנה הראשונה.

רותי היטיבה לבשל, וכולם החמיאו לה על מה שהכינה. עופרה היתה היחידה שהקערה שלה לא התרוקנה. למעשה, היא רק טעמה מן המרק ותו לא. זה היה מוזר, משום שאשתי ידעה להעריך אוכל טוב וליהנות ממנו. רותי לא אמרה דבר כאשר פינתה את צלחתה המלאה של עופרה מן השולחן. עופרה היתה זו שדיברה. היא הסבירה שלא תוכל לאכול הרבה, משום שכל התזונה שלה מושתתת עתה על עקרונות מזון חדשים ובריאים יותר. רותי אמרה שהיא לא חייבת, כמובן, לאכול. הנשים התעניינו מיד באיזה סוג של תזונה מדובר ובעיקר אם היא עשויה לגרום להרזיה מהירה. עופרה נשאה נאום ארוך ומייגע על מזון אורגני, צריכת חלבונים מבוקרת, הימנעות ממוצרי מזון כימיים ומשימורים. היא אכלה בקושי את תוספת הירקות שהגיעה עם הבשר ורוקנה צלחת עמוסה בסלט חסה.

את הקפה שתינו בחדר המגורים. ד"ר בראון לקח אותי הצידה בתירוץ כלשהו. הוא מחה מעל פניו את חיוך המארח ושאל אותי מה קורה עם עופרה. סיפרתי על המעורבות שלה בסדנה של ראם סינג. אמרתי שככל שאני יודע לומדים שם מדיטציה ושומעים הרצאות על שחרור מסבל.

"משהו מטריד אותי," אמר, "המעברים הקיצוניים האלה מדיכאון עמוק למצב רוח מרומם, השינוי הפתאומי באורח החיים ובקצב הדיבור שלה... גם בבית היא מדברת כל כך הרבה?"

"לא, בבית היא מדברת מעט..."

"שינויים קיצוניים הם בדרך כלל סימן לאיזו התערערות, לאיזו מצוקה נפשית," אמר הרופא, "אולי בכל זאת כדאי שאיש מקצוע יראה אותה?

טיפול כזה אסור לדחות."

"אני לא מאמין שאוכל לשכנע אותה."

הוא כרך את זרועו על כתפי ואמר:

"שמע לי, קח אותה לחופשה בחו״ל לכמה ימים, תרגיע אותה, תנסה לשכנע אותה באווירה שקטה שטיפול כזה יהיה לטובתה..."

הייתי נבוך.

"שמעתי, אורי," אמרתי, "אני אחשוב על כך..."

חזרנו הביתה אחרי חצות. עופרה הסירה מן המיטה את הכר שלה והשתרעה על גבה לאורך המזרן. עוד הרגל חדש.

"לילה טוב," אמרה וכיבתה את מנורת הלילה מעל לראשה.

"לילה טוב," אמרתי וכיביתי את המנורה שלי.

משך כל חיי נישואינו, שזרמו במעין שיגרה בלתי מופרעת, היינו יוזמים מדי פעם פעילות מינית כלשהי. זה לא היה מסעיר במיוחד, אבל זה תפס חלק קבוע בחיינו. אחרי שנחשפה הבגידה שלי גם זה נעלם, ולשנינו, ככל הנראה, היה נוח שלא לדבר על המצב החדש שנוצר.

הדברים שאמר לי ד״ר אורי בראון היו אמורים להדליק אצלי אור אדום, אבל אני העדפתי להתעלם מהם. שיכנעתי את עצמי שאם הייתי עורך מאזן ביניים, התוצאה לא היתה רעה במיוחד: אשתי מצאה לה עיסוק שמילא את עולמה באופן שלא הותיר שם כמעט מקום בשבילי, עינב מצאה לה משחק שהפך אותה למרכז תשומת הלב בבית הספר ואת תלמידי בית הספר לגדולי הצרכנים של אבני קריסטל באזור, דרור לא הפריע מעולם לאיש מאיתנו, ואני זכיתי בשלווה הנכספת, חלומו הרטוב של כל גבר ממוצע. לא הפרעתי להם, והם לא הפריעו לי, זו היתה בהחלט עיסקה משתלמת.

את שעות הבוקר היתה עופרה מקדישה בין השאר לקריאה בספרים שראם סינג נתן לה. כולם נכתבו בשפה האנגלית על-ידי מחברים שטענו כי ניסו את תורותיהם על בשרם, לפני שיצאו לעשות להן נפשות. היו שם ספרים על מדיטציה ורייקי, על הילינג וטאי צ׳י, וספר עבה שנשא את השם "ספר החיים והמתים הטיבטי". עופרה שקעה בהם רובה ככולה, והשאירה לברכה את רוב המטלות בבית. בכל יום משעות הצהריים המוקדמות ועד שעות הערב

89

היתה מבלה בסדנה וחוזרת משם רק כדי להתבודד לצורך מדיטציית הלילה שלה. לא שאלתי מתי תסתיים הסדנה ומתי ישוב ראם סינג להודו. היה לי נוח מאוד שהסדנה קיימת וקיוויתי שתימשך לאורך זמן. נהניתי מן החופש להיפגש עם סנדי כמעט בכל פעם שרציתי, לא לחשוש לחזור הביתה מאוחר.

עופרה חדלה לשאול אותי היכן הייתי, גם כשהגעתי בשעות המוזרות ביותר, ואני נמנעתי מלשאול מה בדיוק היא עושה בסדנה. האמת ניתנת להיאמר, שזה גם לא עניין אותי במיוחד. גם סנדי החלה לעניין אותי, למען האמת, הרבה פחות. נפגשתי איתה, משום שבינתיים אלה היו זיונים נוחים למדי. אבל היה ברור לי שהם ייפסקו בעתיד הקרוב ביותר. חשבתי ללא הרף על חגית. כצייד מנוסה, האורב בסבלנות לטרפו על שפת האגם שאליו יהיה חייב לבוא כדי להרוות את צימאונו, כך מיקמתי גם אני את עמדת המארב שלי. ידעתי שבמוקדם או במאוחר היא תגיע לשם, ידעתי שאין לה סיכוי להימלט.

הדירה ששכרתי נמצאה בקומה השנייה של בית קטן ברחוב שקט לא הרחק מן המשרד. בחרתי את הרחוב בקפידה. היתה חשיבות רבה לעובדה שתהיה בו תנועה מעטה ככל האפשר, שכמעט לא תהיה אפשרות שמישהו ממכרי או מהלקוחות שלי יגיע לשם. שילמתי לשישה חודשים מראש. את החוזה ערכתי בשם המשרד שלי, לא בשמי הפרטי, כדי שבעל הבית לא יחפש אותי לעולם בבית. בדירה היו שני חדרים, סלון קטן וחדר שינה מרווח. ציידתי את המטבח בקפה ובסוכר, מילאתי את המקרר במשקאות קלים. בדיוק מה שצריך.

הנחתי את המחשב הנייד שלי על השולחן ולצידו תיק גדוש פסקי דין ומכתבים, ששיגרו אלי עורכי דין במרוצת השנים ואשר היו חסרי ערך עתה. חיכיתי לחגית כנער המצפה לפגישתו הראשונה עם נערה שהוא נכסף אליה. הצצתי מדי פעם בחשאי מן החלון כדי לראות אם היא מגיעה. קבענו בעשר, ועדיין נותרו שלוש או ארבע דקות עד לשעה היעודה. הייתי להוט עד קצה גבול היכולת. רציתי שתבוא כבר ומיד.

היא נקשה על הדלת בדיוק בעשר. מיהרתי לפתוח ושיבחתי אותה על הדיוק. היא לבשה חולצת טי עם כתובת של קולג' כלשהו וחצאית רחבה. כמעט הזלתי ריר כשחשבתי כמה קל ונוח יהיה להפשיל אותה.

חגית סקרה את הדירה במבט מהיר. היא לא חשדה במאומה. הייתי לבבי אך ענייני מאוד. שאלתי אותה אם היא יודעת להפעיל את המחשב הנייד. היא התיישבה מולו, שיחקה מעט במקלדת וקלטה את העניין.

"זה פשוט," אמרה.

"החומר נמצא כאן," הצבעתי על התיק, "עלייך להקליד אותו במלואו, דף אחרי דף, מסמך אחרי מסמך, כתבי תביעה והגנה, פרוטוקול הדיונים, פסקי הדין."

אמרתי שאשלם לה על־פי שעות העבודה, בתוספת הוצאות נסיעה וארוחות צהריים. הבטחתי שתקבל כפליים מן התעריף המקובל לסטודנטים, והיא הודתה לי בשימחה. הסברתי לה כיצד לתייק את החומר במחשב וחזרתי למשרד.

זה היה מאותם ימים שכל העומס נופל עליך בבת אחת. כמה לקוחות ישנים, שלא שמעתי מהם כבר זמן רב, התעוררו לפתע וגזלו ממני זמן יקר בהתייעצויות טלפוניות, עד הגנה חשוב באחד התיקים הקשים שלי נפטר לפתע מהתקף לב והיה צורך להיערך למאבק מפרך בבית המשפט כדי לסייע למרות זאת לנאשם, אחד המתמחים שלי שעבד על תיק חשוב נפצע בתאונת דרכים ואושפז בבית חולים והיו עוד אי אלו טרדות שלא הניחו לי אף לרגע. למרות זאת מצאתי זמן לטלפן לחגית כדי לשאול איך העבודה מתקדמת. היא אמרה שתתקשר אלי כשתסיים, כדי שאבוא לראות את התוצאות.

בצהריים טילפן אלי דרור. בקול עצבני אמר שאמא לא בבית, שאין אוכל ושאין לו גם כסף כדי לקנות המבורגר בחוץ. אמרתי לו שייקח בינתיים מהמקרר מה שימצא שם, ועופרה ודאי תכין לו ארוחה של ממש בערב, כשתשוב. זה הזכיר לי שאולי גם חגית רעבה. טילפנתי אליה ושאלתי אם אכלה כבר. היא אמרה שלא.

"מה את אוהבת לאכול?" התעניינתי.

"לא משנה," אמרה.

ביקשתי שלא תצא מהדירה בחצי השעה הקרובה ושלחתי אליה בטייק־אוויי ארוחה סינית טובה. היא טילפנה בהתרגשות.

"תודה, זה היה טעים," אמרה.

לפנות ערב הודיעה לי שסיימה לעבוד. עזבתי הכול ונסעתי אליה. היא פתחה את הדלת ונראתה רעננה, כפי שבנות עשרים יכולות להיראות גם אחרי עבודה מאומצת. החלון היה פתוח וניחוח דק של פרחים עלה מאי שם. העמדתי פנים שאני בודק את העבודה שעשתה. העברתי דפים במחשב, קראתי קטעים שלא עניינו אותי, תיקנתי מילה או שתיים ואמרתי לה שעשתה עבודה מצוינת. עיניה זרחו.

"תודה," אמרה.

"זה היה קשה?" שאלתי. היא אמרה שלא, שבעצם נהנתה מאוד.

"כבר הרבה זמן לא עבדתי," אמרה, "אתה מבין, אחרי המשפט לא הייתי מסוגלת לצאת מן הבית, לחפש עבודה."

לא רציתי לחזור אל משבר האונס שלה. העדפתי לשתוק. בקושי התאפקתי מלגעת בה. הייתי נותן המון כדי לקצר את תהליך הריכוך ולשכנע אותה לבוא איתי אל המיטה, בחדר הסמוך. קירבת הגוף שלה, שדיה שביקשו לפרוץ מן החולצה, רגליה שיכולתי לחשוף כהרף עין בהינף אחד של החצאית, הטריפו את דעתי. היתה לי זיקפה חזקה כל כך, עד שנאלצתי לכסות עליה בתיק שנשאתי, כדי שלא תבחין.

שילמתי לחגית את שכרה לאותו יום, כשאני מעגל את הסכום כלפי מעלה, והסעתי אותה לתחנה המרכזית. פזלתי ללא הרף אל עבר ברכיה, שנחשפו כאשר התיישבה במושב לידי. הן היו עגולות ומושכות וליבו ביתר שאת את ההזיות המיניות שלי. שמחתי שהיתה שקועה במוסיקה שבקעה מן הרדיו ולא הבחינה במבטים ששלחתי לעבר רגליה.

לפני שנפרדנו אמרתי לה שכדאי שתביא בפעם הבאה כלי רחצה ובגדים מתאימים, למקרה שתהיה עבודה דחופה שתסתיים מאוחר בלילה. במקרה כזה, אמרתי, לא יהיה טעם שתשוב הביתה, ועל כן תוכל לישון בדירה.

"אתה צודק," אמרה. הורדתי אותה בתחנה המרכזית וטילפנתי מיד לסנדי. הייתי נסער מדי, בוער מתשוקה, הייתי חייב לפרוק את המתח. אבל הטלפון הנייד של סנדי לא היה זמין, והטלפון בדירת המלון שלה צילצל לשווא. אל ביתה לא העזתי לטלפן כי בעלה היה בארץ.

בנסיבות אחרות, הייתי ממתין אולי עד הלילה ועושה אהבה עם עופרה. אבל היתה לי תחושה ברורה שזה לא יילך. אולי כעסה עלי עדיין, אולי היתה

שקועה מדי בעולמה החדש. עצרתי את המכונית ליד פאב שכונתי קרוב,
התיישבתי אל הדלפק והזמנתי וודקה. שתיתי כוסית ואחריה עוד אחת.
המשקה צרב את גרוני ואת מעי ועירפל את ראשי.

12

כשהתקרבתי הביתה הבחנתי שרק חלון חדר השינה מואר. נכנסתי בשקט
ושמעתי את עופרה מדברת בטלפון. לא קלטתי מה אמרה, אבל ברגע
שעמדתי בפתח החדר ועיניה הבחינו בי, היא מיהרה להניח את השפופרת.
הכרתי היטב את התנועה המבוהלת הזאת. אני עצמי עשיתי זאת לא פעם,
כאשר דיברתי עם סנדי או עם ידידה אחרת, ועופרה התקרבה לפתע.
המחשבה הראשונה שעלתה במוחי היתה שיש לה ודאי מאהב. ככל שזה לא
נראה לי הגיוני, היה בכך בהחלט בסיס לחשד סביר. ואם אכן יש לה מאהב,
מה עלי לעשות? האם זה צריך להכעיס אותי? ואם כן, האם עלי לעקוב
אחריה? להטיח בפניה את העובדות ולהאשים אותה בחוסר נאמנות? האם
לא יהיה בעצם פשוט יותר לעצום עיניים ולהתעלם?

עופרה הזדקפה ואמרה בקול יבש: "חזרתי היום מוקדם יותר מהסדנה."
היא לא נראתה כמי שמצפה לתגובה. בתנועות מיומנות כרעה בתנוחת ישיבה
על השטיח, זקפה את גווה, הירפתה את כפות ידיה ושקעה אל תוך
מדיטציית הלילה שלה.

הנחתי לה לשקוע במדיטציה ללא הפרעה. הלכתי למטבח לאכול משהו.
הוצאתי גבינות ולחם ואכלתי לבד. נראה היה לי שמשהו השתבש באיזון
הפנימי של חיינו. נכון שאהבתי את ההתעסקות של עופרה בענייני הסדנה
ואת ההתרחקות המסוימת ממני, נכון שחופש הפעולה שלי התרחב, אבל
היתה לי פתאום תחושה שאשתי מרחיקה לכת. המסגרת המשפחתית, רופפת
ככל שהיתה לאחרונה, נפרצה. קרה מה שרציתי בעצם שיקרה — שיהיו לנו,
ובעיקר לי, נישואין פתוחים. אבל כשזה התממש והיה למציאות, לא אהבתי
את מה שחוויתי. פתאום הבנתי שנהניתי מן הדרך שבה התנהלו הדברים כל
עוד זה היה לפי רוחי. תמיד היה לי לאן לברוח, אבל תמיד גם היה לי לאן

94

לחזור. אהבתי לאכול את העוגה ולהשאיר אותה שלמה. עכשיו, כשהקרקע החלה להישמט מתחת לרגלי, כשהדברים החלו לצאת משליטתי, הייתי חסר מנוחה. תדמיתי כראש משפחה היתה, אחרי ככלות הכול, חשובה לי ברמה האישית, החברתית ואפילו המקצועית. מה שעשיתי מן הצד לא צריך היה לפגוע בזה.

עופרה סיימה ונכנסה למטבח להכין לה תה צמחים לפני השינה. אמרתי שאני רוצה לשוחח איתה. ללא סקרנות שאלה על מה.

"על מה שקורה בבית בזמן האחרון, יש לי הרגשה שאת מקדישה יותר מדי זמן לסדנאות ההודיות שלך במקום לבית ולילדים. התרחקת מכולנו."

היא שפכה את המים הרותחים לכוס ואמרה מבלי להסתכל עלי: "מעניין איך הגעת למסקנה הזאת."

מצאתי את עצמי נותן לה דוגמאות שמעולם לא ייחסתי להן חשיבות: אמרתי שהיא מסתובבת בפיזור נפש, שאנחנו מסתגרים בבית ולא יוצאים לסרטים, להצגות, לחברים, התלוננתי שהיא מזניחה את הילדים, הזכרתי לה שלדרור לא היה מה לאכול כמה ימים קודם לכן, טענתי שאין קירבה ואין הדדיות במסגרת המשפחתית שלנו וזהו תהליך שעלול להוביל להידרדרות.

"לא ידעתי שהדברים האלה כל כך חשובים לך," אמרה.

"דווקא כן," השתדלתי להישמע בוטח ונחרץ, אבל הרגשתי שזה לא עולה בידי.

"מה שמפריע לך, מיקי," היא לגמה לגימה אחרונה מתה הצמחים שלה והניחה את הכוס על השולחן, "מה שמפריע לך הוא לא מה שקורה לי, אלא מה שקורה לך. פתאום השתבש לך קצת הסדר הטוב, פתאום אתה מגלה שאני, הילדים וגם אתה פועלים במישורים שאינם נפגשים. אני שמחה, מיקי, שאיכפת לך. מה אתה מציע?"

הרגשתי שהיא מצפה שאעשה צעד לקראתה, שאגלה מחויבות כלשהי כלפיה, שאגיד, למשל, שאני מבקש שנפתח דף חדש, שאבטיח שאהיה לצידה מתי שתצטרך. דמיינתי את עצמי אומר זאת, דמיינתי אותה כורכת את זרועותיה סביב צווארי ומבשרת לי שמעתה ואילך ננהל את חיינו כפי שהיו בימים הטובים ההם. לפתע נבהלתי עד עמקי נשמתי. לא, זה לא היה המחיר

שהייתי מוכן לשלם.

"אני לא יכול לחשוב על שום הצעה כרגע," אמרתי.

היא שלחה אלי מבט ארוך וכואב.

"כרצונך," אמרה, "אגב, ראם סינג הציע לי תפקיד בסדנה שלו. הוא רוצה שאטפל בקבלת תלמידים חדשים לסדנה. יכול להיות שאקבל את ההצעה."

ככל שחלפו הימים התרופף הקשר בינינו עוד יותר. עופרה שקעה בענייני הסדנה, אני העדפתי לשוב הביתה בשעות הערב המאוחרות כדי למנוע כל חיכוך אפשרי בינה לביני. לעתים היא כבר ישנה כאשר הגעתי. לעתים היא עדיין לא הגיעה. ברכה העוזרת בישלה לילדים במקומה. עינב ודרור התרגלו למציאות החדשה ולמדו לתפקד בה. היתה לי הרגשה שאולי אפילו נוח להם יותר לנהל את חייהם כרצונם, בלי שהוריהם יאמרו להם מה לעשות. זה לא היה הבית היחיד בסביבה שבו כל אחד מבני המשפחה חי את חייו לבדו, כמעט ללא קשר עם האחרים.

אבל כמו הרבה מצבים בלתי טבעיים, גם המצב החדש הזה היה מועד לפורענות. דרור היה הקורבן הראשון. פגשתי אותו רותח מכעס כשחזרתי הביתה מאוחר בערב מן המשרד. הוא קבע עם עופרה להיפגש באסיפת הורים בבית הספר, שנועדה לשעה מוקדמת באותו ערב. היא הבטיחה לבוא ולא באה.

"אתה מתאר לעצמך איזה ביזיון זה היה?" אמר לי, "ישבתי וחיכיתי לה והיא היחידה שלא הגיעה. כל תלמיד נכנס לפגישה עם המחנכת יחד עם אחד ההורים שלו, אני היחיד שנכנסתי לבד. המחנכת היתה מאד לא נחמדה, היא אמרה שהיה לה חשוב מאוד לדבר עם אמא והיא התפלאה שלא באה."

ניסיתי להרגיע אותו, אמרתי שעופרה בוודאי התעכבה שלא באשמתה. הוא אמר:

"אמא יורדת מהפסים. שום דבר לא דופק בבית הזה."

עופרה נכנסה הביתה עוד בטרם סיים את המשפט. היא הביטה בשאלה בשנינו.

דרור אמר לה שהוא כועס מאוד על שלא הגיעה לאסיפת ההורים. היא

96

קימטה את מצחה.

"שכחתי," אמרה, "הייתי בסדנה, דרור. אני מצטערת."

"מאוחר מדי להצטער," התפרץ הילד.

"את לא חושבת שעברת את הגבול?" שאלתי במורת רוח, "את לא חושבת שאת מזניחה מדי את חובותייך כלפי הבית הזה?"

היא שלחה אלי מבט זועם.

"הזנחה?" הטיחה בי, "ומה עם ההזנחה שלך?"

היה צליל חדש בקולה, צליל שבישר עימות מתקרב. זה לא היה נבון לערב את דרור במחלוקת שבינינו, זה עלול היה רק להחמיר את הנזק שכבר נגרם לו.

השארתי את שאלתה של עופרה תלויה באוויר והלכתי לחדר העבודה שלי.

אבנר גבעתי עלה על דוכן העדים. אשתו יפה ישבה על אחד הספסלים הקדמיים וכבשה את ראשה בידיה. גם עתה נמנעה מלפגוש את מבטיו. היא שנאה אותו ופחדה ממנו, היא ידעה שלעולם לא ישכח את התלונה שלה למשטרה, התלונה אשר הולידה את כתב האישום.

לא היה צריך להיות משפטן גדול כדי להבין שגבעתי עלול לחטוף גזר דין קשה. היו יותר מדי מקרים של התעללות בנשים, העיתונים תבעו עונשים כבדים, רוב השופטים נטו לעשות זאת. על כן היה חשוב קודם כל להטיל ספק אם בכלל התרחשו הדברים כפי שיפה גבעתי טענה, להטיל ספק אם מה שעשה הבעל אכן היה בגדר התעללות. קו ההגנה שלי התבסס על הטענה שהיתה כאן לכל היותר מריבה רגילה בין בני זוג, שהתפתחה, במקרה, לפציעה של אחד מהם.

ערכתי עם גבעתי חזרות רבות על מה שיאמר במשפט, בנינו מערכת של הסברים והכחשות לכל מה שאמרה אשתו. חלקם היו בדרך זו או אחרת קרובים לאמת, חלקם היו לחלוטין פרי דמיון. אבל כולם נועדו לשרת את המטרה, להציג דמות אמינה של אדם חף מכל פשע. אבנר גבעתי הציג את עצמו קודם כל כבעל נאמן, שנשא את אשתו על כפיים ואהב את ילדיו כבבת עינו. את היעדרויותיו מן הבית תירץ בחיפושים אחרי קונים לחנות שלא

הכניסה די הצורך, את היעדרותו מהלוויית אמה של אשתו נימק בהיותו בראיון עבודה דחוף באילת, הוא הכחיש שנהג להתפרץ לעתים תכופות.

"כבוד השופט," אמר ותלה מבט של חנופה בעיני היושב על דוכן השופטים, "נכון שלפעמים התעצבנתי, אבל אדוני חייב להבין שאיש כמוני שיש לו חנות שלא מרוויחה, חי בלחץ ובמתח כל הזמן, אז קורה שלפעמים מאבדים את הראש לרגע או שניים. אני לא מכיר משפחה שהבעל או האשה לא מתפרצים שם לפעמים." הוא אמר שלפחות בחלק מהתפרצויותיו אשמה אשתו. "היא קנאית חולנית," טען, "בכל פעם שהייתי חוזר מאוחר מהעבודה, היא היתה צועקת עלי שיש לי מאהבת ושהייתי בטח אצלה. היא הטריפה אותי, אז איך יכולתי לא להרים עליה את הקול?" הוא הודה, עם זאת, שהיכה את אשתו, "אבל רק פעם אחת, ותיכף ביקשתי סליחה."

"שקר...שקר... שקר," מילמלה יפה גבעתי מבעד לידיה שהחזיקו בראשה הרכון, "כל מה שהוא אומר זה שקר..."

"אני בא ממשפחה אומללה," המשיך הנאשם, "אבא היכה את אמא שלי ואותנו בכל הזדמנות, גם הוא וגם היא הוציאו את העצבים שלהם עלינו ולא היה יום בלי מכות ועונשים. גדלתי באווירה של מכות, ואולי לכן נשאר בי משהו מאז, אולי לכן גם אני לא הצלחתי להשתלט על עצמי פעם או פעמיים." הוא ואני ידענו ששיקר, שהדברים על ההתעללות של הוריו לא היו ולא נבראו, אבל זה היה סיפור טוב, ואביו של הנאשם היה מוכן לתמוך בכל תעלול ובלבד שיהיה בו כדי לחלץ את בנו ממאסר.

בפגישות המוקדמות בינינו שיכנעתי את גבעתי לבקש ביוזמתו טיפול פסיכולוגי, כדי שנוכל להציגו בבית המשפט כמי שמנסה בכל כוחו לשפר את דרכיו. הוא גם העמיד פנים שחזר בתשובה ודיבר ארוכות על יחסו החם לאשתו. העליתי על הדוכן עד אופי שמנה את תכונותיו הטובות של גבעתי, והדגשתי את העובדה שאין לו עבר פלילי. שאלות התובע, שהומטרו עליו מיד לאחר שאני סיימתי, לא הצליחו להוציאו מכליו. הוא דחה אחת לאחת את הטענות בדבר אופיו האלים, והכחיש כל טענה על התנכלות מכוונת לאשתו. כאשר תמו שאלות התובע, פנה הנאשם לאשתו מעל הדוכן ואמר את המשפט ששיננתי איתו פעמים רבות קודם לכן:

"מכאן, מבית המשפט הנכבד הזה, אני מושיט לך את ידי לשלום ומבטיח

שאעשה הכול כדי שלא לפגוע עוד ברגשותייך... אני אוהב אותך, יפה."

יפה גבעתי לא הרימה את ראשה, וזו היתה טעות. הרושם שעשתה הכרזתו של הנאשם על בית המשפט היה חזק כאשר ציפיתי. אבל במקום לקום ולהטיח בפני בעלה את שקריו ולהוקיע את המחווה שלו כהעמדת פנים אופיינית לנוכלים, היא העדיפה לשתוק. היא ידעה, כמובן, את האמת, לא היה לה ספק שבעלה התעלל בה ויוסיף לעשות זאת גם בעתיד, אולי ביתר שאת. אבל היא היתה תמימה וחסרת ניסיון בהילכות בתי משפט, ולא היה מי שייעץ לה איך לנהוג, לא היה מי שיאמר לה ששתיקתה תעלה לה באובדן כמה נקודות יקרות במאזן אמינותה.

באותו ערב שבה עופרה הביתה מאוחר מאי פעם. לא הצלחתי להירדם עד ששמעתי את קשקוש המפתח בדלת וראיתי אותה נכנסת. מחוגי השעון הצביעו על השעה שלוש וחצי. שאלתי היכן היתה, והיא הביטה בי כאילו הופתעה שאני מת עניין.

"הייתי בסדנה," אמרה. פניה היו חיוורים, והיא מיהרה להסב אותם ממני. אני זוכר שכעסתי. איש לא יכול היה לשכנע אותי שהסדנה נמשכה עד שעה מאוחרת כל כך. שוב הרגשתי שאין לי שליטה על העניינים.

"מה עשית שם?" שאלתי.

היא סבבה אלי בתנועה חדה.

"זה באמת מעניין אותך?" שאלה.

"נניח."

היא העלתה על שפתיה צל של חיוך.

"אתה מקנא, מיקי?"

ראיתי בדיוק לאן היא מובילה אותי ולא הייתי מוכן שתעשה זאת.

"למה אני לא יכול לקבל ממך תשובה ברורה?" דחקתי בה בקוצר רוח.

"ממך למדתי לתת תשובות לא ברורות," אמרה בנימה צינית.

לא היה לי כוח להיכנס לעימות חדש בשעת לילה מאוחרת כל כך. הרגשתי שוב, שהיחסים בין עופרה לביני מתפתחים לכיוונים בלתי נשלטים, הרגשתי שאני חייב להיפגש עם ראם סינג כדי להבין מה קורה, הרגשתי שיש לו חלק בלתי מבוטל בשינוי שחל בעופרה.

חיכיתי עד עלות השחר ונסעתי לבית המלון שלו. לא טילפנתי כדי להודיע על בואי. פחדתי שההודי יתחמק ממני אם יידע שאני מבקש לפגוש אותו. היו לו סיבות רבות, חשבתי, כדי להרגיש שלא בנוח במחיצתי.

חלף זמן עד ששמעתי קול צעדים מעבר לדלת. לבסוף הוא פתח אותה כדי חרך צר, שלח אלי מבט ארוך מכפי שנדרש כדי לזהות אותי, ונדמה היה לי שראיתי את מצחו מתקמט לרגע בהיסוס.

"הו, זה אתה," אמר לבסוף. היתה שהות מה, והדלת נפתחה לרווחה.

"תיכנס, תיכנס," קולו נשמע ידידותי מדי, "תסלח לי, פשוט לא ציפיתי לאיש בשעה כזאת."

החדר היה רווי ניחוח של קטורת שבערה שם מן הסתם בשעות הלילה. המיטה היתה סתורה. לא היה בחדר איש מלבדו. הוא הציע לי כיסא.

"אני מצטער שהערתי אותך," אמרתי.

הוא הביט בי במבט רך.

"ממילא הייתי אמור לקום עכשיו למדיטציה שלי," אמר.

"יש משהו שמטריד אותי, וזה לא יכול לחכות."

"אשתך," הוא אמר. כמעט ציפיתי שיאמר זאת. זו לא היתה הפעם הראשונה שקרא את מחשבותי.

"כן," אמרתי, "באתי בעניין אשתי."

הדברים שרציתי לומר לו לא היו קלים, חששתי שהוא עלול להיפגע אם ישמע אותם. עם זאת, ידעתי שאני חייב להוציא אותם מתוכי.

"מיום שעופרה התחילה להשתתף בסדנה שלך," המשכתי, "היא השתנתה מאוד. קשה לי ליצור איתה קשר, נדמה לי שהיא מתרחקת גם מהילדים... חשבתי שאולי, באיזשהו מקום, ההשפעה שלך, של הסדנה שהיא משתתפת בה, איננה מועילה לה במיוחד..."

הוא קטע את דברי בדיוק בקטע שבו התקשיתי לנסח את המשפט שהתייחס אליו. היה לו חיוך רחב וקול נעים כשאמר:

"אני שמח שבאת אלי, מר שמיר. בעצם ציפיתי שאלה יהיו הדברים שתאמר לי," הוא רכן וצימצם את המרחק בינינו, "קודם כל חשוב שתדע כמה עובדות שנוגעות לאשתך. אתה זוכר ודאי את הפגישה הראשונה שלי איתה במשרד שלך. ברגע שראיתי אותה ידעתי מיד שהיא סוחבת על גבה

מיטען כבד. היא היתה מתוחה, הביטחון שלה היה מעורער ומעל לכול —
היא לא היתה מאושרת. כשטיפלתי בה אחר כך גיליתי שהיו לה המון חסימות
בגוף. זוהי תוצאה ברורה של משבר. הגוף מאותת על מצוקה, זרימת הדם
ותיפקוד האיברים שוב אינם פועלים כמקודם, נוצרות חסימות בעורקים
ובצמתים חיוניים של פעולת הגוף. שיחררתי אותה זמנית מכל אלה, פרקתי
מעליה את המתח והלחץ, אבל לא יכולתי להפוך אותה לאשה מאושרת."
    הוא הביט בי במבט שחדר עמוק לתוכי.

"אני רוצה שתבין. כפי שאני רואה את הדברים, וסלח לי אם אני נוגע
בנקודה רגישה, אשתך היתה זמן רב זנוחה רגשית וגופנית. במודע או שלא
במודע התעללת בה לאורך שנים. הלב שלך, הגוף שלך, לא היו איתה, הם היו
במקומות אחרים, וזה הדבר הנורא ביותר שאתה יכול לעולל לבן הזוג שלך.
אשתך סבלה בשקט, היא לא התוודתה לפניך על תחושותיה, היא הניחה לך
לחיות את חייך לצידה ולא איתה, מתוך השלמה עם העובדה שזו הדרך
היחידה להישאר בקרבתך ולשמור על שלמות המשפחה. היא אהבה אותך
למרות הכל, על כן הסכימה לקבל אותך כפי שאתה. לא היה לה קל, אבל זה
היה פחות או יותר בסדר כשהחיים שלכם התנהלו בשיגרה ששניכם הייתם
רגילים אליה. ברגע שהסדר השתבש, התמוטט גם ההסדר הבלתי כתוב
ביניכם. מבחינתה, שוב אי־אפשר היה להמשיך בשיטה שבה כל אחד חי את
חייו כרצונו. היה קשה לה, או מוטב שאומר בלתי אפשרי, להתמודד לבד עם
המשבר הגדול שעברה כשאתה לא היית שם כדי להחזיק לה את היד ולהגיד:
אני אוהב אותך, אני אעזור לך, הכול יהיה בסדר, אל תדאגי..."
    היה מביך לשמוע את הדברים האלה מפיו של אדם זר. לא באתי אליו כדי
שיטיף לי מוסר, לא באתי כדי לקבל עלי איזושהי אשמה.

"מה הקשר," שאלתי, "מה הקשר בין כל אלה לבין מה שקורה איתה
עכשיו?"

"מה שקורה עכשיו הוא תוצאה ישירה של מה שהתבשל אצל עופרה זמן
רב קודם לכן," עופרה הוא קרא לה, לא "גברת שמיר", לא "אשתך", כפי
שכינה אותה קודם. האם יש לכך משמעות?

"אתה ניתקת את עצמך ממנה לפני שהיא עשתה זאת, היא לא מצליחה
לשכנע את עצמה שאיכפת לך ממנה אף על פי שלה איכפת מאוד ממך.

היחס המנוכר שלך כלפיה, בעת ובעונה אחת עם פיטוריה מהעבודה ואי־יכולתה למצוא עבודה חדשה, פצעו את גופה ואת נפשה. לכן היא פנתה אלי ואל הסדנה שלי כדי לנסות השיג את שלוות הנפש שהיא זקוקה לה כל כך," אמר בקול גאה, "כאן, בסדנה, היא לומדת בפעם הראשונה להכיר את עצמה ולהתמודד עם קשיי החיים. בשלב הראשון היא לומדת את השלבים הבסיסיים ביותר של המדיטציה, היא לומדת לתת לעצמה לזרום מבחינה נפשית וגופנית באורח הטבעי ביותר, לא לחשוב, רק להיות קיימת. לאט לאט היא מתחילה להיות מודעת לגוף שלה, לכל תנועה, לכל צעד, אחר כך היא מתחילה להיות מודעת למחשבות שלה, היא לומדת להתבונן, לצפות מהצד, לא להיות מעורבת בכל מה שהכניס את חייה למערבולת נוראה... אתה מבין?"

לא הבנתי בדיוק כל מה שאמר. הבנתי רק שעופרה עוברת תהליך מסוים שנועד לאפשר לה להתבונן אל תוכה ואל כל מה שסובב אותה במידת מיזערית של מעורבות. אולי זו הסיבה להינתקותה מאיתנו.

ראם סינג הניח יד על כתפי.

"אתה צריך לגלות סבלנות לאורך כל תהליך השיקום של בריאותה הנפשית," אמר ברכות, "אתה צריך להיות מוכן להתקדמות ולנסיגה, לעליות ולירידות, צריך לקוות שהיא תירפא... רציתי שתדע," הוסיף, "שאשתך היא תלמידה נבונה ואינטליגנטית. אגב, אתה יודע שמיניתי אותה לתפקיד רציני בסדנה? היא תטפל בקבלת תלמידים חדשים."

"עופרה סיפרה לי."

"מצוין..." הוא הביט בי כמצפה לשאלות נוספות. לא היו לי.

"ובכן," אמר והושיט ידו כדי ללחוץ את ידי לשלום, "אני שמח ששוחחנו."

יצאתי משם וחשבתי על מה שאמר. הוא דיבר איתי בגילוי לב, אולי אפילו בגילוי לב גדול מכפי שרציתי. הייתי חייב להודות שבסופו של דבר הוא לא אמר דברים שלא ידעתי. נכון שלא החזרתי לעופרה אהבה, נכון שהתרחקתי ממנה, אולי אפילו התעללתי בה נפשית. אבל האמת היא שלא יכולתי לנהוג אחרת. אולי האשמה היתה באופי שלי, אולי איבדתי את אורך הרוח הבא מאהבה, אולי הפחד מפני הזיקנה אילץ אותי לרעות בשדות זרים

102

כדי לקבל שם את החיזוקים שהייתי זקוק להם. ככל שחשבתי על כך חשתי
שהלחץ אשר העיק עלי פוחת והולך. שיכנעתי את עצמי שראם סינג אמר
דברים של טעם, שהסדנה שלו לא זו בלבד שאין היא מזיקה לעופרה ולי, היא
אפילו טובה כנראה לשנינו. עופרה תמצא בה את שלוות הנפש שלה, והיא
תשוב לתפקד כשהיא רגועה יותר, משלימה יותר עם הריחוק שלי ממנה.

13

דרור בכה. שמעתי את קולות ההתייפחות שלו מבעד לחלון חדרו הפתוח,
כאשר פתחתי את שער הגינה וצעדתי אל פתח הבית. הוא לא היה ילד
שמרבה לבכות או להתלונן, הוא גם לא הירבה לשתף את עופרה או אותי
במה שקורה לו, ואני מניח שאם היו לו בעיות כלשהן הוא העדיף לפתור אותן
בעצמו. כשהלכתי, מופתע, אל חדרו שמעתי קול נוסף: אחותו, עינב, דיברה
אליו וניסתה להרגיעו.

עמדתי בפתח חדרו של דרור וראיתי את שניהם, הוא ישב על מיטתו והיא
ישבה לצידו, מחבקת את כתפיו הצנומות. פתאום הבחנתי שהוא רזה מאוד
לאחרונה. ניגשתי אליו. הוא נשא אלי עיניים דומעות ואמר: "הישעו אותי
מבית ספר." הוא סיפר שהמורה טוענת שהוא מפריע בכיתה ולא מכין
שיעורים, והיא לא תחזיר אותו ללימודים עד שעופרה תבוא לשוחח איתה,
ורצוי מאוד כבר מחר בבוקר.

ליטפתי את ראשו של דרור, אבל הוא לא אהב את זה. בתנועת גוף חדה
נרתע ממני, הוא היה עצבני מתמיד. ניסיתי להרגיע אותו, אמרתי לו שנברר
מה קרה, שנהיה לצידו, ושמיד כשעופרה תחזור נפתור את הבעיה.

"אמא לא תחזור כל כך מהר," אמרה עינב.

הבטתי בה בלי להבין.

"היא הכינה לך הפתעה. תמצא אותה על השולחן במטבח."

על השולחן במטבח היה פתק בכתב ידה של עופרה. האותיות היו גדולות,
לא אחידות, מקפצות באי־שקט. הן היו שונות מכתיבתה הרגילה, ונראה לי
שידה רעדה בעת שהעלתה אותן על הפתק:

"שלום, יצאתי לשלושה ימים חשובים של סדנה מרוכזת.

104

סידרתי שברכה תבוא כל יום עד הערב כדי לעזור לכם.
אוהבת, עופרה."

לא היו שום פרטים על המקום שהיא נוסעת אליו או על האנשים שמתלווים אליה לשם. התפלאתי מדוע לא הזכיר ההודי בפגישתי איתו הבוקר אפילו במילה אחת את הסדנה. האם חשש שאאסור על עופרה להשתתף? האם רצה למנוע מריבה משפחתית? טילפנתי אליו מיד. הטלפון צילצל ארוכות, ואיש לא השיב.

ענב עמדה בפתח המטבח ובחנה את תגובתי לפתק של עופרה.

"מה זה צריך להיות?" שאלה.

הקפדתי לנסח בעדינות את התשובה:

"תראי," אמרתי, "אמא שלך עוברת מה שהרבה אנשים עוברים בחייהם, איזה סוג של התנסות במשהו חדש, בתורת התנהגות זו או אחרת. כשהיא תשוב נדבר איתה על זה."

"אתה לא חושב שזה אגואיסטי מדי לקום ולהסתלק מפה בשביל איזו סדנה מחורבנת?" היא כעסה, "אני אוכל אולי להסתדר גם בלעדיה, אבל יש פה משפחה, יש בית, יש כללי התנהגות מקובלים, אפשר היה לפחות לשאול מה דעתנו לפני שהיא עוזבת באופן פתאומי כל כך... וחוץ מזה," עכשיו היא נשמעה מודאגת, "מה יהיה עם דרור? אי־אפשר להשאיר אותו ככה."

אמרתי שאני אטפל בעצמי בעניין של דרור. התקשרתי אל המחנכת שלו. התנצלתי על שאני מעז לטלפן לביתה ולהפריע את מנוחתה. אמרתי שאשתי נמצאת בהשתלמות מחוץ לעיר למשך כמה ימים, ואני עסוק בניהול משפטים, ועל כן לא אוכל להגיע לפגישה איתה בבית הספר. ביקשתי שתאמר לי במה העניין ואנסה לטפל בו כמיטב יכולתי. היא אמרה, כמובן, שהיא מעדיפה פגישה פנים אל פנים בנוכחות דרור, אבל לאור דחיפות הנושא היא הסכימה הפעם לשוחח איתי טלפונית. היא טענה שבשבועות האחרונים חלה הידרדרות של ממש בהתנהגותו של דרור ובהישגי הלימודים שלו וחבל שעופרה לא הגיעה לאסיפת ההורים כדי לשוחח איתה על כך לפני שיהיה מאוחר מדי. מן המקום הראשון בכיתה, אמרה לי, ירד דרור לאחד האחרונים, ציוניו נמוכים, הוא אינו מכין שיעורים, אינו מקשיב לנאמר

בכיתה, הוא מרוכז הרבה פחות משהיה, מתרגז בקלות וכשהיא מבקשת לשוחח איתו על כך הוא מתחצף כלפיה.

"רציתי לשאול אם קרה משהו שבגללו הילד מתנהג בצורה כזאת?" אמרה המורה, "האם ידוע לך על משבר שהוא עובר, על משהו שמטריד אותו עד כדי כך שהוא לא יכול לחזור לעצמו?"

אמרתי שאני מתפלא לשמוע את הדברים האלה, הכחשתי שאירע משהו בעל משמעות שאני יודע על קיומו, אמרתי שאדבר עם דרור ועם אמו מיד כשתחזור. ביקשתי מהמורה שתאפשר לו לחזור ללימודים, והבטחתי שעופרה תבוא לבית הספר כדי לשוחח איתה כבר בסוף השבוע.

"בסדר," אמרה המורה, "אני רוצה רק שתדע שיש לכם ילד נפלא, מוכשר וחכם, ואני חייבת לשמור עליו, גם אם לפעמים זה מחייבת אותי להפעיל אמצעים לא נעימים."

סיפרתי לדרור על שיחתי עם המחנכת, על דעתה החיובית עליו ועל ההבטחה שלי שאמו תבוא אליה מיד בשובה מההשתלמות. ביקשתי שינסה לומר לי מה הסיבה להידרדרות שלו בלימודים.

"אני לא יודע," אמר כשהוא מוחה דמעות נוספות מעיניו, "סתם ככה פתאום לא בא לי כלום, אני לא יכול להתרכז בחומר, אני לא קולט ולא זוכר, לכן אני לא מצליח במבחנים."

ניסיתי להעמיק את השיחה, אבל הילד סירב לשתף פעולה.

"עזוב אותו, אבא," אמרה ענבל, "אתה לא רואה שהוא בכלל לא במצב רוח לדבר?"

הזמנתי לכולנו פסטה ממסעדה סמוכה. אכלנו במהירות ולא הרבינו לשוחח. כל אחד מאיתנו התכנס בעצמו. דרור הותיר את מרבית האוכל בצלחת, ענבל הזדרזה לסיים, כי מוני עמד להגיע. לבסוף נשארתי לבדי.

להיעדרות של עופרה היה יתרון ברור אחד: הייתי פנוי לחלוטין למשך שלושה ימים ולילות. הלילות הם שקסמו לי במיוחד. דבר אחד היה לגנוב כמה שעות אסורות במשך היום, דבר אחר היה להיעלם ללילה שלם. שהותה של עופרה בסדנה זימנה לי את האפשרות הנדירה לעשות זאת ללא חשש. חשבתי מיד על חגית. רציתי שלפחות אחד משלושת הלילות הבאים יהיה הלילה שלנו. קיוויתי שאצליח לשכנע אותה.

הלכתי לישון בהרגשה שהעייפות תפיל אותי לתוך תרדמה עמוקה, אבל זה לא מה שקרה. רק לעתים רחוקות מאוד ישנתי במיטה ריקה בבית. פרט להיעדרויות, שניתן היה לספור אותן על אצבעות יד אחת לכל אורך שנות נישואינו — כשעופרה נסעה, למשל, עם צוות המשרד לפרזנטציה באיטליה, או פעם עם ידידה כדי לראות הצגות בלונדון — היא היתה שם תמיד, בכל לילה, במיטה, כחלק בלתי נפרד מהוויית הלילה, מהרגלי ההירדמות וההתעוררות שלי. כשהייתי מתהפך הייתי חש יד או רגל או חלק מהגוף שלה. לעתים הייתי מתעורר לקול מילמול מן הצד שלה. כל אלה לא היו שם הלילה, ועל אף החופש להשתרע למלוא רוחבה של המיטה לא הצלחתי לישון שינה רצופה. חשבתי שהבעיה של דרור היא שמטרידה אותי, אבל מהר מאוד הבנתי שמשהו אחר מציק לי: רציתי לדעת מדוע הסתירה עופרה את נסיעתה להשתלמות גם ממני וגם מהילדים? מדוע הודיעה רק ברגע האחרון? מדוע לא השאירה כתובת? מה באמת מסתתר מאחורי שלושת הימים הללו בסדנה של ראם סינג?

נרדמתי לשעה קלה והתעוררתי כשבחוץ שררה עדיין חשיכה. השעה היתה ארבע וחצי לערך, ולא הצלחתי להירדם שוב. הכנתי לי קפה והצצתי בלית ברירה בחדשות של סי.אן.אן, כי את עיתון הבוקר טרם הביאו. הזמן זחל כמו צב זקן.

ברכה העוזרת הגיעה מוקדם מן הרגיל. היא היתה אשה זריזה וטובת לב כבת שישים, שעבדה אצלנו שנים רבות. עתה הביאה עוגה טרייה מאפה ידיה וסל גדוש מיצרכי מזון והתארגנה במהירות כדי להכין ארוחת בוקר לילדים. כשעינב ודרור התעוררו היא זירזה אותם לאכול ולצאת בזמן לבית הספר. מיד לאחר מכן הציבה סירים ועמלה על בישול ארוחת הצהריים. שמחתי שהיא מסירה ממני את נטל האחריות והטיפול בילדים.

טילפנתי לחגית מן המכונית והזמנתי אותה לבוא לתל אביב בצהריים. אמרתי שתהיה עבודה רבה. היא שאלה בהיסוס אם תוכל להקדים כדי להתגבר על העומס הרב. הסברתי שעלי להיות בבית המשפט עד הצהריים ועל כן לא אספיק להכין לה את החומר לפני כן. קבענו בדירה בשתים עשרה.

לא היתה שום סיבה שהקראת פסק הדין במשפטו של אבנר גבעתי

תימשך מעבר לשעה הזאת.

בתשע ושלושים בערך הכניסו שוטרים את הנאשם לאולם בית המשפט. אני מודה שהופתעתי. הוא לבש חליפה מהודרת, ענב עניבה בעיצוב מתון, פניו היו מגולחים למשעי והכיפה היתה הדוקה לשערותיו שסורקו בקפידה. הוא חייך כשניגשתי אליו.

"איך אני נראה?" שאל אבנר גבעתי, "אינטיליגנטי, לא?"

הוא היה בטוח שההופעה המטופחת תרכך את השופט. אמרתי לו שכבר שנים אני מייצג נאשמים פליליים, ומעולם לא ראיתי מישהו מופיע לשמיעת גזר דינו כשהוא הדור כל כך.

"זה העניין," אמר בנימת ניצחון, "זה בשביל שהשופט יבין שאני לא פושע." היה בזה היגיון מסוים. שופט עשוי להתרשם מנאשם בדרכים שונות. הופעה הולמת יכולה בהחלט להיות אחת מהן.

השופט נכנס והקהל קם על רגליו. יפה גבעתי התרוממה בכבדות ממושבה בספסל הראשון וצנחה בחזרה כשהשופט תפס את מקומו. הוא לקח כמה דפים מתוך תיק המשפט, העיף מבט חפוז בנאשם והחל להקריא את פסק הדין. תחילה דיבר על התופעה של אלימות במשפחה ועל ריבוי המקרים של התעללות בנשים, אחר כך הזכיר את הקריאות שנשמעו בכנסת ובקרב הציבור להחמיר בעונשים. אשת הנאשם תלתה בשופט מבט שכולו ציפייה. הוא אמר בקול נחרץ דברים שכמו יצאו מתוך ליבה שלה.

אחר כך עבר השופט לניתוח המקרה על־פי שלל העדויות. הוא סקר את חיי המשפחה של הזוג, את הגירסאות הסותרות, את העדות הרפואית. הוא התעכב על מחוות הנאשם כלפי אשתו בסיום המשפט, אמר שהוא מאמין לו שהתחרט על מה שעשה וציין את העובדה שמעולם קודם לכן לא הוגשה תלונה נגד גבעתי על התעללות באשתו. אחרי הדברים האלה, העזתי לנחש, הוא כבר לא יטיל על הלקוח שלי עונש חמור.

צדקתי. גזר הדין היה קל יחסית: חודש מאסר, שנה מאסר על תנאי ואיסור להיכנס הביתה עד שהעובדת הסוציאלית שטיפלה במקרה תאשר שאין עוד סכנה לחיכוכים אלימים בין בני הזוג. מאחר שהנאשם כבר היה במעצר יותר מחודש, פירושו של דבר היה שאבנר גבעתי ייצא מיד לחופשי.

הנאשם קד קידה לשופט. הוא חייך כמנצח אל השוטרים, אל הקהל ואלי.

יפה גבעתי לא הבינה בדיוק מה גזר השופט. כשהתובע התנדב להסביר לה, חוורו פניה כסיד. היא פנתה אל השופט והרימה את קולה: "זה נכון שאתה לא שולח את בעלי לבית הסוהר?"

השופט הביט בה בכעס ממרומי הדוכן.

"כאן זה בית משפט, גבירתי," אמר, "כאן לא מרימים קול ולא פונים אל השופט בלי שמקבלים רשות. צאי בבקשה מן האולם. התיק הזה סגור."

האשה היתה המומה.

"מה עשיתם?" צווחה בייאוש, "נתתם לו אישור לרצוח אותי! אתם לא מכירים אותו. הוא ירדוף אחרי כדי להעניש אותי על המשפט הזה, הוא ירצח אותי!"

פקיד עזר שהוזעק על-ידי השופט גרר אותה החוצה. השוטרים ליוו את הנאשם אל המזכירות בקומת הקרקע כדי להסדיר את יציאתו לחופשי. הלכתי איתם לשם.

הוא עמד לידי ואמר:

"אני אלמד אותה לקח, גם אם אצטרך ללכת לכלא בשביל זה."

"אל תעשה שטויות," הזהרתי אותו, "יש לך שנה על תנאי, וזה חוץ ממה שידפקו לך בפעם הבאה אם תיגע שוב באשה שלך."

גבעתי הביט בי במבט מוזר.

"לא איכפת לי," אמר והסב ממני את פניו.

יצאתי מן הבניין. השעה היתה אחת עשרה וכמה דקות. היה לי די והותר זמן ללכת אל המשרד, לאסוף חומר בשביל חגית ולהגיע אל הדירה ששכרתי. החורף בושש לבוא והשמש היתה חמה יותר מתמיד. רציתי להיכנס למכונית שלי ולהפעיל את המזגן, אבל מישהו לא הרחק ממני פלט לפתע צעקה מסמרת שיער. שמעתי חבטה ואנשים החלו להתרוצץ בבהלה. פניתי לעבר מוקד ההתרחשות. מבעד לאנשים שנקבצו שם ראיתי גוף שרוע על אבני המרצפת בפתחו של בניין בית המשפט.

"מה קרה?" שאלתי שוטר שהזעיק אמבולנס בטלפון נייד.

"איזו אשה קפצה מהקומה השלישית. לבעל שלה היה משפט בגלל שהתעלל בה. הוא יצא בלי עונש וזה שבר אותה. נורא, לא?"

התקרבתי אל המקום שבו שכבה האשה. כן, זו היתה היא, יפה גבעתי. אני זוכר שלא התפלאתי על שהחליטה לשים קץ לחייה. האמנתי לאבנר גבעתי כשאמר שיוסיף להתעלל באשתו, אולי אפילו יותר מזה. האמנתי ליפה גבעתי שפחדה מפניו. לא הרגשתי עצמי אשם על שהלקוח שלי נחלץ ללא עונש של ממש. בעיקרו של דבר, זה היה תפקידי להגן עליו, זכותו החוקית היתה לקבל הגנה. החוק מחייב לספק סיוע משפטי לרוצחים, לאנסים, לגנבים וגם לבעלים מכים. לא הרגשתי כל ייסורי מצפון. אם מישהו אחראי למה שקרה, זה ודאי לא הייתי אני.

משכתי בכתפי, סילקתי ממוחי את המחשבות על האשה הזאת ונבלעתי בתוך מרתף החניה. התנעתי את המכונית ונסעתי למשרד בדרך שעקפה במתכוון את רחבת בית המשפט. לא רציתי להיות בסביבה כשיגיעו העיתונאים. אמבולנס חלף על פני בצופר מיילל בדרכו אל יפה גבעתי השרועה על המדרכה.

תחבתי את "הסימפוניה הבלתי גמורה" של שוברט אל תוך מערכת הסטראו וריחפתי עם הצלילים המופלאים של התזמורת. בשבילי היתה פרשת גבעתי עוד תיק משפטי שנסגר.

כשנכנסתי למשרד אמרה לי דינה ששמעה בזה הרגע ברדיו על מה שקרה והיא מתקשה להתאושש.

"גם לי קשה לעכל את זה," שיקרתי וביקשתי את רשימת ההודעות ואת הדואר שהגיע היום. עברתי על פני חדריהם של אילן והמתמחים שלי וביקשתי דיווח קצר על התקדמות העבודה שלהם. אחר כך הלכתי לחדרי, השבתי רק להודעות הדחופות, עברתי ברפרוף על פני המכתבים. הייתי קצר רוח. חשבתי רק על ההתרגשות שתעורר בי חגית.

אספתי חומר ישן מתיקים חסרי חשיבות, כדי שיהיה לחגית על מה לעבוד, הודעתי לדינה שעלי להיעדר לשעה או שעתיים בגלל סידורים דחופים ונסעתי אל הדירה. הנחתי את פסקי הדין והמסמכים על שולחנה ועמדתי בחלון, מצפה לראות את דמותה של חגית מגיחה מעבר לפינה

ומתקרבת אל הבית.

היא נקשה על הדלת ואני פתחתי. שוב היתה לבושה בג׳ינס וחולצת טי הדוקה. שמתי לב שנשאה על כתפה תיק בד גדול למדי.

היא הבחינה במבט השאלה שלי.

״הבאתי כמה דברים למקרה שאצטרך להישאר,״ אמרה בפשטות. ראשי הסתחרר לרגע, כאילו קיבלתי סוף סוף אישור למחשבותי הכמוסות. ״אני מוכנה לעבודה,״ אמרה ושלחה אלי, בפעם הראשונה, שמץ של חיוך. היא התיישבה בביטחון אל מול המחשב.

״אם יהיו לך שאלות...״ אמרתי.

״כן, אני יודעת את מספר הטלפון שלך...״ אמרה ועיניה סטו מעלי והתמקדו בצג החיוור.

רק אחרי כמה שעות עבודה במשרד נזכרתי שלא התקשרתי הביתה מאז הבוקר. אמה של עופרה הרימה את השפופרת. היא אמרה שדרור ועינב כבר אכלו צהריים, שעופרה לא התקשרה ושאלה בדאגה אם שמעתי משהו ממנה. אמרתי שאין לי שום מידע נוסף, וברגע שיהיה אמסור לה אותו כמובן. שמחתי שהיא משתלטת על העניינים, הילדים אהבו אותה מאוד. בדיתי מליבי סיפור שנועד לשמש כיסוי להיעדרות המתוכננת שלי בלילה, אמרתי לה שייתכן מאוד שיהיה עלי לנסוע לישיבה חשובה מחוץ לעיר הערב, ושאם הישיבה תימשך עד שעה מאוחרת ודאי אשאר שם לישון. היא לא נשמעה מאושרת מן הרעיון, שאלה אם אי־אפשר לדחות את הישיבה ולהקדיש את הערב לילדים. אמרתי שזה בלתי אפשרי כי כמה אנשים מחו״ל באים במיוחד לצורך הישיבה הזאת ונוסעים בחזרה למחרת. היא נאנחה ואמרה: ״נו, טוב.״ נשמתי לרווחה. הייתי חופשי כציפור דרור.

חיכיתי במשרד עד שהחל היום להאפיר. התגלחתי, התבשמתי מעט, לקחתי שני תיקים משפטיים ישנים, כדי שיעסיקו את חגית ואותי זמן מה עד שתתחמם האווירה, ונסעתי אל הדירה השכורה. כשהגעתי לשם שררה כבר חשיכה בחוץ. הדירה היתה חמימה ומוארת. חגית בישרה לי בגאווה שהספיקה להקליד כבר חלק גדול מהחומר והראתה לי את התוצאות על המחשב. התפעלתי מיעילותה.

"עשית עבודה מצוינת," אמרתי. היא חייכה בסיפוק. הגנבתי נשיקה קלה על לחיה, וחיוכה נמחה בבת אחת. היא נרתעה ממני כחיה המריחה סכנה, אבל כבר היה מאוחר מדי. המלכודת נסגרה.

מן החלון נשקפו הבתים הסמוכים. ראיתי אנשים עוסקים בבישול, בשיחה, בצפייה בטלוויזיה. הסטתי את הווילון כדי שלא יראו אותנו.

הצעתי שתניח את מעט החומר שטרם הקלידה ותקליד מכאן ואילך את מה שאקריא לה. רציתי להיות קרוב אליה וזה נראה תמים למדי כשהתיישבתי לידה והתחלתי לקרוא פסק דין משעמם בעניין מכירת רכוש גנוב. מדי פעם עצרתי כדי לשאול שתיים או שלוש שאלות אישיות, שנועדו לרכך את האווירה. גיששתי אם יש לה חבר והתברר לי שלא, התעניינתי ביחסים בינה לבין הוריה, והיא התלוננה שהם לוחצים עליה לצאת לעבוד. היא היתה זקוקה לכסף, ועל כן שמחה להיענות להצעה שלי. היא הוסיפה שהוריה לוחצים עליה גם למצוא חתן, בשעה שהיא לא מתכוננת להתחתן עוד זמן רב. חשוב לה, אמרה, לצאת מן הבית ולהיות עצמאית.

היא השיבה על השאלות שלי במידת מה של אי־רצון, אבל אני הרגשתי שהצלחתי לכפות עליה להגיב, ויצר הכיבוש שלי רק הלך והתגבר.

לאחר זמן הצעתי שנרד לאכול ארוחת ערב. היא הסכימה במנוד ראש.

הלכנו למסעדה איטלקית ברחוב הסמוך. היה לה רצון להתנסות בסוגי אוכל שלא הכירה. זו היתה נקודת פתיחה חיובית. העזתי והזמנתי יין. שיכנעתי אותה שהיא חייבת לשתות, משום שכך תיהנה יותר מהאוכל. היא האמינה לי ולגמה לגימה גדולה משציפיתי. לחייה כוסו סומק, וידה נשלחה אל חזה. מצב רוחה החל להשתפר. עד תום הארוחה אירעו שתי התפתחויות חשובות: היא רוקנה את כל כוס היין שלה, והיא לא הצליחה לחבר באופן הגיוני את המשפטים שיצאו מפיה.

ביציאה מן המסעדה מעדה חגית על הסף. חיבקתי אותה כדי שלא תיפול. היא לא נרתעה ממני הפעם.

כשעלינו אל הקומה השנייה לקחתי את ידה.

"ליתר ביטחון," אמרתי, "כדי שלא תיפלי."

היא לא הוציאה את ידה מתוך ידי.

נכנסנו אל הדירה. חגית הלכה לחדר האמבטיה ושטפה את פניה. אחר

כך התיישבה ליד המחשב.

"אל תדאג," אמרה באנחה קלה, "אני בסדר, אפשר להמשיך."

חייכתי בחביבות. הזזתי את התיקים הצידה, ליטפתי קלות את שערה ואמרתי שכבר מעט חצות, ואני לא חושב שהיא מסוגלת כרגע להקדיש את מלוא תשומת הלב שלה לעבודה משפטית. הצעתי שתלך לישון ונשוב לעבוד למחרת.

"אתה רציני?" עיניה אמרו תודה, "חשבתי כבר שאצטרך לעבוד כל הלילה... תודה על ההתחשבות."

התאים לה שאגיד לילה טוב ואלך. ראיתי בעיניה שלא הבינה בדיוק מדוע אני לא זז.

"את רוצה קפה?" שאלתי. היה עליה להשלים עם העובדה שלא אלך משם כל כך מהר.

"לא," אמרה קצרות. היא היתה עצבנית, אבל ניסתה להסתיר זאת.

"איכפת לך אם נשוחח מעט?" שאלתי.

"בבקשה," השיבה בלית ברירה. כדי לצאת ידי חובה, שאלה ללא עניין כמה שאלות על המשפחה שלי, איך הגעתי לעריכת דין, אילו משפטים מעניינים ניהלתי. השבתי קצרה.

היא היתה עייפה. העבודה הממושכת ליד המחשב, הארוחה והיין עשו את שלהם.

"אני חושב שאת צריכה להיכנס עכשיו למיטה," אמרתי.

היא אמרה: "אני חושבת שאתה צודק." היא ציפתה שוב שאלך, אבל אני אמרתי כבדרך אגב: "מה דעתך שאשאר גם אני כאן הלילה..."

היא שלחה אלי מבט חודר, מנסה לעכל את משמעות הדברים שאמרתי.

"אבל..." התנשמה בכבדות, "אין כאן עוד מיטה."

צחקתי בעצבנות. "אם תבטיחי לפנות לי מעט מקום, תספיק לי גם המיטה הזאת..."

זיק של פחד חלף בעיניה. ניסיתי להיזכר מהיכן הוא מוכר לי. כן, כמובן. כך היא הביטה בבית המשפט באיש שאנס אותה. מיהרתי לגרש ממוחי את המחשבה על שמעון ליטני והאונס. התשוקה עירפלה את חושי כמו סם הזיות יעיל. חשבתי איך לא להפחיד אותה, איך לקרב אותה אלי במילה רכה, אולי

113

בליטוף קל, להגיע אליה לאט, בסבלנות, לא בכוח. התקרבתי אליה...

הטלפון הנייד צילצל. קיללתי אותו בליבי. הייתי צריך לנתקו כבר מזמן. באפרכסת נשמעה אמה של עופרה. היא היתה מבוהלת וקצרת נשימה, אמרה ששני שוטרים הגיעו הביתה ומבקשים לדבר איתי.

"באיזה עניין?" שאלתי.

"הם לא רוצים להגיד."

"הילדים בסדר?"

"כן, הם בבית."

ביקשתי שתמסור את הטלפון לאחד השוטרים. קול של גבר אמר קצרות שהוא מבקש שאגיע הביתה בהקדם האפשרי.

"למה?" רציתי לדעת. תיארתי לעצמי שהם באו בעניין אחד הלקוחות שלי, אולי לחקור אותי בקשר להתאבדותה של יפה גבעתי. זו לא היתה הפעם הראשונה ששוטרים באו אלי הביתה בעניינים מסוג זה. אבל, לא היה בדעתי להיענות להם הפעם. הלילה עם חגית היה חשוב לי פי כמה מכל חקירה שיגרתית.

אבל השוטר לא רצה לוותר. הוא אמר שידבר איתי רק כשאבוא. ניסיתי להסביר שהשעה מאוחרת מאוד, שאין לי שום אפשרות להגיע, שאני באמצע ישיבה חשובה, שאהיה מוכן לבוא למחרת לכל תחנת משטרה שירצו. הייתי מוכן להבטיח כל דבר ובלבד שאשאר עם חגית.

"העניין לא סובל דיחוי, מר שמיר," אמר השוטר בקול חמור, "יש לנו הוראות להביא אותך מיד מכל מקום שבו תהיה. לטובתך, עזוב הכול ובוא."

גידפתי בחשאי. לא נראה היה שאוכל לשכנע את השוטרים להניח לי. אמרתי לחגית שמשהו דחוף מחייב אותי לעזוב. היא פלטה אנחת רווחה.

אספתי את ידיה בידי. הן היו קרות כקרח, פניה היו לבנים כאילו אזלה מהם טיפת הדם האחרונה.

14

שני השוטרים ישבו בחדר המגורים, ואמה של עופרה הגישה להם מים קרים. הם קמו ממקומם כאשר הבחינו בי. האחד היה קצין והאחר סמל. בידי הסמל היה תיק עור דהוי. הקצין שאל אם יש מקום שבו יוכלו לדבר איתי ביחידות. הצעתי להם לבוא איתי לחדר העבודה שלי. נכנסנו פנימה, והם סגרו אחריהם את הדלת.

"שב בבקשה מר שמיר," אמר הקצין. ישבתי והם התיישבו מולי. סבר פניהם היה רציני מאוד וזה נראה משונה. לא כך היו מתנהגים אילו מדובר היה בחקירה שבה מעורב אחד הלקוחות שלי.

"זה בעניין אשתך," אמר קצין המשטרה ללא הקדמות מיותרות, "יש לנו בסיס להניח שקרה לה משהו..." הוא היסס אם להמשיך. הרגשתי שהדם אוזל מפני, וחולשה מוזרה פשטה בבת אחת בגופי. לא היה לי ספק באשר למשמעות הדברים. שוטרים לא באים אליך הביתה רק כדי להודיע שבן משפחה שלך נשרט בתאונת דרכים. בלקסיקון המשטרתי "קרה משהו" פירושו שקרה משהו רע מאוד.

ניסיתי לדבר אבל לא הצלחתי להוציא מילה מפי.

"שאביא לך כוס מים?" שאל הסמל.

הנדתי בראשי לשלילה. הקצין המשיך: "יש לנו בסיס להניח שלאשתך קרה אסון, מר שמיר. אנחנו חוששים שהיא איננה עוד בחיים."

נעצתי בו עיניים פעורות לרווחה.

"כל העניין עדיין נמצא בחקירה," אמר, "לכן אין לנו הרבה פרטים. מה שידוע לנו הוא שזה קרה בשעות אחר הצהריים. אנשים שגרים במושב רישפון ליד הרצליה הזעיקו כבאים ומשטרה בגלל שריפה שפרצה בצריף מבודד בקצה המושב. נראה שהיו שם חומרים דליקים בכמות גדולה, והאש

השתוללה זמן רב בלי שהכבאים הצליחו להשתלט עליה. מעדויות של שכנים
התברר שהיתה במקום אשה שלא הצליחה להינצל. אחרי כיבוי האש נשארו
שם רק פחמים ואפר ואבני חן שכנראה שייכות לאשה שמתה. עכשיו בודקים
את השרידים כדי לאפשר את הזיהוי שלה...״

זיק זעיר של תיקווה ניצת בי.

״מה מניע אתכם לחשוב שזו אשתי?״ אזרתי כוח כדי לשאול.

״כל הסימנים מעידים שהיא היתה בצריף כשפרצה הדליקה,״ אמרו
שניהם כמעט בעת ובעונה אחת.

״אבל... איך היא הגיעה לשם? איך היא...״

הקצין קטע אותי: ״על זה בדיוק רצינו לדבר איתך.״

לא הבנתי. העניין נראה לי תמוה ביותר. מחד גיסא, לא שמעתי שום
עובדה המאשרת שעופרה היתה שם. מאידך גיסא, אילו לא היתה למשטרה
הוכחה חותכת, הם ודאי לא היו באים להודיע לי על מותה.

״האם ידוע לך מה עשתה אשתך בצריף הזה?״ שאל קצין המשטרה.

הסמל שלף מספר דפים מתיקו, הסמיך כיסא אל שולחן הכתיבה שלי
והחל לכתוב מה שאמרתי.

״אין לי שום מושג... ידעתי שהיא יוצאת להשתלמות לכמה ימים, וזה
הכול... היא לא הודיעה לי לאן נסעה.״

״היא אמרה לך איזה סוג של השתלמות היא עומדת לעבור?״

״לא.״

״ידוע לך אם היתה מעורבת בפעילות חריגה כלשהי בזמן האחרון?״

״למה אתה מתכוון?״ שאלתי, אף שניחשתי את כוונתו.

״פעילות מיסטית למשל, השתתפות בפעולות של כת מסוימת או משהו
כזה.״

״היא השתתפה בסדנה של מישהו שהגיע מהודו.״

״אתה מתכוון לראם סינג?״

ובכן, הם יודעים.

״כן, זה האיש...״ אמרתי.

״הוא שכר את הצריף,״ אמר לי הקצין.

הוא הושיט לי דף נייר והמתין עד שאקרא אותו.

בראש הדף, בכתב ידה של עופרה, היה כתוב: *"לעינב ולדרור, הילדים היקרים שלי, ולמיקי."*
אחר כך באו השורות האלה:

"אתם יודעים שעברתי תקופה קשה בזמן האחרון, הייתם עדים לשיברון הלב שלי ולהתמוטטותי הפיזית. אין ספק: הגעתי לקצה הדרך, לקצה גבול היכולת שלי לסבול. אזלו לי כוחות הנפש להקשיב, לדאוג, לטפל. נוכחותי בבית במצב שכזה גרמה לכם רק עוול. אני מלאה רגשות אשם כלפיכם, גם אם אני יודעת עמוק בתוכי שהאשמה אינה רק בי.
"ראם סינג ניסה לעזור לי, לפקוח את עיני, ללמד אותי לראות את עצמי במרכז, להיות אחראית רק לעצמי ולא לאחרים, להתנתק מכל מה שגורם לי דאגה ומשבש את חיי. ואכן ניסיתי להתרכז בעצמי, מתוך אמונה שכך אוכל להגיע לשלוות הנפש שכל כך חסרה לי, אבל לא הצלחתי.
"הנתק בינינו רק גבר, הרגשתי אין אונים.
"המשכתי לחפש עד שסוף סוף מצאתי את הדרך, הדרך האפשרית היחידה. תיקוותי הגדולה היא שיום אחד תבינו שלא היתה לי ברירה וכי זה היה המוצא היחיד שלי מן המערבולת אליה נקלעתי.
"כדי ללכת בדרך שבחרתי אני מסכנת את הכול, אבל מקננת בי אמונה חזקה שזאת הדרך הנכונה. אני לא משלה את עצמי שזה יהיה קל. המבחן שאני עומדת בפניו קשה מאוד. הוא קשה בפני עצמו, וקשה עוד יותר בגללכם. אני מקווה שתבינו, אני מבקשת שתתעלו מעל העצב ותאחלו לי הצלחה.
"אני ניצבת עתה מול שער האש. אני יודעת, שלפעמים, כדי להתחיל מחדש צריך לאסוף את כל הישן ולהעלות אותו באש חזקה. אולי דברים שהיו צריכים לקרות ולא קרו, יקרו דווקא עכשיו...
"אני בטוחה, מיקי, שתדע לשמור על עינב ועל דרור.

"אוהבת אתכם, עופרה."

קראתי את המכתב שוב ושוב כאילו רציתי להיווכח שאין זה חלום בלהות.

"איפה מצאתם אותו?" שאלתי חרש.

"במכונית של אשתך," אמר הסמל, "היא השאירה את המכונית ליד הצריף. המכתב היה על המושב הקדמי."

ההלם בעקבות מותה של עופרה והשאלות שנותרו פתוחות היכו בי בעוצמה רבה. הותשתי, נשארתי חסר אונים. מה אעשה עכשיו? איך אספר לילדים, לאמה של עופרה? להורי? התקשיתי לחשוב בבירור. מוחי התערפל ממחשבות שרדפו זו את זו ולא הניחו לי להתמקד אף לא באחת מהן.

הקצין הביט סביבו.

"יש לך כאן מכשיר וידאו?"

הצבעתי על המכשיר ליד מקלט הטלוויזיה.

הסמל הוציא מן התיק קלטת.

"אפשר?" שאל.

הנדתי בראשי.

הוא הכניס את הקלטת אל תוך המכשיר והפעיל אותו.

ראם סינג הופיע על המירקע כבר בתמונה הראשונה. הוא ישב בכורסה, לבוש בגלימה שהכרתי וענד את "עין החתול" הירוקה. קולו היה עמוק וחגיגי, והאנגלית שבפיו רהוטה, כרגיל. הסרט צולם ככל הנראה במצלמת חובבים, במהלך הרצאה שנתן הגורו ההודי לתלמידיו:

"...רוב האנשים בעולם מתנהגים כמו נמלים קטנות ומפוחדות, הצוברות ללא הרף מחסנים של פירורים מרקיבים. בכל עיר, בכל כפר אנשים רוחשים כמו נמלים חסרות מנוחה במחילות צרות, עיוורים למשמעות האמיתית של החיים. טורים אין־סופיים של אנשים נעים מקיני הנמלים שלהם אל קינים אחרים, של עבודה, של אכילה, של הנאות שאינן אלא אשליה, והם מתנהלים באותו נתיב יום אחרי יום, שנה אחרי שנה, מבלי להרים את ראשיהם, מבלי להבין את מצבם, עד שמגיעה שעתם להיגרע מן הטור ולמות.

"אני שואל אתכם: לא עייפתם מן החיים האלה, מן החיים חסרי המנוחה שממלאים את עיתותיכם? לא מפריע לכם שאתם מגדלים את ילדיכם לקראת חיים עקרים ועתיד שמאופיין באותו חוסר מנוחה שמאפיין את חייכם שלכם?

"הגיע הזמן להתעורר מן החלום ולעזוב את קיני הנמלים, לא לחופשה

קצרה, לתמיד. נכון, צריך אומץ כדי לעזוב, כדי לנתק את הכבלים המחברים אתכם אל החיים האלה. מי שחזק מספיק, צריך לעשות גם מעשים. אני מראה לכם את הדרך אל החופש. אתם צריכים להחליט, אתם צריכים להבין כי על מנת לזכות בכול צריך גם להיות מוכנים להמר על הכול. זיכרו: מעבר לחומות המגבילות את המחשבה שוכן החופש האמיתי. כל שעליכם לעשות כדי להגיע לשם הוא לעבור בשער שמתיך את גרגרי החול לזהב..."

קפאתי בכיסאי. עקבתי בבעתה אחרי ההודי שהכשיר את הקרקע, צעד אחרי צעד, למה שהתרחש בזירת המוות במושב רישפון. רק מוח שטני יכול היה לתכנן את זה. הדרך אל האושר היתה הסוכרייה שבאמצעותה פיתה את תלמידיו ללכת בעקבותיו וליפול ברשתו. הדרך אל האושר היתה דרכה של עופרה אל מותה.

לא יכולתי להתבונן בקלטת, אבל גם לא יכולתי להפסיק. דבריו של ההודי נמוגו, ההקלטה נפסקה והתחדשה במקום אחר. התמונות שריצדו על המירקע דיברו בעד עצמן. עופרה ניצבה על רקע הצריף, לבושה בגלימה כחולה, מחייכת. היא נופפה בידיה לשלום ונכנסה פנימה. כמעט מיד לאחר מכן נראו להבות עולות מתוך המיבנה, אחר כך הן פרצו החוצה ואפפו את בית העץ.

האש היתה עזה ואכזרית. בתוך דקות אחדות קרסו הקירות. המצלמה צילמה ללא הרף, כאילו מי שהציב אותה שם שכח מקיומה. ראינו על המירקע אנשים שהתרוצצו, מישהו שניסה להתיז מים בצינור גינה על החורבות, שמעתי צופרים של מכוניות כבאים ומשטרה, והסרט נקטע.

הסמל הוציא את הקלטת מהמכשיר.

"מצאנו את המצלמה פועלת כשהגענו לשם," אמר, "מישהו הפעיל אותה כדי לתעד את המוות של אשתך, והשאיר את המצלמה במטרה שנמצא אותה."

"אני מצטער," אמר קצין המשטרה חרש, "היינו חייבים להראות לך את זה."

"כמה נורא," היו המילים היחידות שיכולתי להוציא מפי. זה היה באמת נורא. מימי לא הייתי עד לצילומים מזעזעים כל כך, מימי לא העליתי על דעתי שמישהו יוכל לעמוד ולצלם את מותה של עופרה בקור רוח שכזה.

המחשבה הראשונה שעלתה במוחי היתה להסתיר את הקלטת מהילדים.

"איפה האיש שצילם את התמונות האלה?" שאלתי בזעם, "איפה ההודי?"

הקצין והסמל החליפו מבטים, מהססים, מתקשים להחליט מי ישיב לי.

"הוא עזב את הארץ," אמר לבסוף הקצין, "שעה וחצי אחרי שפרצה הדליקה הוא המריא לאמסטרדם. עד שהצלחנו לברר זאת, המטוס כבר נחת והנוסעים עזבו אותו. ביקשנו ממשטרת אמסטרדם לבדוק אם ראם סינג המריא משם ליעד אחר. הם עדיין לא השיבו לנו."

הקצין שאל אם פגשתי אי פעם את ראם סינג, סיפרתי לו כל מה שידעתי. אחר כך ביקש לדעת אם עופרה שיתפה אותי במה שקורה בסדנה, אם סיפרה לי על רעיונותיו של ההודי בדבר התאבדות בשריפה. אמרתי שהיא לא דיברה הרבה על מה שקורה שם, ודאי לא על איזושהי תכנית להתאבדות.

שאלתי לאן תועבר הגופה, מה יהיו סידורי הקבורה.

"בגלל האש החזקה," אמר הסמל, "לא נשארו שם הרבה שרידים. אני מניח שבמהלך הלילה ומחר ינסו המומחים למיין אותם. הם כבר יתקשרו אליכם כדי לקבל סימני זיהוי של הנפטרת, בדרך כלל הם רוצים לדעת מי היה רופא השיניים שלה ועוד כל מיני פרטים כאלה."

הטלפון הסלולרי של קצין המשטרה צילצל. הוא הקשיב בדריכות, ואחר כך ניפנה אלי.

"קיבלנו זה עתה מידע חדש ממשטרת אמסטרדם. ראם סינג המריא משם לבומביי לפני שעה קלה."

"תפעילו את כל הקשרים שלכם," קראתי, "צריך לעצור את הרוצח הזה."

הם הינהנו בראשיהם והבטיחו לטפל בעניין. אחר כך התנצלו שוב על שהטריחו אותי בשעות קשות כאלה והלכו.

הכנתי את עצמי לפגישה עם הילדים ועם אמה של עופרה. הזעקתי את ד"ר בראון מחשש שהאם תזדקק לזריקת הרגעה. הוא הגיע כעבור דקות אחדות. רק אז סיפרתי להם מה קרה. זה היה הרגע הקשה ביותר בחיי. הילדים התייפחו, ואמה של עופרה איבדה את הכרתה. הרופא טיפל בה ואני

120

חיבקתי חזק את הילדים. שניהם התרפקו עלי כפי שנהגו לעשות כשהיו תינוקות.

"למה..." בכה דרור, "למה היא עזבה אותנו? איך זה שאמא עוזבת ככה את הילדים שלה? היא היתה אמא טובה, וגם אנחנו לא היינו הילדים הכי רעים..." הוא טמן את ראשו בחזי ונשאר שם שעה ארוכה.

ד"ר בראון לא מש מאמה של עופרה והיא נרדמה לאחר שהזריק לה סמי הרגעה. שעות ארוכות דיברתי עם הילדים. הם רצו לדעת הכול, את המניעים של אמם, מה בדיוק קרה בסדנה ואיך הסתיים הכול באסון קשה כל כך. לא היו לי הסברים וגם לא פרטים רבים, אבל ניסיתי לספר להם שיש אנשים שמאבדים את הרצון לחיות בגלל כל מיני סיבות. אמרתי להם, שאנחנו עדיין לא יודעים מה היתה הסיבה של עופרה, אבל מה שברור הוא שהיא היתה נתונה להשפעה רעה ואולי לא היה לה הכוח להתנגד לה.

היה כבר מאוחר מאוד כשהצלחתי לשכנע את הילדים ללכת לישון. דרור רצה לישון בחדרה של ענבל, והיא סככה עליו שם כאמא קטנה. ישבתי בחדר המגורים. על הספה שכבה אמה של עופרה, שקועה בתרדמה. ד"ר בראון השאיר לי הוראות טיפול וגלולות למקרה הצורך.

הבית טבל בדממה כבדה. בפעם הראשונה מרגע שהודיעו לי על מותה של עופרה נשארתי לבד, ורציתי שיניחו לי להישאר כך. התפללתי שהטלפון לא יצלצל, שאף אחד מידידינו וממכרינו לא יידע ולא יזדרז להביע תנחומים. לא רציתי לדבר עם איש. אט אט מוחי הלך והתבהר, הערפל החל להימוג. שאלתי את עצמי למה כל זה קרה, האם אפשר היה למנוע את האסון, ואט אט, כמו נחש ארסי הזוחל בלאט אל קורבנו, זחלה אל קרבי תחושה של אשמה איומה. זו היתה תחושה מסוג חדש, והיא הסבה לי עינויי תופת. בפעם הראשונה מאז נישאתי לעופרה הוכיתי בייסורי מצפון קשים על מה שעוללתי. לפתע ראיתי לנגד עיני דווקא את גופתה של יפה גבעתי, השרועה על רחבת בית המשפט לאחר שקפצה מן הקומה השלישית. בעיני עצמי הייתי עכשיו אבנר גבעתי, האיש שנקרא לתת את הדין על התעללות באשתו, האיש שדחף אותה אל המעשה הנואש. בבת אחת הפכתי להיות נאשם שאשמתו אינה מוטלת בספק. הדברים שאמר לי ראם סינג הידהדו באוזני

ושוב: "...התעללת בה לאורך שנים. הלב שלך, הגוף שלך, היו במקומות אחרים, לא איתה, זה הדבר הנורא ביותר שאתה יכול לעולל לבן הזוג שלך..." הבנתי שההתעללות הרוחנית שלי בעופרה היתה קשה לא פחות מההתעללות הגופנית של אבנר גבעתי באשתו, הייתי בן זונה אכזר שחשב רק על עצמו, ולא זו בלבד: אני הכנסתי אל ביתי את ראם סינג, אני הפקדתי את עופרה בידיו, אני הנחתי לה להיגרר אחריו כדי שיהיה לי נוח יותר לבגוד בה. אני, ולא ראם סינג, הוא האיש שגרם למותה.

התחושה המיידית שלי היתה רצון להסתתר, להיעלם, להיות במקום שבו איש לא יוכל להצביע עלי ולקרוא באוזני "רוצח". אבל ההיגיון היה חזק יותר. ברחתי מספיק, אסור היה לי לברוח שוב, הרגשתי צורך להיות קרוב ככל האפשר אל עופרה, קרוב אל התשובות לכל השאלות ששאלתי את עצמי. השארתי פתק על השולחן בחדר המגורים, ובו כתבתי שנסעתי למקום האסון. ניתקתי את כל הטלפונים כדי שלא יעירו איש ופתחתי את הטלפון הנייד שלי למקרה שיזדקקו לי. נסעתי במהירות מסחררת בכביש העולה צפונה. הגעתי לרישפון אחרי פחות מרבע שעה. לא הייתי צריך לחפש הרבה. כבר מרחוק ראיתי אור עז של זרקורים שהובאו לשטח. היו שם שתי ניידות משטרה, כתריסר שוטרים, מכונית כיבוי, אמבולנס וכמה אנשים לבושים אזרחית, שאספו שרידים שונים מתוך תל החורבות המפוחם שנותר במקומו של הצריף. עמדתי ללא ניע, מסתכל בערימה השחורה שהיתה כל מה ששרד מעופרה. שוב חשבתי על כך שזה היה מוות מיותר, אסון שניתן היה למנוע לו הייתי לידה כשנזקקה לי. נלחמתי בדמעות שעמדו להציף את עיני. לא הייתי רגיל לבכות, אבל הצורך לבכות היה חזק ממני. נכנעתי, נתתי לדמעות להתגלגל באין מפריע.

שוטר ניגש אלי וביקש שאתפנה משם. הזדהיתי, והוא התנצל. אחר כך קרא למישהו לבוש בחלוק לבן שנבר בתוך האפר. האיש הזדקף, אמר שהוא חוקר במחלקה לזיהוי פלילי, הסיר את כפפות הגומי שלו ולחץ את ידי.

"משתתף בצערך," אמר, "טוב שאתה כאן, חשבנו להתקשר אליך בבוקר."

הוא ביקש שאספר לו מה לקחה איתה עופרה כשיצאה מן הבית אל

הסדנה, איזה סוג שעון ענדה, אילו תכשיטים היו עליה, אילו נעליים נעלה. כצפוי שאל מיהו רופא השיניים שלה ומה מספר הטלפון שלו, מיהו רופא המשפחה ובאיזו קופת חולים היא טופלה. הוא אמר שבמהלך היום ודאי אוזמן לזיהוי חפצים. קשה היה לי לעקוב אחרי דבריו. הוא הרגיש בכך, חדל לדבר והביא לי כוס חד־פעמית של קפה שחור רותח. שתיתי מעט וכפיתי על עצמי להתאושש. ביקשתי לדעת מתי הוא סבור שיושלם זיהוי הגופה. הוא אמר שזה עלול להימשך עוד שעות רבות, משום שהגופה הושחתה לבלי הכר.

"אנחנו נעשה, כמובן, כמיטב יכולתנו," אמר, "אבל צריך לזכור שהיו כאן כמויות דלק עצומות, זה היה צריף ישן ורקוב ולרוע המזל קרה האסון ביום חם יחסית, ללא טיפה אחת של גשם. זאת תרכובת קטלנית. לא פלא שהאש השתוללה כאן בלי הפרעה."

נשארתי שם עוד שעה ארוכה, עוקב אחרי מאמציהם של חוקרי המשטרה לדלות כל שריד מתוך האפר שהיה עדיין חם. שוטרים באו והלכו, האמבולנס עזב.

הלילה החל להימוג והשחר עלה. נכנסתי למכונית ונסעתי להורי. הערתי אותם משנתם וסיפרתי להם. הייתי איתם שעה קלה, מנסה לשווא לרכך את עוצמת ההלם. אמי שאלה שאלות ללא הרף, אבי שתק. כשעזבתי, טפח על שכמי לאות עידוד. שניהם עמדו ליד דלת דירתם, נשנקים מבכי. הם הביטו אחרי ללא אומר.

חזרתי הביתה. אמה של עופרה התעוררה זמן מה לאחר מכן. היא התייפחה בשקט אל תוך כפות ידיה, וגופה נרעד מדי פעם. הצעתי לה גלולה מאלו שהשאיר הרופא, אבל היא ניענעה בראשה לשלילה. הלכתי לחדרה של עינב והסתכלתי עליה ועל דרור. הם ישנו יחד, ידה מחבקת את גופו. קיוויתי שימשיכו לישון ולא יתעוררו אל היגון והכאב המחכים להם.

טילפנתי אל המשרד וסיפרתי לדינה. היא היתה מזועזעת. סיפור הדליקה והאסון פורסם כבר אמש בהרחבה בחדשות הלילה המאוחרות בטלוויזיה והבוקר בעיתונים, אבל המשטרה סירבה למסור את שם האשה שמתה, משום שהגופה טרם זוהתה סופית. דינה לא ביקשה פרטים נוספים, כדי שלא להכביד עלי, רק שאלה אם תוכל לעזור. אמרתי שאין לי בינתיים מושג מה

עתיד לקרות, ושעל כל פנים תהיה מוכנה להתארגן לקראת האפשרות שאיעדר מן המשרד זמן רב.

כשהנחתי את השפופרת נזכרתי לפתע בחגית. התשוקה אליה התמוססה עתה כליל. תיעבתי את עצמי על המזימה שרקמתי כלפיה, על המלכודת המטופשת שפרשתי לרגליה. הרדיפה אחריה נראתה לי עתה פתטית עד גיחוך, מירוץ חסר סיכוי של גבר קשיש אחרי נעוריו שאבדו. הייתי נחוש לסיים את הפרשה, ועם זאת לא רציתי לפגוע בה, היה חשוב לי שלא תגלה שהעבודה שהטלתי עליה היתה בעצם מיותרת לחלוטין. הרגשתי צורך לפצות אותה על שניסיתי לכפות את עצמי עליה.

התקשרתי אל הדירה. היה לה קול מנומנם כשהרימה את השפופרת, אבל היא התעשתה מיד וניסתה לומר משהו. קטעתי אותה, סיפרתי לה על עופרה ואמרתי שאני לא בטוח שאוכל להשתמש בשירותיה בעתיד הנראה לעין, אבל אם היא תרצה הדירה תוכל לעמוד לרשותה, משום שממילא שכר הדירה שולם למשך חצי שנה, ואולי זו ההזדמנות שציפתה לה לעקור העירה ולחפש כאן עבודה. היא היתה נסערת ונרגשת. הידיעה על מות אשתי גרמה לה זעזוע, והיא השתפכה בדברי השתתפות בצער. היא לא ידעה מה לומר על ההצעה להעמיד לרשותה את הדירה.

"זו מתנה גדולה מדי," אמרה לאחר היסוס ארוך.

לא היתה לי סבלנות לשיחות ממושכות, אמרתי לה שממילא אין בדעתי להשתמש בדירה ושתרגיש עצמה חופשייה לחלוטין להישאר.

"תודה שחשבת עלי בשעות הקשות שלך," אמרה, "אתייעץ עם הורי ואודיע לך."

איחלתי לה הצלחה וידעתי שלעולם לא אנצל שוב את תמימותה.

הרגשתי שעלי לחסל מיד כל קשר שגרם לי להתרחק מעופרה. טילפנתי לסנדי, כדי להודיע לה על מות אשתי ובעיקר כדי לומר שיחסינו הגיעו לקיצם. היא ניסתה לדבר על ליבי שאדחה את ההחלטה, שדווקא עכשיו, כשאני צפוי לתקופה קשה במיוחד, זו תהיה שטות לוותר על ידידות כזאת. עמדתי על שלי, והיא הבינה לבסוף שלא תוכל, לפחות בשלב זה, להניע אותי להחליט אחרת.

"בכל אופן," אמרה, "אם תשנה את דעתך, תדע איפה למצוא אותי."

ניתקתי את השיחה, והרגשתי כמי שהסיר מעליו עול כבד. ראשי היה
מלא בעופרה, בכאבי, בהרהורי החרטה.

15

המשטרה התקשתה לעמוד בלחץ התקשורת ושיחררה לפרסום את שמה של עופרה. מאותו רגע ואילך צילצל הטלפון ללא הרף. הבית התמלא ידידים ומכרים, חברים של הילדים, שכנים, עובדי המשרד שלי ושל עופרה, כולם הביעו תדהמה והשתתפות בצער. עיתונאים ביקשו פרטים על עופרה וצילומי דיוקן שלה. דחיתי אותם. שידורי הבוקר של הרדיו איתרו גם את מרבית משתתפי הסדנה של ראם סינג, שהיו המומים גם הם ממה שקרה: היו ביניהם עקרות בית, סטודנטים, בעלי מקצועות חופשים, חברי קיבוץ וחיילים.

אנשים שראו עצמם מומחים לכתות מיסטיות דיברו ללא הרף בתחנות הרדיו השונות על הנהירה אל המיסטיקה בעולם ובארץ. מישהו שהשתייך לכת כלשהי בתל אביב סיפר שהכתות האלה הן אבן שואבת להמוני אנשים, המחפשים מיפלט מן הלחץ והמתח של חיי היום־יום. פקיד בכיר במשרד החינוך אמר שהכתות בישראל, כמו בעולם, נשלטות לא פעם על־ידי שרלטנים שמפילים ברשתם קורבנות תמימים, ושני חברי כנסת הודיעו שיגישו הצעת חוק שתביא לגירושם של מטיפים זרים מן הארץ. סגרתי את הרדיו כשהדברים החלו לחזור על עצמם.

הורי באו והסתגרו בחדר עם אמה של עופרה. החברים של עינב ודרור גדשו את חדריהם. כולם התקשו למצוא נחמה. האסון היה פתאומי מדי, בלתי נתפס, איש לא יכול היה להאמין שעופרה לא תשוב עוד.

בצהריים נקראתי למעבדת המשטרה. על שולחן בחדר גדול היתה ערימה של אפר מעורב בחול, ושתי אבני חן שנותרו ללא פגם. זיהיתי מיד את היהלום האליפטי שהיה קבוע בטבעתה של עופרה ו"עין חתול" אחת.

"לצערי," אמר האיש בחלוק הלבן, שפגשתי על תל החורבות, "זה כל מה שנשאר. אתה מבין, החום העצום כילה גם את העצמות והשיניים, אחר כך באו הכבאים ושפכו כמויות גדולות של מים, שהתערבבו בחול שהצריף עמד עליו."

עוד באותו יום הועברו השרידים האלה למכון לרפואה משפטית באבו כביר, ושם ניסו לקבוע אם יש בתוכם חלקי רקמות. כשהגעתי לשם, אמר לי הרופא התורן: "החלבונים שברקמות הגוף של אשתך ניזוקו, כנראה, קשות בגלל האש. לא הצלחנו, לצערי, לגלות בשרידים שמצאנו שום מיבנה של מולקולות דנ"א." שאלתי מה יהיה השלב הבא. הוא אמר לי בפשטות: "מצידי, תוכלו לערוך את ההלוויה כבר מחר."

זה היה המסמר האחרון בארונה של עופרה, השלב הסופי שאחריו לא נותר אלא צער עולמים. ספגתי מהלומה שלא אוכל להתאושש ממנה. כל חיי נראו לי כאילו נחצו לשניים, החלק שהיה עד מותה של עופרה והחלק שיהיה מעתה. לא היה לי ספק שמותה ישנה את חיי מכאן ואילך. לא ידעתי עדיין את פשר השינוי, אבל חשתי שהוא קרב ובא.

אני לא זוכר הרבה ממה שהתרחש בהלוויה. אנשים שבאו לנחם אותנו אמרו לי אחר כך שהייתי המום, שהסתכלתי בעיניים זגוגיות בכל מי שניגש ללחוץ לי את היד. אני זוכר שכמה ידידים נשאו דברים לזכרה, אבל לא שמעתי מילה ממה שאמרו. הגוף שלי, המוח, התנהגו כמו אחרי הלם חשמלי, אחרת לחלוטין מכפי שהיו רגילים להתנהג. אחר כך, בבית, ד"ר בראון הזריק לי משהו שניתק אותי סופית מן העולם והפיל עלי תרדמה לשעות אחדות.

בימי השבעה ישבנו בחדר המגורים הגדול. עינב הציבה על השולחן תמונה ממוסגרת של עופרה ועיטרה אותה בסרט שחור. היא קטפה פרחים מן הגינה שעופרה אהבה כל כך והניחה אותם באגרטלים ליד התמונה. אנשים נכנסו ויצאו ללא הרף משעות הבוקר המוקדמות ועד שעות הלילה המאוחרות. ברכה הכינה קפה ומשקאות לאורחים ואוכל בשבילנו. הרגשתי נורא. עופרה השאירה בליבי חלל גדול משש יערתי. היינו יחד שנים רבות, וגם אם חלפה ברבות הימים ההתרגשות הגדולה עדיין היתה שם הנוכחות שלה, החותם שהטביעה בבית. המירוץ שלי אחרי ריגושים חדשים היה פועל יוצא

מן השיגרה שנכנסנו אליה. אבל רק עכשיו הבנתי עד כמה זה היה חסר חשיבות ביחס לכל השאר, ביחס למהות החיים שלי עם עופרה. אילו טרחתי לחשוב על כך קודם, אשתי היתה נמצאת לצידי עכשיו.

ביום הרביעי או החמישי לשבעה הגיעו להביע תנחומים מנהל סניף הבנק שלי ואשתו. הוא התיישב לידי, אשתו תפסה כיסא פנוי ליד אמה של עופרה. "קראתי בעיתונים על מה שקרה," הוא אמר, "פתאום הבנתי למה עופרה התנהגה כל כך מוזר בימים האחרונים..." לא ידעתי שגם אנשים אחרים הבחינו בשינוי שחל בה. התכוונתי לשאול אותו כיצד התנהגה, אבל בדיוק הגיעה דינה עם הדואר היומי. הנחתי את המכתבים בערימה שהלכה וגבהה על שולחן העבודה שלי. לא היה בי רצון, גם לא סקרנות, לדעת מה הם מכילים. מן המקום שבו התאבלתי על אשתי, נראתה לי העבודה המשפטית רחוקה ובלתי מוחשית. לא הצלחתי לחשוב על היום שבו אשוב אל המשרד.

היו לי נדודי שינה. כשאחרון המבקרים היה מסתלק, דרור כבר ישן ולפעמים גם עינב. ברכה היתה מכניסה את אחרוני הכלים אל המדיח ומפעילה אותו. אמה של עופרה היתה פולטת אנחה קורעת לב ופורשת לישון באחד החדרים. אני הייתי נשאר ער במשך שעות, חוטף תנומה מסויטת לקראת בוקר ומתעורר בדרך כלל אחרי שעה קלה. לא רציתי להתמכר לגלולות של ד"ר בראון, העדפתי להעסיק את עצמי במחשבות. בכל לילה שבתי אל מאגר הזיכרונות המשותפים לעופרה ולי. כל חיינו עברו לנגד עיני כבסרט מישפחתי. ההיכרות שלנו, החיזור, הנישואין, ההתקדמות בעבודה, הרחבת המשפחה, המשבר. ככל שחשבתי על חלקי במה שקרה לעופרה גברו בתוכי המועקה והכאב. כמו מזוכיסט המחטט בפצעיו בתאווה בלתי נשלטת ניסיתי שוב ושוב לשחזר את ימיה האחרונים, את ההזנחה שלי, את ההיסחפות שלה לעבר מותה.

בתום השבעה פסק זרם המבקרים. אילצתי את הילדים ללכת לבית הספר, אף שטענו שלא יוכלו להתרכז שם. מאמה של עופרה ביקשתי שתישאר בינתיים לגור איתנו. נוכחותה נעמה לעינב ולדרור. הם היו זקוקים לכל מקור חום שיוכלו להתחבר אליו. גם מברכה ביקשתי לעבוד שעות נוספות אצלנו,

והיא הסכימה מיד. הודעתי למשרד שאשאר זמן מה בבית. פתחתי כמה מכתבים מן הדואר שהצטבר. עיני ריצדו על פני הכתוב, אבל לא קלטתי דבר. הנחתי את שאר המכתבים בלי שפתחתי אותם. ישבתי בכיסא העור בחדר העבודה שלי ודחקתי בעצמי להחליט מה עלי לעשות. במוקדם או במאוחר, ידעתי, מצפים ממני שאשוב אל השיגרה, שהפצע יגליד, שהכאב יקהה. האם אוכל באמת ובתמים לנהל עתה את חיי כקודם?

יצאתי אל הגינה. הרקפות עמדו בשיא פריחתן. הדשא היה ירוק ורענן, ועץ התפוזים השיר כמה תפוזים בשלים שהתנפצו על הקרקע סביבו. עופרה אהבה לקטוף את התפוזים מן העץ ולהכין לכולנו מיץ טרי. עתה הם פשוט נשרו ארצה באין מפריע, בלי שאיש יאסוף אותם. עיתון הבוקר שהושלך לשם היה מכוסה עיסת תפוז צהבהבה. ניערתי אותו ככל שיכולתי ושבתי איתו הביתה. במוסף השבועי שצורף אל העיתון היתה כתבה ארוכה על הסדנה של ראם סינג. כל משתתפיה רואיינו, וחלקם אף צולמו. הם סיפרו על תיאוריית הסבל של ראם סינג ועל דרכי השחרור ממנו, ודיברו ארוכות על המורה הרוחני שלהם. הנימה הכללית בראיונות היתה רווית אהדה אל ההודי, וזה הרתיח את דמי. כל מי שרואיין בכתבה, ללא קשר לגילו, מינו או דרגת השכלתו, דיבר בשבחו של ראם סינג. זכרתי את היכולת המרשימה שלו להקסים בני אדם שבאו איתו במגע. ידעתי שהוא יכול להפנט כל אדם ולשכנע אותו בקלות ללכת אחריו. הוא עולל זאת בכישרון רב לעופרה.

חלק מן המרואיינים התייחסו גם למעשה ההתאבדות של עופרה. הם סיפרו שהיתה אחת הפעילים המרכזיים בסדנה, הם אמרו שאפשר בהחלט להבין מדוע עשתה זאת. "היא מצאה את הדרך הנכונה והלכה בה," אמר אחד המרואיינים, חבר קיבוץ, "היא הקדימה את כולנו, את כל מי שנפשו נקעה מן הסבל בעולם הזה." כשנשאל אם גם הוא מתכונן ללכת בעקבותיה, אמר: "אני עדיין לא מרגיש את עצמי מוכן. ראם סינג נתן לנו פנס שנועד להאיר את הדרך, אבל אני נמצא רק בתחילתה." היעלמו של ההודי מן הארץ לא עורר בו הפתעה או אכזבה. "הוא עשה את שלו, הוא הלך להציל אנשים אחרים במקומות אחרים."

הם נראו לי כמי שעברו שטיפת מוח יסודית, ידעתי שיעבור עוד זמן רב עד שיתפכחו מן האשליה שנטע בהם הנוכל ההודי.

הייתי מוכן לעשות הרבה כדי להבין, כדי לדעת מה עבר על עופרה בימיה האחרונים. מעולם לא פלשתי לפרטיותה ולא רציתי לעשות זאת עכשיו לאחר שמתה. אבל לא היתה לי ברירה. חיפשתי בכל הבית, על שולחן העבודה שלה, בשידות ובארון, פתחתי את ארנקה ואת תיבת מסמכיה, ולא מצאתי דבר שישפוך אור על נסיבות התאבדותה. היה שם רק צילום אחד, שלא ראיתי קודם לכן. עופרה נראתה בו כשהיא לבושה בגלימת תכלת, בתוך חדר לא גדול, על פניה היה חיוך רחב. נראה שמישהו מאנשי הסדנה צילם אותה במצלמה פשוטה, שהותירה כמה כתמים דהויים סביב ראשה. מעברו השני של הצילום לא נכתב דבר.

חיפשתי היטב גם במכוניתה, לאחר שהוחזרה על־ידי המשטרה. גם שם לא מצאתי מכתבי פרידה, אף לא מסמכים כלשהם השייכים לסדנה. הפעלתי את טייפ המנהלים הקטן שלה, שבו היתה מקליטה הודעות בעת נסיעה במכונית. שמעתי אותו בהתרגשות. היו שם כמה תזכורות שהקליטה לעצמה, כולן מהימים האחרונים שלפני מותה. כולן, חוץ מאחת, נגעו לסידורים טכניים של הסדנה: שינוי שעת ההתכנסות, לא לשכוח להביא תה צמחים, למסור כריות לתיקון. הופיעו שם שמות של משתתפים שהכרתי מן העיתון. רק בהודעה אחת נזכר שם שלא הכרתי. שמעתי את קולה של עופרה אומר: "לקבוע לרותי שמואלוב פגישה עם סינג." הסיכוי שהאשה האלמונית הזאת תגלה לי דברים שלא ידעתי היה קלוש, אבל זה כל מה שהיה בידי.

חיפשתי את השם שמואלוב בספר הטלפונים של אזור תל אביב. היו שם עשרות שמות כאלה. איש מהם לא הכיר את ראם סינג ולא את עופרה. עברתי לסרוק את הרשימות של בעלי הטלפונים באזורים הרחוקים יותר. בראשון לציון השיבה לי האשה שחיפשתי.

סיפרתי לה מי אני. כן, היא הכירה את עופרה, אשה נחמדה מאוד, אמרה. ביקשתי שתשיב לי על כמה שאלות, אבל היא לא התלהבה לשוחח בטלפון. לבסוף הסכימה להיפגש בבית קפה קטן באחד הרחובות הצרים המסתעפים ממרכז ראשון לציון.

היתה שעת ערב מוקדמת כאשר נפגשנו. בית הקפה היה ריק למחצה. ליד אחד השולחנות ישבה אשה בודדה. ניגשתי אליה. היא היתה בת ארבעים בערך, מלאת גוף, בעלת פנים מאופרים בכבדות ושפתיים משוחות באדום עז.

130

החולצה שלבשה התפקעה על חזה גדוש, והחצאית היתה מתוחה יתר על המידה על ירכיה. היא הביטה בי בסקרנות ובעניין שעה שניגשתי אל שולחנה. הצגתי את עצמי, והיא אמרה, "תיארתי לעצמי שזה אתה." עיניה מדדו אותי בלהט שלא הצליחה להסתיר, והיא התאמצה לשלוח אלי חיוך לבבי ככל האפשר.

"אני מקווה שלא הטרחתי אותך מדי," אמרה, "אתה מבין, אני לא מדברת הרבה בטלפון, כי אף פעם אי־אפשר לדעת מי עולה לך על הקו ומאזין לכל הסודות שלך."

היא היתה פטפטנית כפייתית. בלי ששאלתי גוללה לפני את כל תולדות חייה, הורים עשירים, בעל שלא התאים לה, גירושין בגיל צעיר.

"יש לי כסף," אמרה, "אבל אני לא מצליחה להיות מאושרת." היא גילתה לי בצער שאין לה ילדים, סיפרה על ניסיונות השווא שלה למצוא בן זוג מתאים באמצעות משרדי שידוכים ומועדוני פנויים־פנויות.

"אתה לא מתאר לעצמך כמה רווקות וגרושות מתוסכלות מסתובבות היום בשוק," אמרה.

ניצלתי הפסקה קצרה כדי להזמין קפה ועוגות ולדבר סוף סוף על הנושא שלשמו באתי אליה.

"אני לא יודעת במה אוכל לעזור לך," אמרה, "עזבתי את הסדנה הזאת פחות משבועיים אחרי שהתחלתי." שאלתי אותה אם המשטרה גבתה ממנה עדות, והיא אמרה ששום חוקר לא היה אצלה.

"ספרי לי כל מה שאת יודעת," ביקשתי, "איך הגעת לשם, מה עשית שם..."

היא סיפרה שקראה על ראם סינג בעיתון.

"הייתי במצב נפשי קשה, הייתי לבד, בלי אף אחד, אין לי אפילו מקצוע. כמה פעמים ניסיתי להתקבל לעבודה, לא בשביל המשכורת, בשביל העניין, בשביל החברה, אבל לא קיבלו אותי... לא תאמין, לפעמים אפילו חשבתי להתאבד ולגמור עם זה. הצרה היא שאני פחדנית... לא היה לי אומץ..."

היא הלכה לסדנה של סינג בדירה שכורה בתל אביב. היו שם כמה גברים ונשים ששתו בצמא את דבריו. הוא לימד אותם לעשות מדיטציה, לנקות את הראש. "היינו עוצמים עיניים ולומדים איך להירגע, לא לחשוב, לברוח מכל

131

מה שהטריד אותנו. זה היה נעים, ואחרי זמן מה כבר יכולתי לעשות את זה גם בבית." היא אמרה שההודי עשה עליה רושם מצוין, הוא היה קשוב ועדין והבין לליבה. "הוא לימד אותנו לא להחביא את הבעיות שלנו אלא לדבר עליהן בחופשיות. כל אחד מאיתנו סיפר על בעיותיו לאחרים. היו כאלה שסבלו מבעיות בבית ובעבודה — חוסר סיפוק, תסכול, ובעיקר לחץ ומתח... דיברנו על זה הכי פתוח שאפשר."

"גם אשתי?" שאלתי בפליאה. עופרה היתה סגורה מטבעה, היא לא נהגה לשתף בקשייה אפילו את חברותיה הטובות.

"גם אשתך..." היא ענתה במבוכה, "גם היא דיברה, כמו כולם."

"את זוכרת על מה היא דיברה?"

"פחות או יותר..." רותי שמואלוב התפתלה בכיסאה, "משהו בזוגיות שלכם, היא אמרה, לא היה בסדר... היה נדמה לה שאתה מתנכר לה או משהו כזה..." היא בלעה אותי במבטיה, ואני ידעתי בדיוק על מה היא חושבת. ראיתי מבטים כאלה בעיניהן של נשים לא פעם בעבר. יכולתי להבין אותה: כמעט בהיסח הדעת ניקרה בדרכה אלמן שאיבד זה עתה את אשתו, ויש להניח שלא נישבה עדיין ברשתן של נשים אחרות. זה היה הזמן להפעיל עלי כל קסם אפשרי, והיא עשתה זאת. היו לה חיוכים מתוקים מדי, נענועי ראש של הסכמה רבים מדי, מחוות גוף מפתות מדי. העמדתי פנים שאינני מרגיש בכל אלה.

"איזה רושם עשתה עלייך אשתי?" שאלתי.

"רושם של אשה שהלכה קצת לאיבוד... היא נבלעה בסדנה כמו גרגר שנשאב לשואב אבק. כשבאתי לשם היא כבר היתה, וכשהלכתי היא נשארה. היו לה יחסים קרובים עם ההודי, אני חושבת שהיא פשוט פיתחה בו תלות..."

ביקשתי שתמשיך לספר על מה שקרה בסדנה, והיא נענתה ברצון.

"ראם סינג אמר לנו שאחרי המוות הגוף מתפרק, אבל האנרגיה ממשיכה לתחנה הבאה. לא תמיד הבנתי למה הוא התכוון. לפעמים נורא קשה להבין את האנשים הרוחניים האלה. פעם הוא סיפר לנו על אנשים שכמעט מתו וחזרו לחיים. הם סיפרו על מנהרה מוארת ועל תחושה נפלאה... היתה לו מצלמה, והוא צילם אותנו אחד אחרי השני. כשהביא את הצילומים, כולנו

נדהמנו. סביב ראשו של כל אחד מאיתנו היתה אאורה ברורה, מעין הילה של אור."

ראיתי לנגד עיני את הצילום שמצאתי במגירת השידה של עופרה. ובכן, זהו פשר הכתמים הבהירים סביב ראשה.

"איך הגיבו האנשים למראה הצילומים האלה?"

"כולם היו נרגשים מאוד. הם דיברו על החוויה הגדולה שסינג פתח בפניהם את הדרך אליה. לא הבנתי על איזו חוויה הם מדברים. פתאום, נבהלתי נורא. פחדתי שאולי הם מתכוונים למעבר אל העולם הבא. לטעמי, דיברו שם יותר מדי על מוות. הייתי מבולבלת, לא ידעתי אם להישאר ולתת לראם סינג להוביל אותי אל גן העדן או לברוח משם כל עוד נשמתי בי. עברו עלי לילות של נדודי שינה, עד שהחלטתי להפסיק לבוא לסדנה. עופרה טילפנה אלי פעמיים או שלוש וביקשה שאחזור, אבל מצאתי כל מיני תירוצים ונשארתי בבית...זהו זה. סוף הסיפור."

חזה עלה וירד בקצב מהיר מן הרגיל. ידה ניסתה להתקרב אל ידי כמו ביקשה להעניק לי לטיפה של תנחומים. בעדינות הרחקתי את היד, מתעלם ממה שמתרחש.

שאלתי אם קראה את הכתבה במוסף השבועי. היא השיבה בחיוב.

"מעניין," היא אמרה, "הם כתבו שם על הכול חוץ מדבר אחד."

"למשל..."

"הם לא דיברו על הכסף."

"כסף?" שאלתי בהפתעה, "האם ראם סינג דרש מכם כסף?"

"כן," היא אמרה, "וגם זה אחד הדברים שהפריעו לי שם. הוא דיבר בגלוי על הצורך בתרומות כדי לקיים את הפעילות של הכת שלו. אנשים הבטיחו לו לתרום. אני עצמי ראיתי כמה מהם נותנים לו צ'קים באחת הפגישות."

"את יודעת באילו סכומים מדובר?"

"לא," אמרה קצרות, כאילו ביקשה לשים קץ לטירדה כלשהי, "אני בכל אופן לא שילמתי."

שאלתי אותה עוד שאלות רבות על עופרה, על התנהגותה, תגובותיה, דברים שאמרה. חיפשתי נואשות כל בדל מידע. אבל לא היו לה פרטים נוספים.

133

אותתי למלצר שיביא את החשבון.

"היית רוצה להמשיך לשוחח אצלי בבית? אני גרה ממש קרוב," אמרה בקול צרוד ומבטיח.

לא היו מקרים רבים שדחיתי הרפתקה מזדמנת מן הסוג הזה. הפתאומיות שבה התרחשו נסיבות כאלה הסעירה אותי תמיד. מעולם לא הייתי בררן במיוחד, ויש להניח שגם במקרה זה הייתי מתפתה בקלות. אבל הפעם החיזור המרומז של האשה שישבה מולי לא עורר בי התרגשות, רק אי־נוחות ומבוכה. לא יכולתי לחשוב עכשיו על אשה אחרת. זה היה מוזר שבהיותה בחיים בגדתי בעופרה על ימין ועל שמאל, ודווקא במותה נשארתי נאמן לה.

התחמקתי בתואנה כלשהי. אמרתי שניפגש ודאי בפעם אחרת, אף שהיה ברור לי שלא ניפגש עוד לעולם. היא הביטה בי באכזבה גלויה ובלעה את העלבון.

"כן, בפעם אחרת," מילמלה כמי ששמעה יותר מפעם אחת את צמד המילים הזה.

16

העתקתי מן העיתון את שמותיהם של משתתפי הסדנה ונסעתי לבקר אותם. גיליתי שהשוטרים הקדימו אותי בכל מקום ומקום. התדפקתי על דלתות שימים אחדים קודם לכן כבר נפתחו לפני חוקרי המשטרה, שאלתי שאלות שהחוקרים כבר שאלו, וקיבלתי תשובות שגם אותי לא קידמו כמלוא הנימה. אבל התברר לי שהשוטרים לא שאלו על הכסף. אני שאלתי. משתתפי הסדנה הודו בפשטות שאכן תרמו כסף. איש מהם לא רצה לומר כמה, אף אחד מהם לא חשב שזה לא בסדר. הם דחו את ההשערה שהעליתי, שראם סינג וכת השמים הפכו את הסדנאות האלה למקור הכנסה בטוח. יותר מכל דבר אחר, הם היו אסירי תודה להודי על מה שעשה בעבורם. הם שמחו לתת לו את כספם.

בדרך הביתה ניקרה במוחי שאלה אחת: האם גם עופרה שילמה לו? היא לא הודיעה לי על כך, הייתכן שעשתה זאת בהיחבא?

היתה לעופרה גישה חופשית לכספת בבית. הדבר הראשון שעשיתי בהיכנסי הביתה היה לחייג את מספר הצופן של הכספת. היא היתה אמורה לכלול כסף מזומן רב, בדולרים ובשקלים, שהעלמתי ממס ההכנסה, וכן את היקרים בתכשיטיה של עופרה. פתחתי במתח את דלת הפלדה.

הכספת היתה ריקה לחלוטין.

עמדתי שם מוכה תדהמה, וזיעה קרה כיסתה את מצחי. לא ניסיתי אפילו לשכנע את עצמי שייתכן שזאת מלאכתו של פורץ שחדר הביתה. דלת הכספת היתה נעולה כאשר פתחתי אותה. רק אפשרות אחת, קשה לעיכול, היתה הגיונית.

לא זכור לי כמה זמן שלחתי מבטים אל תוך הכספת הריקה.

כשהתאוששתי מעט מיהרתי אל הטלפון. התקשרתי אל מנהל הבנק ושאלתי מה עשתה עופרה בבנק לפני מותה. זכרתי שסיפר לי על פגישתו איתה בבנק, על השינוי שהבחין בהתנהגותה.

"היא ביקשה למשוך כסף," השיב, "חשבתי שאתה יודע."

ובכן, קודם הכספת, עכשיו חשבונות הבנק. היה לנו חשבון משותף ופיקדונות משותפים. לכל אחד מאיתנו היתה הזכות לעשות בחשבונות אלה כאוות נפשו. לא העזתי לנחש כמה כסף משכה עופרה מן החשבונות האלה. בחלק מהם היו סכומים גדולים, פרי חיסכון של שנים רבות. ביקשתי מהמנהל לשלוח אלי בפקס את רשימת היתרות המעודכנת. קיבלתי את הרשימה כעבור דקות אחדות. כל היתרות הראו אפס.

צבטתי את עצמי כדי להיות בטוח שאיני חולם. זה היה רע מכדי להיות אמיתי. עופרה רוקנה באין רואים את כל מה שהיה בכספת ובבנק, והותירה אותנו בעצם חסרי פרוטה. למרבה המזל, חשבתי, היא לא יכלה למכור את הבית שבו אנו גרים, משום שהוא נרשם על שם שנינו והיא היתה זקוקה לאישור ממני אילו ביקשה למכור. צנחתי אל תוך כורסה וחפנתי את ראשי בשתי ידי. דומה היה לי שמישהו משסף באיטיות מרושעת את ראשי בסכין חדה. בלעתי שתי גלולות הרגעה. הן לא הועילו.

מעל גלי הכאב שעלו וירדו, צצו ושקעו שאלות רבות: מה בעצם קרה כאן? מדוע העלימה ממני עופרה את מעשיה? לשם מה היתה זקוקה לכסף רב כל כך, ולאן הוא נעלם עם מותה?

לא היו לי תשובות, היו לי רק השערות. האם ראם סינג סחט אותה? האם הוא ניצל את חולשתה כדי לשכנע אותה לרוקן את הכספת ואת חשבונות הבנקים? משהו הסריח כאן. מאוד.

הטלפון צילצל בדיוק כאשר עמדתי להרים את השפופרת ולגלות לחוקרים את עניין הכסף. על הקו היה ראש אגף החקירות בעצמו. הכרתי אותו היטב אחרי שנים רבות של עבודה. תפקידו היה לספק הוכחות להרשעת פושעים, תפקידי היה להגן עליהם.

"אני רוצה לפגוש אותך, מיקי," אמר ראש אגף החקירות, "יש כמה דברים שהייתי רוצה לדבר איתך עליהם בארבע עיניים."

קבענו פגישה לשעות הערב. כשהתיישבתי בכיסא העץ מול שולחנו, הוא הביע תנחומים על מותה של עופרה ואמר שהמשטרה ניהלה חקירה נמרצת של נסיבות האסון מיד לאחר שזה קרה.

"זה היה מקרה אומלל," אמר, "אנשים תמימים חיפשו משענת רוחנית, הם חשבו שמצאו אותה בכת הזאת. רק מזל שחוץ מאשתך אף אחד לא שלח יד בנפשו... זהו מקרה ראשון מסוג זה בארץ, אבל אסונות כאלה כבר קרו במקומות אחרים בעולם. לצערי, אי־אפשר למנוע אותם. מדובר באנשים מבוגרים, בדרך כלל שפויים בהחלט, ובפעילות שמתרחשת כמעט תמיד בבתים פרטיים בחשאיות מוחלטת. אין כאן אשמים שאפשר לשים עליהם יד. אם אשתך החליטה להתאבד, זהו עניינה הפרטי."

"אבל," מחיתי, "מישהו הביא אותה לידי כך, מישהו גרם למותה. למה אינכם מבקשים להסגיר אותו לישראל ולהעמיד אותו למשפט?"

הוא הצית מקטרת ופלט ענן עשן מתוק עד בחילה.

"אין לנו הוכחות שהוא אשם, מיקי. השלטונות ההודיים לא יסגירו אף אחד בלי הוכחות."

הוא שלח אלי מבט של השתתפות בצער.

"הבוקר היתה לנו ישיבה על התיק," אמר, "אולי זה לא ימצא חן בעיניך, ואני בהחלט אוכל להבין אותך, אבל כדאי שתדע שפה אחד החלטנו לסגור את התיק. מבחינתנו, אין לנו עוד מה לחקור." ובכן, זו הסיבה שרצו לפגוש אותי, לומר לי פנים אל פנים שלא יחקרו עוד במותה של אשתי.

ההחלטה קוממה אותי. ציפיתי, כמובן, שהחקירה תימשך עד שימצאו הוכחות לאשמתו של ראם סינג. הייתי בטוח שהרבה נושאים הקשורים לפרשה עדיין נותרו עלומים.

"אמרת שקרו מקרים דומים כאלה בעולם," אמרתי, "אתה יכול לתת לי עוד פרטים?"

הוא הוציא מסמך מתוך תיק החקירה וקרא בו בקול רם. זה היה דו"ח שנשלח מהאינטרפול לפי בקשתה של משטרת ישראל. הדו"ח התייחס למקרים שנחקרו בלונדון ובלוס אנג'לס. בלונדון, בדיוק לפני שנה קיבלה המשטרה תלונה על קבוצת אנשים, לובשי גלימות כחולות, שנהגו להתכנס בתוך בית באחת השכונות בעיר וניהלו שם טקסים מוזרים. הם הלכו גם לבתי

137

קברות, ישבו סביב קברים שניכרו זה עתה וביצעו מדיטציה, הם שוחחו על המוות כאמצעי לשיחרור וכמעבר לעולמות טובים יותר. המשטרה פשטה על הבית שבו ניהלו את המיפגשים שלהם, חקרה אותם, גילתה שאשרת השהייה של המנהיג שלהם פגה מזמן וגירשה אותו מהמדינה."

"שמו של האיש הזה מופיע בדו"ח?" שאלתי.

"כן," השיב קצין החקירות.

"מי הוא?"

"מישהו שאתה מכיר," אמר, "ראם סינג. בכבודו ובעצמו."

הדו"ח השני התייחס למקרה שקרה שישה חודשים לאחר הפרשייה הלונדונית, בבוורלי הילס, לוס אנג'לס. מפיק סרטים אמיד ואשתו, שניהם כבני חמישים, הציתו את עצמם בביתם ונשרפו למוות. שכנים סיפרו כי הם היו חברים בכת השמים, וכי מורה רוחני מהודו התגורר בביתם זמן רב. הוא נעלם ימים אחדים לפני האסון. גם במקרה הזה לא היו שום הוכחות שביצע מעשים פליליים.

"אתה רוצה ודאי לדעת מה שמו," אמר הקצין.

"אני יכול לנחש?"

"אתה לא צריך להתאמץ."

הרמתי אליו עיניים מבועתות.

"תיארתי לי שזה יגרום לך להלם," אמר.

"אני לא מצליח להבין למה הוא בא בכלל לישראל. אחרי אנגליה וקליפורניה, הוא היה צריך על־פי ההיגיון לבחור בפאריז או בטוקיו. למה דווקא תל אביב?"

המזכירה הניחה כוס מים לפני והסתכלה בי במבט של רחמים.

"זה לא מוזר שהוא מגיע דווקא לתל אביב הקטנה ולא לערים גדולות ממש?" חזרתי על השאלה.

"אולי אתה לא יודע," אמר קצין החקירות, "אבל ישראל היא היום כמעט מעצמה רוחנית. עובדה שהיקף הפעילות הרוחנית בתל אביב לא נופל בהרבה מזה של הערים הגדולות ביותר בעולם."

הסתכלתי על תיק החקירה שהיה מונח על השולחן. הוא היה דק, כמעט

ריק. הבנתי שהרבה חומר לא נאסף אל תוכו.

"ידוע לכם משהו על ראם סינג?" שאלתי.

"מעט. השגרירות ההודית העבירה לנו חומר כלשהו. מתברר שהוא מורה רוחני בכת השמים. הוא עבד באורח זמני לפני שנים באשראם שלהם בגואה, ומאז הוא מסתובב בעולם. קיבלנו גם העתק ממירשם התושבים. האיש בן ארבעים וחמש, יליד גואה, זה הכול."

הוא העלה חיוך קל על שפתיו.

"אגב, יש לך ד"ש ממפקד המשטרה בנמל התעופה. אני מקווה שאתה מבין עכשיו שהוא צדק."

הוא נגע בפצע פתוח.

"אני מצטער," אמרתי כמעט בלחש, "עשיתי את חובתי. נלחמתי למען בן אדם ששכר את שירותי כעורך דין."

"אתם, עורכי הדין," אמר הקצין בבוז כבוש, "אתם תילחמו הרי למען כל מי שישלם לכם, גם אם הוא מפלצת.."

ניסיתי להתגונן: "לא היו לכם שום הוכחות כשעצרתם אותו."

"נכון," הוא אמר, "אבל היו לנו חושים מצוינים. מפקד המשטרה בנמל התעופה הרגיש מיד שמשהו לא בסדר עם האיש שלך."

לא היה לי נוח לדבר על זה. עברתי לנושאים אחרים.

"ניסיתם לברר פרטים על הכת?"

הוא משך בכתפיו.

"חיפשנו חומר בכל מקום אפשרי. דיברנו עם השגרירות ההודית ועם ישראלים שמכירים את המרכזים הרוחניים בהודו כמו את כף ידם. יש כאלה ששמעו על כת השמים. בהודו הכת הזאת לא יוצאת דופן, יש שם המון כתות קטנות וגדולות, שמטפחות כל מיני רעיונות מוזרים."

סיפרתי לו על הכסף. הוא לעס בשיניו את קצה המקטרת ואמר שלא ידע על כך. הוא לא נראה לי נסער במיוחד.

"מה דעתך על האפשרות הבאה," אמרתי, "נניח שהכת הזאת שולחת למדינות שונות בעולם, שפורחים בהן עסקי המיסטיקה, מתנדבים כריזמטיים שמארגנים קבוצות מאמינים, משכנעים אותם למסור להם את רכושם, וכל הכסף העצום הזה מועבר למרכז הכת שצוברת בדרך זו הון תועפות..."

"זה אפשרי," אמר בשלווה, "קח גם בחשבון שאולי כל הכסף שהם אוספים נשרף במקום ההתאבדות. ייתכן שזה גם מה שקרה כאן. אחרי מה שלמדתי בימים האחרונים על פעולותיהן של כתות מיסטיות, הכול יכול להיות, גם שריפת כסף כמעין חיסול סמלי של הקשר אל העולם הזה." הוא היה גאה על שהעלה בדעתו השערה יוצאת דופן.

"אבל אתה לא בטוח שהכסף באמת נשרף שם."

"אני לא יכול להיות בטוח לגמרי."

"ואם הוא לא נשרף שם, לאן הוא יכול היה להיעלם?"

"אני מודה," אמר לבסוף, "שיש אפשרות שהכסף הזה עבר לידי הכת בהודו."

"זו סיבה טובה אחת שלא לסגור את התיק."

הוא גרע ממני את מבטו, כאילו ביקש לומר משהו שלא ימצא חן בעיני.

"אני לא בטוח," אמר, "שנוכל להוכיח שהכסף הוצא מאשתך בטענות שווא. לא קיבלנו שום תלונה מאף אחד ממשתתפי הסדנה על כך שלקחו מהם כספים בניגוד לרצונם."

השיחה עיצבנה אותי. הרגשתי שאנחנו צועדים במקום. ראיתי לנגד עיני רק את קצה הקרחון. חלקו הגדול עדיין היה חבוי מתחת למים.

"אני מבין ללִיבך," אמר קצין החקירות, "אבל ההחלטה על סגירת התיק נפלה רק לאחר התייעצות עם הגורמים הבכירים ביותר במשטרה. הגענו למסקנה שאין לנו עוד במה להיאחז."

"אני לא שותף לדעה הזאת. האם חקרתם, למשל, את השאלה, אם ראם סינג פעל על דעת עצמו?" חשתי גל של כעס גואה בי על שהמשטרה לא חשבה על כך, "האם חקרתם את האפשרות שהוא חלק מכנופייה ששלחה אותו לבצע את המזימות השטניות שלה?"

קצין החקירות מצץ לשווא את פיית המקטרת. האש כבתה.

" אתה יודע," אמר בסלחנות של אב שצריך להסביר עובדה פשוטה לבנו העיקש, "אתה יודע שגם אם יש מישהו ששלח את ההודי הזה לעשות מה שעשה, המישהו הזה נמצא בהודו, לא כאן, ושום שוטר בהודו לא יתחיל לחקור את ההאשמות שלנו, אם לא יהיו לו הוכחות של ממש. אמרתי לך שאין לנו שום ראיות של ממש לאשמה של ראם סינג, על אחת כמה וכמה אין

לנו ראיות לאשמתם של אנשים נוספים."

"הייתי מצפה שתעשו בכל זאת מאמץ," מחיתי שוב.

"אני יכול להבטיחך שעשינו כל מה שאפשר בהתחשב בעומס שמוטל עלינו. אין טעם להמשיך בחקירה, כשהסיכוי לחשוף משהו הוא אפסי."

התרוממתי מהכיסא.

"שאלה אחת, אם מותר לי," אמר הקצין.

עצרתי בדרכי אל הדלת.

"בבקשה."

"אני מצטער על שאני פולש אולי לפרטיות שלך, אבל האם... האם אתה חושב שהיו יחסים מיוחדים בין אשתך לבין ראם סינג?"

"יחסים מיוחדים?" התפלאתי, "למה בדיוק אתה מתכוון?"

"רומן, למשל."

זו היתה בהחלט שאלה בלתי צפויה. הוא הצליח לגרום לכך שאצנח אל הכיסא. הרגשתי שרגלי אינן נושאות אותי עוד.

"מה הביא אותך לשאול את השאלה הזאת?" בלמתי בקושי את הרעד שעיוות את קולי.

במקום תשובה שלף ממגירת שולחנו מעטפה לבנה, פתוחה, הוציא ממנה דף נייר והניח אותו לפני. זיהיתי מיד את כתב ידה של עופרה.

"מה זה?" שאלתי, חושש לקרוא, מנסה להרוויח זמן.

"זה מיכתב שהיא כתבה לו. מצאנו אותו בין החפצים שלו, כשסרקנו את החדר שלו במלון. אני מציע שתיקח את המכתב. לנו אין מה לעשות בו."

לקחתי את המכתב לידי. הוא היה כתוב אנגלית. בראשו התנוססו המילים "למורה האהוב שלי," בהמשך השתרע וידוי אישי.

במשפטים קטועים, מבולבלים, כמעט סתומים סיפרה עופרה לראם סינג על החסכים הנפשיים האיומים שהיו לה, עד שהכירה אותו. היא הודתה לו על שעות החסד המשותפות שלהם, על ההקשבה, ובעיקר על מה שהעניק לה.

"אתה מילאת את נפשי ואת גופי," כתבה, "אני לא יודעת איך חייתי לפני שהכרתי אותך, ואיך הייתי יכולה לחיות בלעדיך... אני מקווה שלעולם לא

ניפרד, לא בעולם הזה ולא בעולם הבא..."

קצין החקירות בחן את פני כשקראתי את המכתב.

"לא ידעת שהיה ביניהם קשר כל כך הדוק?" שאל.

"לא," אמרתי חרש, "לא ידעתי."

בשעה שלאחר מכן מצאתי עצמי נוהג בכבישים, שלא ידעתי איך הגעתי אליהם. מוחי קדח וידי לא היו יציבות על ההגה. במקום להיפגע מן הגילוי שאשתי ניהלה בסתר רומן אהבים עם הגורו שלה, חשתי שנוספה עוד אשמה על זו שכבר כירסמה בי. זו לא היא שחטאה, זה הייתי אני, האיש שהוביל אותה, אולי בעל כורחה, אל זרועותיו של הגבר שידע כנראה להעניק לה את האהבה שמנעתי ממנה אני.

17

כשאני חושב על כך היום, אני מתפלא על כמה שינויים פתאומיים שחלו בי בעקבות האסון. לא התאים לי, למשל, בפירוש לא התאים לי להתייחס לעניין הכסף בעדיפות אחרונה. תמיד הצבתי את הכסף כאחת המטרות העליונות של חיי. ההורים שלי היו חסרי אמצעים, הם הסתפקו במועט ושמחו בחלקם. אבי התפרנס בקושי מבית המלאכה הקטן שלו, גרנו בדירה קטנה וצפופה בדרום העיר, והעתיד נראה לי קודר למן הרגע שבו אני זוכר את עצמי. קינאתי בכל ילד שהיו לו דמי כיס, שקנו לו צעצועים, שרכב על אופניים בשעה שאני יכולתי רק לחלום עליהם. כאשר סיימתי את בית הספר היסודי, חסך אבי מפרנסת המשפחה כדי לשלוח אותי ללמוד בתנאים הטובים ביותר. למדתי בגמנסיה "הרצליה" עם בני העשירים של העיר. כדי לשרוד, כדי להצליח, הייתי צריך להתמודד איתם ללא הרף. אחר כך למדתי משפטים ונאלצתי לעבוד בשתי מישרות כדי לממן את שכר הלימוד והמחיה. חלמתי תמיד על הרגע שבו יהיה לי כסף, וכשזה הגיע חפנתי אותו באהבה בשתי ידיים ונהניתי ממגעו. אהבתי כסף, אהבתי לבזבז אותו על כל תענוג אפשרי, נשים, מסעדות מפוארות, מכוניות יקרות, טיולים בחו"ל. התחתנתי עם עופרה שנולדה אל תוך כל אלה, וכסף לא עשה עליה שום רושם. בנינו וילה נאה, לא חסכנו על אוכל משובח, על בגדים ונסיעות, לא מנענו מעינב ומדרור לקבל כל מה שרצו. אבל עכשיו, אחרי שעופרה מתה, שום דבר כבר לא היה חשוב באותה מידה. גם לא הכסף.

הייתי חסר מנוחה. הרצון לדעת מה בדיוק קרה בער בי ללא הרף. נסעתי שוב לרישפון. עברתי בסימטאות שעצים עבותים הצלו עליהן. ראיתי בתים עם גגות רעפים שהיו מוקפים מדשאות וערוגות פרחים מטופחות. מהצריף שבער נותר רק כתם אפר שחור.

התדפקתי על דלת הווילה, שבה התגורר האיש שממנו שכר ראם סינג את הצריף. על שלט עץ קטן היה חרוט שמו: ד"ר אבי זוהר, פסיכולוג. הוא היה כבן שישים, בעל קול עמוק וסבר פנים נעים. הצגתי את עצמי. הוא הוביל אותי אל חדר המגורים והציע לי קוניאק. לגמתי לגימה גדולה, שהצליחה לפוגג במקצת את המתח שבו הייתי שרוי. סיפרתי לו שאני אוסף מידע על מה שקרה, ביקשתי שיגלה לי כל מה שהוא יודע. הוא שיתף פעולה ברצון. הצריף, אמר, היה שייך להוריו שנימנו עם מייסדי המושב, והוא היה טעון שיפוץ יסודי. אחרי שנפטרו הציע אותו להשכרה בלי הרבה תיקוות שמישהו ירצה לגור בו. ד"ר זוהר אמר שההודי בא אליו וביקש לשכור את הצריף לצורך עיסוק במדיטציה. הוא הציע סכום כפול מן השכירות המקובלת, ואת הכסף שילם מראש, במזומן.

"איזה רושם הוא עשה עליך?" שאלתי.

"הוא היה ללא ספק טיפוס מיוחד, איש בעל עיניים מהפנטות וכוח השפעה עצום. ראיתי אצלו המון שלווה וביטחון וכושר מנהיגות מובהק, יכולתי להבין מדוע אנשים מוכנים ללכת אחריו לכל מקום שייקח אותם.... יחד עם זאת, לא יכולתי להשתחרר מההרגשה שאני לא מצליח לחדור אליו, שיש דברים שאולי הוא מסתיר ממני..."

"ולמרות זאת, השכרת לו את הצריף..."

הוא שלח אלי חיוך מתנצל.

"כל פסיכולוג יגיד לך שבכל אדם יש משהו מוזר, משהו שאתה לא יכול לפענח במבט ראשון. גם ההודי היה כזה, אבל הוא הרי לא בא אלי כדי שאתן לו טיפול. הוא בסך הכול רצה להשתמש בצריף המוזנח ואני שמחתי שמישהו בכלל התעניין בשכירת המקום הזה..."

"הוא בא אליך לבדו?" שאלתי.

"לא," אמר, "היתה איתו אשה... מהצילומים בעיתון אני מבין שזו היתה אשתך..."

שאלתי אם הוא זוכר משהו מן הפגישה עם עופרה וראם סינג. הוא אמר שהפגישה היתה קצרה, ההודי חתם על חוזה שכירות. "הם נשארו אצלי זמן קצר, בדיוק הזמן שהיה דרוש לחתום על החוזה."

הטרידה אותי העובדה שראם סינג מסתובב חופשי בהודו. קבעתי פגישה דחופה בשגרירות ההודית בתל אביב. הקונסול קיבל אותי בסבר פנים יפות והשתתף בצערי על מותה של עופרה. אמרתי לו שהייתי רוצה להניע את שלטונות הודו לעצור את ראם סינג, הסברתי שאעשה כל מאמץ כדי להביא לכך שישראל תגיש בקשת הסגרה במטרה להעמיד את סינג לדין במקום שבו בוצע הפשע. הוא האזין בתשומת לב רבה ואחר כך עשה הכול כדי לצנן את התלהבותי. בהודו, הבהיר, יש אלפי כתות שונות ומשונות, שמטיפות לאימוץ אורח חיים זה או אחר. על־פי אמונתם של אנשים רבים בהודו, המוות הוא אכן מעבר לעולם טוב יותר. חלקם עושה בדיוק מה שנעשה במושב רישפון. זו לא עבירה פלילית, הוא אמר. אדם שולט בגורלו, וכל עוד הוא לא פוגע באחר זכותו לעשות כל שיעלה בדעתו, גם לאבד עצמו לדעת.

"עצוב כמובן כשאנשים מתים," אמר, "צר לי מאוד על אשתך, אבל עליך להבין שלא נוכל לעשות הרבה בעניין הזה." זו היתה דרכו המנומסת לומר לי, שאין בדעת השלטונות ההודיים לעשות דבר וחצי דבר כדי לחפש את האחראי למותה של עופרה.

בלב כבד נזכרתי שאותם דברים בדיוק אמר לי גם קצין החקירות של משטרת ישראל. שאלתי את עצמי מה הם היו אומרים, לו אסון כזה היה קורה לנשותיהם.

יצאתי משם בתחושה קשה. כל המאמצים שעשיתי לא סייעו לי להבין את התהליך שהביא למותה של עופרה, לא סייעו לי להביא את ראם סינג למשפט. שאלתי את עצמי מי עוד יוכל לספק פרטים שיסייעו לי להשלים תמונה כלשהי של מה שבאמת קרה. היו מקומות ברחבי הארץ, בעיקר בתל אביב, שבהם התבצעה פעילות מיסטית עניפה. פתחתי עיתונים וקראתי מודעות של קבוצות רוחניות וסדנאות על מיסטיקה ומסתורין. היה שפע עצום של פרסומים מסוג זה. היו שם סדנאות לאבחון מחלות ובעיות בעזרת קערות טיבטיות, על־פי כפות הרגליים ועל סמך שיטות עתיקות יומין שרווחו בשמורות אינדיאניות. היו סדנאות לנומרולוגיה וקריאה בקלפי טארוט, הרצאות על אבני קריסטל, על ביו־אנרגיה ועל ביקורים של עב"מים. היו סדנאות תקשור להתייעצות עם מתים, מיפגשי היכרות עם עיסוי רקמות

עמוק, עיסויים אזוטריים ועיסויים לאורגזמות הוליסטיות. התבשרתי על טיפולים במגע ובצעקות, על ביקורים בקברי צדיקים. אספתי מודעות של הרצאות על צמחי מרפא, על תרפיה יצירתית ועל רפואה קבליסטית. בחרתי בעיקר בקבוצות שעסקו בנושאים הקשורים בהודו, במדיטציה ובמוות. נכחתי בטקסי קבלה של מודטים טרנסנדנטליים חדשים, שנשאו ממחטות בד צחורות ופרחים וקיבלו את המנטרה שלהם בלחישה לאחר תפילה קצרה, שנשא המורה מול קיסם קטורת בוער. הלכתי לשפת הים של תל אביב בחצות וראיתי עשרות גברים ונשים כורעים על החול ומנקים את ראשיהם ממחשבות מיותרות, ביקרתי בבתים פרטיים בהם אנשים דיברו בעיניים עצומות בקולות של מתים שביקשו קשר עם החיים, וישבתי על כרים בדירה שבה התעלפו אנשים כאשר הורה להם גורו ארוך שיער לאבד את הכרתם. כיתתי את רגלי בחדרי מדרגות אפלים ברחוב שינקין ובבתי שיכון בגבעתיים, נסעתי לימי עיון מיסטיים בבתי מלון מחוץ לעיר ולכינוסים בחיק הטבע. דובבתי אנשים ללא הרף, צעירים שזו להם ההתנסות הראשונה, מבוגרים שכבר עברו כמה וכמה התנסויות עד שבחרו בזו שהתאימה להם, אנשים ספקניים ואנשים מאמינים, מדריכים אינטליגנטיים וחביבים, ולעומתם מטיפים בוטים וזעופי פנים.

שאלתי את כולם אם ידוע להם דבר על כת השמים או על ראם סינג או על שניהם יחד. רבים אמרו שראו בעיתון בפעם הראשונה את שמה של הכת הזאת. מדריך יוגה ותיק בגליל נזכר ששנים אחדות קודם לכן, במסעו בהודו, עצר בגואה, ובמסיבת סמים המונית על החוף הזמין אותו גבר מקומי צעיר לסדנה של כת השמים. הוא דחה את ההזמנה, ועל כן לא היו לו פרטים נוספים. נזכרתי שקצין החקירות של המשטרה אמר לי שראם סינג נולד בגואה והיה מורה באשראם המקומי של כת השמים. מישהו שלמד הילינג בהודו סיפר ששמע שהכת הזאת פועלת לא רק בגואה, אלא גם בפונה ובווראנאסי. איש מאלה ששוחחתי איתם לא הכיר את ראם סינג, לא נפגש איתו בעת שהותו בארץ. כאשר סיכמתי את המירוץ המפרך, התברר, לצערי, שבעצם לא הצטבר בידי גם הפעם כל מידע ממשי.

חזרתי אל המשרד לאחר שנואשתי למצוא את מה שחיפשתי. דינה ואיתן

דאגו בהיעדרי לכל העניינים הרחופים, והקפידו שלא להשאיר לי שום דבר שחייב את תשומת ליבי המיידית. השולחן שלי היה ריק, וכולם התהלכו סביבי על קצות אצבעותיהם כדי שלא להפר את השקט שאני, כך חשבו, זקוק לו עתה מאוד.

שיחת הטלפון היחידה שהועברה אלי היתה של חגית. בחושיה החדים, הניחה דינה שזוהי שיחה שהייתי מוכן לקבל. חגית שאלה לשלומי ואיחלה לי התאוששות מהירה. היא סיפרה שהוריה הירשו לה להתגורר בדירה שהשארתי לה וכי היא כבר העבירה לשם את חפציה והחלה לחפש עבודה. הייתי קשוב ומנומס, אבל לא יותר מזה.

הטלפון דמם שעה ארוכה לאחר מכן. לשקט שהשתרר היתה מעלה גדולה — הוא איפשר לי לחשוב. היה לזה גם חיסרון גדול — הוא גרם לי לחשוב על כל הדברים שהתקשיתי להתמודד איתם, ובעיקר על כך שעופרה מתה לשווא. הבנתי שעלי להשלים עם פרשיית האהבים שלה, נפרדתי בליבי לשלום מהכסף, אבל לא הצלחתי להימנע מלהרהר במוות הנורא שהובלה אליו על־ידי ראם סינג. שוב ושוב התעורר בי זעם. רציתי להבין באיזו זכות נלקחה אשתי ממני, מי נתן לראם סינג ולכת שהוא פעל בשמה את ההיתר להרוג את אמם של ילדי. חשבתי על כך שסינג ודאי נושא את עיניו בעצם הימים האלה למקומות נוספים בעולם כדי לפתוח סדנאות חדשות, לשכנע אנשים לתת בו את אמונם, לקבל מהם את כספם ורכושם ולהוביל אותם אל האבדון. לא שמעתי שמישהו מתכוון לפתוח נגדו בחקירה, להעמיד אותו לדין, לגזור עליו עונש.

הרגשתי חולשה. יצאתי מן המשרד וחזרתי הביתה. עינב ודרור עדיין לא שבו מבית הספר. אמה של עופרה היתה במטבח. היא הביטה בי בדאגה.

"אתה נורא חיוור," אמרה, "קרה משהו?"

אמרתי שאני פשוט עייף, הלכתי לחדר השינה, הגפתי את התריסים והשתרעתי על המיטה. אבל גם שם, באפלולית הנעימה שהשתררה בחדר, לא יכולתי להימלט מן המועקה. התחושה שלא אוכל למצוא מנוחה לנפשי כל עוד לא אעשה משהו כדי לתקן את המעוות, הלכה והעמיקה בקרבי. הייתי חייב לפעול. הרגשתי שעל דבר אחד לא אוכל לעבור לסדר היום, על דבר אחד לא אוכל לוותר. בערה בי כאש התאווה לצדק ולנקמה. היה חשוב

לי, למען עופרה, למעני, למען הילדים ולמען הורינו, שמי שלקח אותה מאיתנו והוביל אותה אל מותה, לא יינקה. הרגשתי שאני חייב לאתר את ראם סינג ולגרום לכך שיבוא על עונשו. זה היה רעיון מטורף, חסר סיכוי, יקר ומסוכן, אבל הוא התחפר בתוכי כחפרפרת ולא הירפה ממני אף לרגע.

18

ענן העצב שירד על הבית אפף את כולנו גם בימים הבאים. הילדים נעו מחדר
לחדר כצללים, דיברו רק מעט, ומחדרה של עינב נשמעו מדי פעם צלילים
חרישיים של שירים ישראליים נוגים. אמה של עופרה נראתה זקנה יותר
ועייפה יותר, אבל לא התלוננה על דבר. קיצרתי את שעות עבודתי במשרד,
וחזרתי הביתה בכל יום מוקדם מן הרגיל. הקדשתי לילדים יותר זמן. ישבתי
איתם, שוחחנו, בכינו, שאלנו שאלות וחיפשנו תשובות. סיפרתי להם על
חיפושי השווא שערכתי כדי להשיג מידע על נסיבות האסון. אמרתי שנדמה
לי שהגעתי למבוי סתום.

התקשיתי לעבוד, להתרכז, להאזין ללקוחות. לא היה לי חשק לעשות
דבר, איבדתי את הנאת הלחימה שהסבו לי ההופעות בבתי המשפט, הרגשתי
במשרד כאיש זר, לא שייך. ידעתי שלא אוכל להתחמק לאורך זמן מן
המסקנה הבלתי נמנעת שאיש לא יפעל בעניין ראם סינג, חשבתי על כך
לאורך הימים והלילות הקשים שחלפו לאיטם. ככל שהפכתי בדבר, התחזקה
בקרבי ההכרה שלא אוכל עוד לשוב ולנהל את חיי כאילו לא קרה דבר. היה
ברור לי שאם אדחיק את הדברים הם יצוצו שוב ושוב מחדש, כמו מפלצת
מעמקים נוראה, וירדפו אותי עד יום מותי.

סופת ברקים ורעמים השתוללה ללא רחם בערב שבו קיבצתי סביבי את עינב
ודרור ואת אמה של עופרה. סיפרתי להם שהמשטרה הרימה ידיים, סגרה את
התיק ולא נראה שגם השלטונות ההודיים מוכנים לחקור את העניין. אמרתי
שאני בטוח שראם סינג ברח מן הארץ כדי שלא יאשימו אותו במותה של
עופרה, הדגשתי שאני משוכנע שכת השמים עומדת מאחורי האסון ברישפון.
אם איש אינו מוכן לחקור את העניין כמו שצריך, אמרתי, אני אעשה זאת

149

בעצמי. "אני חייב לנסוע להודו כדי לאתר את הרוצח, אני חייב לקבל ממנו הודאה באשמתו ולגרום לכך שיעמידו אותו למשפט."

הילדים הקשיבו מבלי לזוז. כשסיימתי, השתררה דממה. עינב היתה הראשונה שדיברה.

"חשבת על זה ברצינות, אבא? אתה יודע מה אתה לוקח על עצמך?"

"אני יודע."

"זו משימה בלתי אפשרית, מיקי," אמרה אמה של עופרה, "אל תשלה את עצמך שתוכל לעשות מה שהמשטרה או השלטונות ההודיים לא מסוגלים."

"אולי את צודקת," אמרתי, "אולי זה באמת בלתי אפשרי, אבל אני חייב לנסות, גם אם אין לי כל האמצעים והקשרים הדרושים לשם כך."

הייתי נחוש, והקרנתי ביטחון עצמי רב יותר מכפי שהיה לי, בעצם, באותה שעה.

"זה עלול להיות מסוכן," אמרה עינב בחשש.

"אולי," ניסיתי לחייך, "אבל אני כבר גדול, אני יכול לדאוג לעצמי."

דרור היה מעשי יותר מאחותו: "כמה זמן תצטרך להתעסק עם העניין הזה?"

לא ידעתי מה להשיב. אמרתי שאני מניח שזה יימשך כמה שבועות לפחות. לא היה לי ספק שהדברים עלולים להימשך יותר, אבל לא רציתי לעורר בילדים דאגה גדולה מדי.

עינב חיבקה אותי.

"אני גאה בך, אבא," אמרה, "עכשיו אני יודעת שאהבת את אמא הרבה יותר משחשבתי."

אמה של עופרה התלוננה בקול מר: "אני לא מבינה אותך, מיקי. מה זה כבר יעזור, הרי את עופרה לא תחזיר לחיים, גם אם תמצא איזה הודי או שניים שאחראים למה שקרה. בכלל, איזה סיכוי יש לך למצוא אותם בין מיליארד הודים? דבר אחד בטוח, כדי למצוא את המחט בערימת השחת אתה קם ועוזב את הילדים שלך, שזקוקים לך עכשיו יותר מכול. אם אתה שואל אותי, כדאי שפשוט תשכח מזה." אי אפשר היה להציג את עמדתה בצורה ברורה יותר. הבנתי לליבה. היא, עינב ודרור מתמודדים כל רגע עם מותה של

עופרה, עתה תיווסף להם ההתמודדות עם היעדרי הצפוי.

בקול שקט ומדוד אמרתי שנכון שדווקא בזמן הזה דרושה נוכחותי בבית, הקשר עם הילדים הוא בהחלט שיקול חשוב, אבל היא חייבת להבין שאם אקבל את דעתה, כל חיי מעתה ואילך, וגם חיי משפחתי הקטנה, יהיו מלווים בתחושה שלא עשיתי את מה שהייתי חייב לעשות למען עופרה ולמעננו. הילדים כבר בוגרים למדי, אמרתי, עינב ודאי תקבל עליה את האחריות לדאוג לדרור, ואני אבטיח שברכה תבוא בכל יום ותדאג לניהול תקין של הבית.

"סבתא," התערבה עינב, "נכון שזה לא יהיה פשוט, אבל אני חושבת שאבא עושה מעשה גדול. את הרי יודעת שקרה לאמא דבר נורא. מישהו אחראי לזה, וחייבים להביא אותו למשפט. אני שמחה שאבא חושב שזו חובתו."

דרור קם וחיבק אותי. הוא אמר: "מצידי, אתה יכול לנסוע בשקט. אני מבטיח לך שלמחנכת שלי לא תהיה איתי מעכשיו שום בעיה."

הוא ניגש לסבתו ונשק על לחייה.

"יהיה בסדר, סבתא, אני מבטיח לך,"הוא ליכסן את מבטו לעבר עינב, "את יודעת מה היינו רוצים? היינו רוצים שתישארי איתנו... את תטפלי בנו הכי טוב."

היא ליטפה את ראשו ובכתה.

"מלאכים שלי," רעד קולה, "איך יכולתם לחשוב שאני אעזוב אתכם אפילו לרגע?"

נסעתי למשרד בתחושה שקיבלתי את הגיבוי שהייתי זקוק לו. אמרתי לאיתן שהחלטתי לצאת לחופשה לתקופה לא ידועה מראש, ביקשתי ממנו למלא את מקומי. לא השארתי לו תיקים סבוכים רבים, והוא ידע שיוכל תמיד להשיג דחייה מבית המשפט, אם לא אשוב למועד הדיון כדי לטפל בתיק זה או אחר. קראתי לדינה וסיפרתי גם לה. ראיתי דמעות בעיניה.

"חשבתי שאני מכירה אותך, מיקי," אמרה חרש, "אבל אני מודה שהצלחת להפתיע אותי. לא האמנתי שאתה מסוגל לעשות דבר נפלא כל כך." חיכיתי בסבלנות עד שנרגעה. אחר כך ביקשתי לדעת אם לקוחות נותרו חייבים שכר טירחה למשרד וכמה. הצטערתי לשמוע שלא נשארו כמעט

חובות, וכי שאר התשלומים אמורים להיכנס רק מאוחר יותר.

ידעתי שאזדקק לכסף ושאלתי את עצמי מהיכן אוכל לקחת אותו. בחנתי את האפשרויות. היתה רק אחת שהבטיחה תשלום מהיר במזומן. הזמנתי מודעה בעמודי הלוח של עיתוני הערב והצעתי למכירה את המכונית שלי. היא היתה נדירה למדי בשוק, ועל כן ידעתי שלא אמצא קונה בנקל. אבל לא היתה לי ברירה אחרת.

במשך השעות שלאחר מכן ישבתי אל השולחן ופירקתי את המשימה שקיבלתי עלי ללוחות זמנים ולסדרי יום. ערכתי רשימה של אנשים שיוכלו, אולי, לספק לי מידע או לסייע בדרכים אחרות. ידעתי שהרשימה תגדל ככל שהמשימה שלי תימשך. רציתי לדעת אין־ספור דברים, להבהיר אלף נקודות סתומות. היה לי חשוב להתחיל נכון ולהתקדם ביעילות. לא ידעתי איך בדיוק אנתב את עצמי במסע המפרך, אבל ידעתי עתה בבירור איך אני רוצה להתחיל.

ההיענות למודעה היתה קלושה מאוד. לבסוף צילצל מתווך שביקש לראות את המכונית. הוא בחן אותה במבט של סוחר סוסים שמחפש פגמים ללא הרף והציע מחיר נמוך במידה ניכרת מן המחירון. היה לו כסף מזומן, ולי לא היה פנאי. סגרנו את העיסקה בו במקום.

הלכתי אל מנהל סניף הבנק שלי וביקשתי הלוואה. הוא הביט ללא התלהבות. הסכום שרציתי היה גבוה למדי והוא אמר שיהיו לו קשיים לאשר אותו, אלא אם כן אמשכן את חלקי בווילה שהיתה שייכת לעופרה ולי. חשבתי שזה לא הוגן. הייתי לקוח טוב כל כך הרבה שנים וציפיתי שייתנו בי אמון גדול יותר. אבל זה לא היה הזמן ליצור עימות ביני לבינם. ביקשתי את טופסי המשכנתא וחתמתי עליהם.

בחלק מן הכסף שהצטבר אצלי רכשתי כרטיסי טיסה וסכום של דולרים במזומן, את יתר הסכום הפקדתי בחשבון הבנק של אמה של עופרה, כדי שיספק את צורכי המשפחה בהיעדרי. קניתי ספרי מסע ומיסטיקה הודית, התעניינתי אצל חברים למקצוע היכן אוכל לקבל את הייעוץ המשפטי הטוב ביותר בהודו, נפרדתי מעובדי המשרד ומן הידידים, שנחלקו בדעותיהם. חלקם סבר שאין שום טעם שאסע, אחרים דווקא עודדו אותי.

ענב ודרור ואמה של עופרה ליוו אותי עם הורי לשדה התעופה. אמי

הזילה דמעה וביקשה שאשמור על עצמי, אבי דחף לכיסי כמה מאות דולרים, הילדים עודדו אותי.

"אם הייתי אחרי הבגרויות," אמרה ענב, "הייתי מצטרפת אליך ברצון."

היה לי קשה להיפרד, וזו היתה תחושה מוזרה. לא זכרתי נסיעה כלשהי שעשיתי ואשר היתה כרוכה בקושי מסוג זה. לרוב נסעתי בלי לחשוב על איש מאלה שהשארתי מאחורי. עכשיו חשבתי על הילדים שישובו הביתה בלעדי, ומשהו עמוק בליבי פירפר בכאב. חיבקתי את הילדים שלי באהבה.

"תודה שאתם עומדים מאחורי," אמרתי.

לונדון קידמה את פני בעננֵי עופרת ובזרזיפי גשם טורדניים. נסעתי במונית לבית המלון שבו הזמנתי חדר, הטלתי את תיק הנסיעות על המיטה וטילפנתי ל"טיימס" כדי לברר את שעות קבלת הקהל בארכיון של העיתון. השעה היתה אחר הצהריים, והם עמדו לסגור. מיהרתי לשם כדי להספיק ככל האפשר יותר. פקידה מנומסת שאלה אותי באורך רוח לרצוני, בדקה במחשב ומסרה לי רשימה של התאריכים שבהם פורסם בעיתון חומר על אודות כת השמים. עיקר הפרסומים התרכזו סביב חשיפת הסדנה של ראם סינג לפני שנה לערך.

הלכתי למחלקת המיקרופילמים וקיבלתי את סרטי הצילום של העיתונים מהתאריכים הדרושים לי. הכנסתי אותם למכונת ההגדלה וחיפשתי בראש ובראשונה את הדיווחים על האירוע. הסיפור התפרסם בעמודים הראשונים בלוויית צילומים ענקיים של הבית שבו התכנסו משתתפי הסדנה ובית הקברות שבו ערכו את המדיטציה שלהם. היו שם גם צילומים של תשעת הגברים והנשים שהשתתפו בסדנה וראיונות עם חלק מהם. קראתי את דבריהם. הם דיברו בהתלהבות על העקרונות של כת השמים, הם כעסו על שהמשטרה התערבה והצטערו שמורם הרוחני גורש מאנגליה. הם אמרו שראם סינג סיפר להם שהיה מורה רוחני בכיר באשראמים של כת השמים בהודו.

כתבי העיתונים דיווחו מהודו על ביקורים שערכו באשראמים של כת השמים ועל שיחות עם מורים ומנהלים, שטענו כי אין הם רואים כל פסול במה שעשה ראם סינג. בדיווחים האלה סופר על אשראמים של הכת בגואה,

בפונה ובווראנאסי ועל הסדנאות שנערכות שם. השלטונות בהודו הניחו להם לפעול כשם שהניחו לכל הכתות האחרות. איש מאנשי הכת לא נחשד מעולם בפלילים, לא נדרש להשיב על תלונה כלשהי.

העתקתי את כתובותיהם של משתתפי הסדנה הלונדונית. טילפנתי לביתה של האשה הקשישה ביותר בחבורה, פנסיונרית כבת שבעים. סיפרתי לה מי אני וביקשתי לשוחח איתה. היא ניאותה לאחר היסוס קל. נסעתי אל בית הדירות הקטן שבו גרה ליד הייד פארק. היא היתה אשה זעירה ומצומקת, שפתחה לפני את הדלת לדירה פשוטה בקומת הקרקע. ביקשתי שתספר לי כל מה שהיא יודעת. היא אמרה שמאז פרישתה לגימלאות שקעה לתוך בדידות עמוקה. היו לה רק חברים מעטים, ואף לא קרוב משפחה אחד. היא חיפשה את עצמה בכמה כתות מיסטיות, ניסתה לאמץ רעיונות שונים עד שהלכה לשמוע הרצאה של ראם סינג על כת השמים והצטרפה לסדנה שלו.

״הוא היה כריזמתי מאוד,״ אמרה, ״היה לו כושר שכנוע אדיר, הוא לימד אותנו איך להוריד את סף הסבל שלנו. מאז השתנו החיים שלי, אני רגועה ומשוחררת מפחדים, גם המוות כבר לא מפחיד אותי.״ היא סיפרה על ביקורים רבים שערכו משתתפי הסדנה בבתי קברות כדי לעשות שם מדיטציה.

שאלתי אותה אם ראם סינג לקח ממנה כסף. היא אמרה שאכן נתנה את כל חסכונותיה לכת, כדי שתוכל לפזר את רעיונותיה בכל העולם.

״האם הוא הכריח אותך לתת את הכסף?״

״חלילה,״ אמרה, ״הכול נעשה ברוח טובה. סינג דיבר איתי, הסביר לי, ואני תרמתי.״

״איך העברת את הכסף אל הכת?״

״במזומן. נתתי אותו לסינג.״

״מה יקרה עכשיו, אחרי שהוא נעלם?״

״הו,״ היא אמרה, ״אני בטוחה שהוא יחזור. הוא יודע שכולנו מחכים לו.״

למחרת הגעתי לבית דו־קומתי שבו פעלה כת השמים. בעל הבית הראה לי

את המקום שבו זה קרה, בקומה השנייה.

"הם שכרו ממני את הדירה הזאת," אמר לי, "גרתי כאן, למטה, ולא ידעתי כלום." החדר היה גדול דיו להכיל שמונה או עשרה אנשים בנוחות מסוימת.

הוא שאל אם אצטרף אליו לשתיית כוס תה. לא היתה עוד נפש חיה בבית, והוא היה צמא לחברת אדם. ירדנו לקומה הראשונה, והאיש הביא שתי כוסות תה וצלוחית של עוגיות זולות.

"ספר לי איך זה התחיל," ביקשתי.

הוא שתה בכפית מן התה הרותח.

"לפני שנה מתה אשתי. הבית היה פתאום גדול מדי בשבילי. פירסמתי מודעה והצעתי להשכיר את הקומה השנייה. בא אלי הודי לבוש בגלימה ואמר שהדירה דרושה לו למגורים ולהוראת מדיטציה. היו לו נימוסים טובים, הדירה מצאה חן בעיניו והוא שילם מראש לכמה חודשים. לא היתה לי סיבה לחשוש, כי נשארתי לגור בבית ויכולתי לפקוח עין. הוא לא הפריע לי בכלל, אף פעם לא הרעיש, לא פתח רדיו או טלוויזיה בשעות מאוחרות, לא ערך מסיבות אל תוך הלילה. שבועיים או שלושה אחרי שנכנס לגור התחילו לבוא כמה גברים ונשים, והוא אמר לי שזוהי כיתת המדיטציה שלו. הם נהגו לבוא פעמיים או שלוש בשבוע והתבודדו למעלה, בקומה השנייה. הצצתי לשם בלי שיבחינו בי, ושמעתי שהם מדברים על שחרור מסבל ומפחדים, הם דיברו הרבה על המוות. מישהו מהם אמר שהוא מתכונן לאבד עצמו לדעת בשריפה..."

הוא הפסיק כדי לשתות מן התה ולכרסם עוגייה.

"היתה שם אשה נכה שהגיעה על קביים ונזקקה לעזרה כשעלתה במדרגות," המשיך, "היא התעלפה פעם או פעמיים, וההודי הזעיק רופא. יום אחד היא הגיעה מוקדם מכולם, עזרתי לה לעלות והשארתי אותה בדירה. פתאום הרחתי ריח חריף של גז. רצתי למעלה וראיתי שהיא פתחה את ברזי התנור ונשכבה לידו. הזעקתי אמבולנס ומשטרה. הרופאים הצילו אותה, והשוטרים באו, בדקו וחקרו, לקחו גם עדות מההודי. הם הכניסו אותו למכונית משטרה, לקחו אותו למעצר וגירשו אותו מן הארץ אחרי יום או יומיים."

155

מנהל מחלקת החקירות של משטרת לונדון קם ממקומו כדי ללחוץ את ידי. הוא היה גבר גבוה, צעיר ולבבי שיצא מגידרו כדי לסייע לי. הוא אמר שהפעולה של ראם סינג איננה בלתי חוקית, אף שבאנגליה לא אוהבים פעילות של כתות שלא ברור מה בדיוק נעשה בהן. לפעמים, אמר לי, עלולה כת כזאת להשפיע לרעה על אנשים חלשים ופשוט לגרום אסון. ניסיון ההתאבדות בדירה ששכר ראם סינג עורר דאגה במשטרה. הם נאחזו בעניין הוויזה שפג תוקפה וגירשו את ההודי מאנגליה. הוא סיפר שמתנהל מעקב משטרתי מתמיד אחרי פעילות הכתות באנגליה ושהשלטונות ההגירה מהדקים עוד ועוד את הפיקוח על הבאים מהודו. כמה טיפוסים הודיים שלא היתה להם סיבה מספקת לביקורם באנגליה לא הורשו להיכנס. לא ברור היה לו אם מישהו מהמגורשים נשלח על ידי כת השמים.

"יש לי קשרים טובים בהודו," אמר הקצין בגאווה, "אבא שלי היה פקיד ממשלתי בכיר בבומביי בימים הטובים של האימפריה. עשיתי כמה טלפונים לאנשים שעבדו עם אבא, ושעובדים כיום בשביל הממשלה ההודית, ביקשתי שיעבירו את שמות האנשים שקשורים לכת הזאת, כדי שנוכל למנוע את כניסתם לאנגליה. קיבלתי את הרשימה."

שאלתי אם אוכל לקבל העתק.

"כמובן," הוא אמר והכין בשבילי תדפיס בו במקום. עברתי עליו ברפרוף. היו שם בסך הכול שלושה שמות. טאמאל מהאנטה היה הראשון שבהם. תפקידו הרשמי: המורה הרוחני העליון של כת השמים. מקום מושבו היה באשראם של הכת בפונה. השם השני היה של ראם סינג. מקום מושבו האחרון, נאמר שם, היה ככל הידוע באשראם של גואה. שם נוסף ברשימה היה של אדם שנשא בתפקיד מנהל אדמיניסטרטיבי.

ביקשתי לדעת אם נפתחה חקירה בחשד שראם סינג הוציא ממשתתפי הסדנה כסף בתואנות שווא.

"לא," הוא אמר באדיבות, "איש לא התלונן שלקחו ממנו כסף בניגוד לרצונו."

הודיתי לו על הזמן שהקדיש לי. הסתובבתי ללא מטרה ברחובות לונדון וחשבתי על המידע שאספתי. קודם כול, היו בידי שמו ומקום מושבו של מנהיג כת השמים. היתה לי עדות של בעל הבית שראה את ראם סינג

בפעולה, היתה לי עדות של משתתפת בסדנה שנתנה לו כסף. הכול התחבר למסכת עובדות שאימתה את החשד שלי: כל מה שנעשה כביכול בשמה של תורה רוחנית כלשהי היה אחיזת עיניים, מכשיר להוצאת כספים ולבלבול דעתם של אנשים. העובדה שהמשטרה הלונדונית לא מצאה לנכון לבצע חקירה פלילית גרמה לי אכזבה, אבל לא ריפתה את ידי.

שוטטתי ברחובות הרטובים, חמקתי לתוך בתי קפה קטנים ושתיתי גאלונים של תה כדי להעביר את הזמן עד הטיסה ללוס אנג'לס. מבעד לחלונות נשקפה עיר קרה ומנוכרת, לא לונדון שאהבתי. זכרתי שהיינו כאן בירח הדבש. התגוררנו במלון צנוע ליד כיכר פיקדילי, אכלנו במסעדות זולות ברובע הסיני, ראינו הצגת תיאטרון בכל ערב והלכנו יד ביד בגשם. בשנים האחרונות עברתי בלונדון לא פעם בענייני עסקים. הייתי בוחר בבתי המלון הטובים ביותר, מוסיף למלתחה שלי בגדים מן האיכות הטובה ביותר, סועד רק במסעדות יקרות. עכשיו, פתאום, שום דבר בעיר הזאת לא עורר בי עוד עניין.

חזרתי לבית המלון, טילפנתי הביתה כדי לשמוע שהכול בסדר ונסעתי לנמל התעופה. המטוס ללוס אנג'לס יצא בדיוק בזמן. הגעתי לשם אחרי יותר מעשר שעות טיסה. הייתי עייף בגלל הפרשי השעות. חטפתי המבורגר תפל במסעדת המלון והלכתי לישון.

19

רק פגישה אחת היתה מתוכננת לי בלוס אנג׳לס. היא התקיימה בבוקר, במטה המשטרה המקומי. מפקד משטרת העיר, הר אדם סמוק פנים, גילה עניין רב בפרטי הפרשה הישראלית. כן, הוא קרא על כך בעיתונים והתכתב עם משטרת ישראל, אבל היו לו שאלות נוספות על פעילות הכתות המיסטיות בארץ, על נושא הכסף שנעלם. הוא אמר שפעילות מיסטית בחוף המערבי של ארצות הברית רווחת מאוד, ובהרבה מקרים המשטרה נכנסה לתמונה אחרי שהורים מתלוננים שילדיהם הקטינים עזבו את הבית כדי לחיות בתוך קומונות של כת זו או אחרת.

״לצערי,״ הוא אמר, ״יש לכתות השפעה מכרעת על חייהם של הרבה צעירים ומבוגרים, מכל שכבות החברה. זה בדיוק כמו שימוש בסמים. קל לשקוע לתוך כתות מיסטיות, יש להן שיטות בדוקות שיכולות לגרום לך להתמכר לאשליה שחייך יהיו טובים הרבה יותר אם תהיה שם. מבחינת המשטרה, לרוב אין לנו סיבה לעשות שום דבר נגד הפעילות הזאת. נכון שסגרנו כמה קומונות שהתגוררו בהן קטינים, עצרנו כמה אנשים אבל שיחררנו אותם לבסוף, כי לא היה במה להאשים אותם. הם מאוד מתוחכמים, מנהלי הכתות האלה. הם יודעים איך לא להשאיר עקבות.״

דיברנו על פרשת ההתאבדות בלוס אנג׳לס. הוא סיפר שלילה אחד נתקבלה במשטרה הודעה על בית שעולה בלהבות באחד הרחובות היוקרתיים ביותר בבוורלי הילס.

״כשהגענו לשם כבר לא היה מה לעשות,״ אמר, ״הבית קרס והיה לתילי חורבות. ככל שהצלחנו לברר, היו שם שני אנשים שמצאו את מותם בתוך הלהבות. סם ברונסטון בן חמישים ושתיים ואשתו ברברה בת ארבעים ושבע. לא היו להם ילדים, סם עשה הרבה כסף מסרטי פעולה סוג ב׳, שמכר בעיקר

לתחנות טלוויזיה בכבלים ולמפיצי סרטים באסיה. ברברה היתה חולת סרטן וטופלה בבית. מה שהטריד אותנו היתה העובדה שעל סף מותו מימש סם ברונסטון את כל רכושו, לקח את הכסף במזומן ומאז נעלמו המיליונים כאילו התנדפו באוויר."

המשטרה חשדה שהיה כאן רצח. נערכה חקירה מקיפה, נגבו עדויות מפי מכרים, ידידים, צוות העובדים בבית. לבסוף התברר, שכמה שבועות לפני הדליקה נכנס לגור בבית הברונסטונים מעין גורו הודי שהכירו באחת ממסיבות הקוקטייל המפורסמות של הוליווד. הם התרשמו ממנו מאוד, כל יום היה יושב איתם במשך שעות ושוטף להם את המוח. היתה לו תיאוריה שבעולם הבא טוב יותר, והוא הצליח כנראה לשכנע את ברברה ואת סם שכדאי להם לעבור לשם. ברברה ממילא עתידה היתה למות בקרוב, וסם אהב אותה יותר מכל דבר אחר. לא היתה לו כל בעיה להצטרף אליה בדרכה אל עולם האמת. לילה אחד הם שלחו לחופשי את כל הצוות והעלו את עצמם באש. חקרנו לאן נעלם ההודי. התברר שהוא עזב את אמריקה בדרכו להודו ימים אחדים לפני שזה קרה."

"אחרי זמן מה," המשיך מפקד המשטרה, "הצלחנו לחשוף את זהותו של הגורו. שמו ראם סינג, והוא היה חבר בכת השמים ומורה רוחני באשראמים שלהם. רצינו לשאול אותו כמה וכמה שאלות על נסיבות מותם של סם וברברה ועל היעלמו של הכסף. העניין עבר לדרגים בכירים במשרד החוץ, הם פנו לשלטונות ההודיים ומשם התקבלה התשובה שראם סינג לא נמצא בהודו וכשישוב לשם יחקרו אותו. עברו שבועות וחודשים ושום דבר לא קרה. נשלחו כמה התראות להודו אבל גם זה לא עזר. לא נראה היה לנו שהם ששים בכלל לטפל בעניין. בסופו של דבר, התערב בעניין שר החוץ עצמו ודיבר עם שר החוץ ההודי, שהבטיח לטפל אישית בפרשה. עבר עוד זמן, וקיבלנו תשובה רשמית שהמשטרה ההודית לא מצאה עילה לפתוח בחקירה פלילית. זה היה תמוה מאוד... אתה יודע מה אני חושב? אני חושב שמישהו קיבל שוחד, הרבה שוחד, כדי לטשטש את העניין."

הוא לקח אותי אל שרידי הבית שבו בוצעה ההתאבדות, נתן לי לקרוא את תיק החקירה ואיפשר לי לשוחח עם החוקרים. כולם ניסו לחשוף את מה שהתרחש בשעות האחרונות לפני המוות ואת הקשר בין ההתאבדות וההצתה

לבין ראם סינג, אבל כל מאמציהם היו לשווא. לא נתגלתה שום עדות שהיה בכוחה לשפוך אור על הקשר הזה ועל נסיבות האסון.

מפקד המשטרה התעניין מה עושה משטרת ישראל בעניין מותה של אשתי. אמרתי שהתיק נסגר משום שאין עוד מה לחקור, סיפרתי על הביקור שלי בלונדון ואמרתי שאני נחוש להבין מה בדיוק הניע את אשתי להתאבד, איך תוכננה ובוצעה המזימה לקחת אותה ממני ומילדי, לאן נעלם ראם סינג ומי האנשים שעמדו מאחוריו. הוא חשב על מה שאמרתי.

"יש רק מקום אחד שתוכל לקבל בו תשובות," הוא אמר.

"כן," אמרתי, "תיארתי לי שאגיע למסקנה הזאת."

הוא חייך בידידות.

"תיזהר," אמר, "האנשים שמטפחים את רעיונות ההתאבדות הם מטורפים מסוכנים. כשאתה נוסע להודו, תפקח עין ותהיה מוכן לכל דבר."

"תודה."

"דרך צלחה," אמר ולחץ את ידי בחום.

עליתי למטוס של "אייר אינדיה" מלוס אנג'לס לבומביי כשזרועי כואבת מזריקות החיסון שקיבלתי במרפאה פרטית. חוסנתי מפני חיידקי טטנוס וצהבת, על־פי המלצת הרופא, וקיוויתי שלא אחטוף בהודו שום מחלה אחרת שלא חוסנתי מפניה.

המטוס היה מלא עד אפס מקום באנשי עסקים, קבוצות של טיולים מאורגנים ותרמילאים צעירים בחבורות קטנות או לבד. רובם ככולם נשאו איתם אותו ציוד עצמו, שנועד להקל את השוטטות שלהם לאורכה ולרוחבה של המדינה. היו להם שקי שינה וכלי אוכל מתקפלים, בגדים שמתכבסים בקלות, ציוד רפואי בסיסי, כלי כתיבה ותפירה, מדריכי טיולים בשפות שונות.

במושב לידי התיישב אמריקני גבוה ושמנמן, מאלה שמרפקיהם משתרעים על ידיות המושב ומצמצמים עוד יותר את תחום המחיה של שכניהם. קיוויתי שלא יפתח בשיחה, אבל עוד בטרם האיץ הטייס את המטוס לקראת ההמראה הוא כבר דיבר והרבה.

הייתי מוצא אולי דרך להתחמק משטף המלל, אבל הדברים שאמר, בניגוד גמור לציפיות שלי, היו דווקא בעלי עניין. הוא היה אחד ממנהליה של חברת

מחשבים גדולה בקליפורניה. אחת לשנה, על חשבון החברה, היה חבר המנהלים ממריא לפונה שבהודו כדי לעשות מדיטציה באשראם של אושו. הוכח מעל לכל ספק, הוא אמר לי, שהיעילות בעבודה, המוטיבציה ויחסי האנוש בחברה השתפרו שיפור ניכר בכל פעם שמנהליה שבו מן האשראם. שמעתי את השם אושו בזמן שהתרוצצתי בין חסידי המדיטציה, היוגה והמיסטיקה בארץ, אבל לא ידעתי הרבה על הגורו הזה. לאמריקני לא היתה כל בעיה לעדכן אותי. הוא אמר שאושו הוא הגדול מכולם, הוא היה מרצה לפילוסופיה באוניברסיטה של ג'באלפור במרכז הודו שהקים אשראם משלו בפונה, אחרי שהרצאותיו זכו לפופולריות גדולה. התיאוריה שלו היא תערובת של בודהיזם, זן, פסיכולוגיה, פסיכודרמה ואפילו חסידות. הוא מצליח להעביר מסר פשוט: אתה עצמך הוא הדבר החשוב מכול, עליך לחדור אל תוך הנפש שלך כדי להכיר את עצמך טוב יותר. כדי להבין למה אתה מתנהג כך או אחרת, עליך להשתחרר מן הכבלים שהחברה המודרנית מטילה על בני האדם, עליך להבין שאסור לך לחיות במתח ובמירוץ בלתי פוסקים, עליך לחיות את העכשיו, את מה שטוב לך. האמריקני סיפר כי באים לשם אלפי אנשים מן המערב כדי לעשות מדיטציה וללמוד בסדנאות של האשראם.

"אתה לא תאמין איזה סוגי מדיטציות תמצא שם," אמר כשהוא לועס בתיאבון את ארוחת הערב שהוגשה לנו, "יש שם סדנה למדיטציה של צחוק ובכי, שנועדה לאפשר לך להגיע לרמת החושים הבסיסית ביותר, יש סדנה למדיטציה, שמחזירה אותך אל הילדות כדי לנער ממך את הטראומות שאתה סוחב משם; ראיתי שם אנשים שמחקים בפיהם תנועות של יניקה ומתפתלים בתנוחות עובר על הריצפה; יש באשראם לפחות שישה סוגים של מדיטציה המונית וכל אחד יכול להשתתף בהם, הכול מכוון לכך שתוכל למצוא את סוג המדיטציה שיתאים לך יותר מכול. אם תעבור שם לפני ארוחת הצהריים, ליד המטבח, תראה את המדיטציה המוזרה מכולן. אנשים עומדים בשיא הרצינות וחותכים ירקות לסלט. שים לב לשלט שליד הסוכה שבה הם עושים את זה. כתוב שם בפירוש: מדיטציה לחיתוך ירקות..."

נחתנו בבומביי עם בוקר. באוויר עמדו ריחות של דלק מטוסים חרוך, זיעת אדם חמצמצה ועשן מדורות שהבעירו יושבי משכנות העוני הסמוכים כדי

לבשל עליהן משהו לאכול. בני אדם שוטטו כדמויות רפאים בערפל שכיסה את העיר. נסעתי במונית למרכז בומביי. עברתי ברחובות מאובקים שנמתחו בין צריפי פח ובתי אבן רעועים. ראיתי אנשים ששכבו על המדרכה מכורבלים בסחבותיהם, ואחרים שהתרחצו בגיגיות מחוץ לצריפי הפח הלוהטים ששימשו להם מגורים, ראיתי פרות ששוטטו באין מפריע באמצע הכביש וחסמו את התנועה, והמוני בני אדם שישבו בטלים ליד קיוסקים עלובים לממכר תה וטוגני בצק. הכבישים היו מלאים רוכבי אופניים ואופנועים, אלפי אנשים הלכו בשולי האספלט כשהם נושאים צרורות עלובים. נהג המונית צפר בקוצר רוח כדי שיוכל לפלס דרך בתנועה הכבדה, אבל לאיש זה לא הזיז.

הכול נראה כבית מטורפים שהוציא לחופשי את החולים המסוכנים ביותר שלו. נשענתי לאחור על המושב הקרוע של המונית ועצמתי את עיני. זו היתה הפעם הראשונה שלי בהודו, וקבלת הפנים היתה כסטירה מצלצלת על פרצופי. העוני המשווע, האנשים האומללים, הלכלוך וההמולה הבהירו לי היטב לקראת מה אני הולך. מה, לעזאזל, אני עושה פה, שאלתי את עצמי. איזה סיכוי יש לי בכלל למצוא משהו או מישהו בתוך הערימה האנושית העלובה הזאת, שמדברת בבליל שפות ודיאלקטים שאף אחד מהם אינו מוכר לי? הרגשתי זר ומבוהל, הרגשתי שאני עומד ללכת לאיבוד. נאבקתי בדחף לעלות על המטוס הראשון ולחזור הביתה.

נהג המונית עצר לפני בניין גדול, שבו שכן משרד פרקליטים שזכה להמלצות של חברי בישראל. הוא פתח את תא המטען והוציא את תיק המסע שלי. שומר במדים שעמד בפתח שאל אותי כמה שאלות מהירות והכניס אותי פנימה לאחר שווידא שאכן נקבעה לי פגישה מראש. הדלת הוגפה מאחורי ובבת אחת, כמו על־פי פקודה נעלמה, פסק לחלוטין רעש הרחוב. הגעתי למקום שפוי.

נערה בסארי כתום הודיעה בטלפון על בואי ואמרה: "מיסטר צ'אנדרה ממתין לך בחדרו." פסענו על שטיח רך, והיא הכניסה אותי ללשכתו של הפרקליט.

שאנקאר צ'אנדרה היה כבן שישים, נמוך קומה, שחום עור ולבן שיער. היתה לו חליפת שלושה חלקים מהודרת וממחטת משי צבעונית בכיס

המקטורן. הוא חייך לקראתי וקם ללחוץ את ידי. צ'אנדרה היה שותף בכיר באחד ממשרדי הפרקליטים הגדולים בבומביי, עורך דין בעל מוניטין.

צעירה נאה הביאה על מגש כוסות תה בחלב ונעלמה. הפרקליט שילב את זרועותיו ונשא אלי מבט שואל.

"בבקשה, מר שמיר, מה מביא אותך לכאן?"

סיפרתי לו. אמרתי שאני מתכוון לעשות כל מאמץ כדי לאתר את ראם סינג ולהוציא ממנו הודאה. אם אצליח, תהיה לי הוכחה לאשמתו. רציתי שצ'אנדרה יסייע לי להביא למעצרו על סמך ההודאה הזאת. באותה מידה, האמנתי, אפשר יהיה לעצור את ראשי כת השמים ששיגרו אותו לתל אביב בגלל תאוותם לכסף. משפטם של סינג והכנופייה, הבעתי את דעתי, יעורר הדים ציבוריים רחבים בהודו ובעולם כולו ויגרום בסופו של דבר לחיסול הכת.

הוא שקע במחשבות ואחר כך אמר:

"מה גורם לך להאמין שתוכל להוציא הודאה מראם סינג?"

"רק דבר אחד: התחושה שלי שאני חייב לעשות זאת, שאין לי שום דרך אחרת."

"ידוע לך היכן הוא נמצא?" שאל צ'אנדרה.

"אין לי כל מושג, אבל אני אחפש אותו עד שאמצא."

הוא הביט בי בסקרנות:

"ברור לך שאתה מקבל עליך משימה כמעט בלתי אפשרית."

הינהנתי בראשי.

"או קיי," אמר, "אשתדל לעשות מה שאוכל. כשתמצא את הבחור, כשתקבל ממנו הודאה, תתקשר אלי מיד, כדי שאוכל לטפל בעניין המעצר."

אמרתי לו שיש בדעתי גם לתבוע את הכסף שסינג לקח מעופרה בתואנות שווא.

הוא שתה את כוס התה שלו עד תום, קינח את פיו בממחטת בד מגוהצת, קם ממקומו וביקש ממני לבוא אל החלון. באצבע מטופחת הצביע לעבר מקדש שיש לבן שניצב סמוך לבית המשרדים.

"זהו המקדש של אל הקוף, האנו־מן," הסביר בסבלנות כאילו זה מה שבאתי לשמוע מפיו. הוא סיפר סיפור ארוך על סיטה, אשתו של האל ראמה,

163

שנחטפה בידי מלך סרי לנקה והוחבאה בארמונו, ואלמלא קוף מן הג'ונגל שעלה על עקבותיה ראמה לא היה מוצא אותה לעולם. סופו של דבר, שהקוף גייס את כל חבריו ויחד הם הטילו אין־ספור סלעים אל תוך הים המפריד בין הודו לסרי לנקה, כדי שרמה יוכל לעבור שם עם גייסותיו ולהחזיר אליו את אשתו. "מאז," הוא אמר, "קיבל הקוף מעמד של אל."

הוא הביט בי במבט מבודח כלשהו.

"אתה יודע למה סיפרתי לך את הסיפור הזה? משום שהמקדש של אל הקוף, כמו כת השמים, כמו אלף ואחת כתות ומקדשים בהודו, מתקיים פשוט מתרומות. זה הגיוני, זה מקובל, זה לא נוגד את החוק. מה שאני רוצה להבהיר הוא שאין שום פסול בקבלת תרומה, אם היא לא נלקחת ממך בכוח. ממה שאני מבין, כת השמים לא אונסת אף אחד לתת לה כסף. לכן גם אין כאן שום עבירה פלילית."

"זה העניין," התרתחתי, "הם מפעילים על האנשים לחץ מיסטי, הם גוררים אותם לתוך מערכת של תיאוריות מטופשות, הם מחסלים את כוחם להתנגד."

הפרקליט הביט בי בעיניים רוגעות:

"איך תוכל להוכיח שהיה כאן קשר לקחת את כספה של אשתך ולשכנע אותה להתאבד? הרי אף אחד לא הכריח אותה למות. אתה יכול להסכים או לא עם התורה שבה מאמינה כת השמים, אבל בין זה לבין מעשים פליליים הדרך, אני חושב, ארוכה מאוד."

הבנתי אותו היטב. מנקודת ראותו, ביקשתי להטיל עליו מעמסה שלא ברור היה לו שיוכל לעמוד בה. הוא היה עורך דין מצליח ששנא כישלונות. התיק שהצעתי לו היה רחוק מלהבטיח הצלחה, אבל לא היתה לי דרך אחרת.

"רק שאלה אחת, אדוני," אמרתי, "איך אתה מעריך את הסיכויים של התיק הזה?"

"עם הודאה של ראם סינג או בלי הודאה?"

"עם ובלי."

"עם הודאה באשמה יש כל הסיכויים שהבחור ייעצר וגם האנשים ששלחו אותו. בלי הודאה באשמה, הסיכוי לעשות משהו שואף לאפס."

"בסדר," הסכמתי, "אני מהמר על האפשרות הראשונה. האם תקבל את

התיק?"

הוא היסס.

"שכר הטירחה שלנו לא נמוך במיוחד," אמר.

"לקחתי את זה בחשבון."

סיפרתי לו שיש בדעתי לנסוע לגואה כדי להצטרף לזמן מה לסדנה באשראם של כת השמים, האשראם שראם סינג היה בו מורה רוחני.

"אני מעוניין לעקוב אחרי התהליך שאנשים עוברים בסדנאות כת השמים," אמרתי, "אני רוצה לדעת שלב אחרי שלב מה בדיוק עבר על אשתי. אולי יש גם סיכוי שאמצא את סינג עצמו."

"טוב מאוד," אמר שאנקאר צ'אנדרה, "אם תגלה אותו, תודיע לי מיד."

הבטחתי לו.

"עצה אחת לפני שתיסע לגואה," אמר, "אני במקומך הייתי משתדל שלא לגלות להם את שמי האמיתי. אם זו באמת רשת של נוכלים, הם יבדקו כל מי שנכנס לאשראם כדי למנוע מגורמים לא רצויים לחשוף את מעשיהם. הם עלולים בהחלט למצוא קשר בינך לבין מה שקרה בתל אביב וישליכו אותך משם בבושת פנים, אם לא גרוע מזה."

"חשבתי על כך," אמרתי.

הוא סייע לי לכתוב תצהיר שבו מניתי את החשדות שלי כלפי ראם סינג, החתים אותי על ייפוי כוח וגבה עשרת אלפים דולר כדמי קדימה. במצבי, זה היה הון תועפות, אבל לא אמרתי מילה. הוא שאל היכן יוכל להשיג אותי בעת הצורך, ואני מסרתי לו את שם המלון בגואה שבו הזמנתי חדר מראש. לחצנו ידיים. הלכתי משם שלם בליבי עם ההחלטה למסור את הטיפול בנושא לפרקליט הודי מיומן, ועם זאת חרד שעל אף המאמצים שאעשה לא יקרה בעצם דבר.

165

20

גואה היא מושבה פורטוגזית לשעבר בקצה היבשת, חצי אי יפהפה, שבו נולד ראם סינג, ושם, באשראם המקומי של כת השמים, שימש רועה רוחני. טסתי לגואה מבומביי במטוס קטן של חברת תעופה מקומית. הגעתי בצהרי יום שמש בהיר וחם.

נהגי המוניות, שהתגודדו בפתח הטרמינל, הריחו טרף חדש ושעטו לעברי. הם שלחו אלי ידיים תאבות ומבטים מתחננים. נהג גברתן התעקש ללוות אותי אל מוניתו וניסה לשאת את המזוודה שלי. גירשתי אותו בצעקות. בקצה המדרכה עמד הודי צעיר וצנום ליד מונית רעועה. הוא לא ניגש אלי, רק הסתכל בי בשלווה, כאילו לא היה איכפת לו אם אסע איתו או לא. זה מצא חן בעיני. פניתי אליו ושאלתי אם הוא פנוי.

"כן, אדוני," אמר. בו ברגע שמעתי צעקה עזה. הנהג הגברתן גער בנהג שלי בשפה שלא הבנתי. היה ברור לי שהוא עומד בעקשנות על זכותו להסיע אותי. הנהג שלי משך בכתפיו והכניס את המזוודה בכל זאת לתא המטען של מכוניתו. זה עורר עוד יותר את חמתו של השני. ראיתי אותו מסתער על הבחור הצנום, ולא היה לי ספק שימעך אותו כליל. הנהג שלי המתין ללא ניע, וכאשר התקרב התוקף ביצע משהו שנראה כמו צעדי ריקוד וסטה במהירות ממסלול ההסתערות. הענק בלם את עצמו, סבב והסתער שוב. הצעיר הצליח לחמוק גם הפעם. המסתער החל להתנשף בכבדות, אבל לא חדל מלתקוף. לפתע נשאר הצעיר במקומו, גופו התקשח ואגרופיו נקמצו לקראת מהלומת מנע קצרה ויעילה, שהנחית במרכז גופו של הגברתן. התוקף התמוטט, ועשרות הודים סקרנים שנקהלו סביב הביטו באדישות באיש ששכב על המדרכה. בשלווה שלא נפגמה כמלוא הנימה פתח לפני הנהג את הדלת ואמר: "בבקשה, אדוני."

המכונית הישנה התנהלה בכביש צר בין דקלים ארוכים ערומי גזע,
שאשכולות של אגוזי קוקוס תלו מתחת לצמרותיהם. הים השתרע מבעד
לחורשות הדקלים, שלו ורגוע.

"שמי ראג'יב," אמר הנהג.

אמרתי לו את שמי.

"טיפלת יפה באיש ההוא," החמאתי לו.

"תודה," חייך, "זה לא פלא. אני עושה יוגה מגיל חמש."

"ואיך זה עוזר לך?"

"הו," הוא אמר בהתלהבות, כאילו ציפה שאשאל, "יוגה היא פעילות
רוחנית שמשלבת מדיטציה ותנועה. האלים, על־פי המסורת, לימדו את בני
האדם את התרגילים הקדושים של היוגה כדי לעזור לאנושות." זכרתי
שביקרתי בסדנת יוגה בתל אביב במסגרת המידע שאספתי על פעילותן של
הכתות. ראיתי שם קבוצה של גברים ונשים, שביצעה בדממה תרגילי מתיחות
איטיים במיוחד.

"אומרים," הוסיף ראג'יב, "שאם אתה לומד ומתרגל יוגה כמו שצריך,
אתה זוכה בקשיחות ובכוח של חוטב עצים, בגמישות של רקדן צעיר ובשלווה
של חכמינו הקדמונים."

הוא דיבר על סגולותיה של היוגה בתהליך עיכוב הזיקנה, כאמצעי
להתגברות על מומים גופניים, שיפור המודעות העצמית והחדרת ביטחון
עצמי המאפשר הגנה יעילה מפני כל תוקף.

את חלקו הגדול של המונולוג לא שמעתי. ההודים, כפי שנוכחתי לדעת
עד מהרה, יכולים להיות פטפטנים גדולים ולדבר ללא הפוגות, אם רק יתנו
להם את ההזדמנות לכך. ראג'יב המשיך לדבר, ובשלב מסוים חדלתי להקשיב.
חצינו עיר קטנה ואפורה. בלעתי את מראות המקדשים המפוארים לצד
בקתותיהם החרבות של העניים, את קירות ההשתנה שגברים הטילו בהם את
מימיהם, את הדוכנים שבהם נמכרו אגוזי הביטל שההודים רגילים ללעוס עד
שפיהם מאדים, ואת גוש האדם שנע ללא הרף קדימה ואחורה כגלי גאות
ושפל, לכאורה ללא עניין, לכאורה ללא מטרה.

קבצנים הסתערו על המונית מכל עבריה בכל פעם שעצרנו. חלקם ניסו
למכור לנו משהו, אחרים פשוט שלחו יד והתחננו לכסף. ילד כבן שמונה

נתלה על אדן החלון בעת שנתקענו בפקק. הוא הושיט יד רזה ככפיס עץ
והציע לי מצית זול. על צווארו היתה תלויה שקית שקופה ובה כמה חפיסות
של גומי לעיסה ומציתים נוספים. התרשמתי מכך שלא ביקש נדבות, אלא
ניסה להרוויח את כספו בכבוד. קניתי ממנו מצית אף על פי שלא היה לי כל
צורך בו. הילד מילמל תודה וניתק מן המונית. ראיתי אותו עומד על קצה
המדרכה בין המון האדם ומחפש לקוחות נוספים. לפתע חלף לידו במהירות
גבר לבוש סחבות, תלש מצווארו את השקית ונעלם באחת הסימטאות. הילד
ניסה לרדוף אחרי הגנב, אבל הבין מיד שלא יצליח להדביקו. הוא התיישב על
אבני המרצפת ופרץ בבכי.

"חכה רגע!" קראתי אל ראג'יב בקול נסער.

פתחתי את דלת המונית וזינקתי ממנה החוצה, מתעלם מפקק התנועה
שיצרנו. דקות אחדות אחר כך חזרתי והוריתי לראג'יב לנסוע. מן החלון
ראיתי את הילד מחייך ומנופף לי לשלום. החזרתי לו נפנוף ומבט של עידוד.

"מי שגנב לילד הזה את הסחורה שלו," אמרתי בהתרגשות, "לא גנב
הרבה, אבל בשביל הילד זה היה כל רכושו. אני מניח שלקח לו המון זמן
לאסוף כסף כדי לקנות את המוצרים שהוא מציע למכירה. אני שמח
שהצלחתי להרגיע אותו."

"איך?" שאל ראג'יב.

"נתתי לו עשרה דולר, זה יספיק לכסות את מה שנגנב ממנו."

"אתה מטורף," ראג'יב צחק בקול רם, "האיש המבוגר שגנב את השקית
הוא בטח אבא שלו. הם מצליחים לרמות תיירים, שממהרים לפתוח את
הארנק שלהם כדי לעזור לילד המסכן. חבל שלא שאלת אותי קודם..."

היתה לי הרגשה מטופשת, הייתי צריך להיזהר מלראות דברים כפשוטם.
הבנתי שיעבור עוד זמן רב עד שאצליח להתחבר אל חיי היום-יום במדינה
הזאת, עד שאגיע למצב שבו אלמד להכיר את האנשים, את דרכי ההתנהגות
שלהם, אפילו את נוכלויות הרחוב. הרגשתי שוב חסר אונים.

נסענו כברת דרך בין כפרי דייגים עד שהגענו למלון בחוף וגאטור. זה היה
בית קומתיים שהיה בנוי בשולי דרך עפר שירדה אל החוף. מרבית האורחים
היו נופשים מאירופה שהסתפקו בנוחות הבסיסית של המלון הקטן, ובלבד

שיהיו קרובים אל הים. ראג'יב עזר לי להכניס את המזוודה פנימה, ועיניו
אורו כשביקשתי ממנו שיעמוד לרשותי למחרת בבוקר.

מילאתי את טופסי הקבלה, הכנסתי את כספי ואת הדרכון שלי אל
הכספת ועליתי לחדרי. אור בין-הערביים צבע את החדר בגון ארגמן. מן
החלון נשקף חוף ים ארוך. מי הים היו רגועים, חלקים כראי. הגפתי את
התריסים והפעלתי את המזגן. הייתי עייף מאוד. השתרעתי על המיטה
ועצמתי את עיני, אבל לא הצלחתי להירדם. הרגשתי בודד, רחוק מכל מה
שהייתי קשור אליו. שוב חשבתי על עופרה, תיארתי לעצמי את שנינו כאן,
בטיול, זכרתי איך היתה מתלהבת ממעדנים שלא אכלה מימיה, זכרתי את
אהבתה לתכשיטים מלאכת יד כמו אלה שהוצעו כאן למכירה בחנויות ובדוכני
הרחוב, ועצבות גדולה ירדה עלי.

הבוקר שלמחרת היה חם ולח. מן החלון בחדרי ראיתי את החוף מנומר בשקי
שינה שתרמילאים מכל העולם עשו בהם את הלילה. שני שוטרים בבגדי
חאקי טיילו לאיטם על החול. ירדתי לחדר האוכל. היו שם בעיקר תיירים
קולניים שהחליפו רשמים והצטלמו למזכרת. כל השולחנות היו תפוסים,
והמלצר הוביל אותי לשולחן שלידו כבר ישבה אשה אחת. היא קראה עיתון
ישראלי. שאלתי אם אוכל לשבת לידה, והיא ניאותה בניע ראש. הבחנתי
בקמטי דאגה שחרצו את פניה.

הצגתי את עצמי.

"שמי ירדנה אלון," אמרה. היא סיפרה לי שהיא אלמנה מרמת גן, עובדת
כמזכירה במשרד אדריכלים. דור, בנה הבכור, שהיה חייל בסיירת גולני,
השתחרר מהצבא, נסע עם חברים לגואה, טילפן פעם אחת ולאחר מכן נותק
הקשר. היא ניסתה לאתר אותו באמצעות השגרירות ההודית ומשרד החוץ,
ורק לאחר זמן התברר לה שבנה נעצר כחשוד בסחר סמים. הוא החזיק כמה
עשרות גרמים של חשיש, בשעה שמותר להחזיק לא יותר מחמישה. כל
טענותיו שהסם נועד לצריכתו האישית לא הועילו. קצין המשטרה שחקר
אותו הודיע לו שלפי החוק הוא צפוי לעונש מאסר של עשר שנים, ובהודו,
הוא הוסיף, לא מנכים שליש על התנהגות טובה.

היא הוציאה מארנקה צילום של בנה, נער יפה, שחרחר, שחיוך רחב

169

שרוע על שפתיו. היא ליטפה את הצילום ברוך ואמרה: "זהו דור." מאז נעצר בנה חלפו שישה חודשים. היא קיבלה ממנו כמה מכתבים מן הכלא ושמרה אותם במעטפה מקומטת. אחד מהם הושיטה לי. המכתב שנכתב על דף מזוהם, פתח במילים *"אמא יקרה שלי"*. זה לא היה דיווח על חיי הכלא, זו היתה קריאה לעזרה, *"... אני פוחד, אמא, אני פוחד שמשהו נורא יקרה... אני ישראלי יחיד כאן בין המון פושעים הודים, ואני מרגיש שדעתי נטרפת, שענן שחור רובץ מעל לראשי. יום רודף יום, אני רובץ בתא הטחוב, גופי כואב ועיני דומעות ללא הרף. רופא מגיע לכאן לעתים רחוקות והחובש שנמצא פה לא מבין שום דבר ברפואה. אני מתלונן על כאבי בטן וראש, והוא נותן לי תרופות שלא מועילות לכלום. רע לי, אני לא מצליח לישון בלילות, אני לא מצליח לשכנע את עצמי שאצא מכאן חי אי פעם. אנא, אמא, עשי הכול כדי להציל אותי..."*

בזווית עיניה היא קראה את המכתב איתי וקינחה את דמעותיה בממחטת נייר. היא סיפרה לי שנאלצה למשכן את דירתה, להיעדר במשך שבועות ממקום העבודה שלה כדי להיות בגואה שוב ושוב. בכל פעם שהגיעה שכרה חדר אצל משפחה מקומית תמורת כמה רופיות וביקרה פעמיים בשבוע בכלא אגוואדה, שבו ישב בנה, באגף האסירים הממתינים למשפטם. שלטונות הכלא הירשו לה להביא אליו אחת לשבוע כמה פריטי מזון חיוניים, חלב, פירות, קפה נמס. היא שכרה עורך דין מקומי, חילקה כספים לכל מי שחשבה שיוכל לעזור, שיחדה את הסוהר כדי שיכניס לתאו של בנה מזרן מרופט שיוכל לפרוש על ריצפת הבטון הלחה במקום פיסת המחצלת הקרועה. לא היה לה מושג מה יקרה במשפט שעמד להתקיים בעוד ימים אחדים, והיא חששה מאוד שבנה לא יצליח להתחמק מעונש.

"למה הוא נסע לגואה?" שאלתי, "הרי יש מקומות אחרים בעולם, יש מקומות יפים לא פחות."

היא נאנחה. היה לי רושם שזו לא הפעם הראשונה שנאלצה להתמודד עם השאלה הזאת.

"למקומות אחרים בעולם," אמרה, "אנשים נוסעים לטייל, חוזרים הביתה וממשיכים בשיגרה שלהם. להודו נוסע מי שרוצה לברוח. הבן שלי נסע לשם כדי לשכוח את הצבא ולהפיג את המתח, כדי לברוח מן ההתמודדות עם

החיים, עם הצורך לחפש עבודה, עם המשפחה שמנדנדת לו ללכת ללמוד כדי שיוכל להתקדם כמו הבן של השכנים. המעבר מחיי צבא, שבהם יש מי שמשגיח עליו כל הזמן וקובע את סדר יומו ועיסוקיו, לחיים אזרחיים, שבהם הוא צריך פתאום להילחם לבד, היה לו קשה מאוד, כמו להרבה צעירים כמוהו. בהודו מלמדים אותם שהמטרה בחיים היא לדאוג קודם כול לעצמך, לשקט הנפשי שלך, מלמדים אותם לשקוע בעולם ללא מחשבות, לא להילחם להישגים. זהו פיתוי גדול ללכת אחרי גורו שמבטיח לך את השקט שאתה מחפש, שאומר לך שאין צורך לרוץ ללא הרף קדימה..."

בזהירות החזירה את המכתב ואת הצילום של דור לארנקה.

"לפני שנסע, אמרתי לדור כל מה שאני חושבת על הודו," המשיכה, "הוא צחק ואמר שאני לא מבינה, שיש לי השקפת עולם מיושנת, שהדור של היום רוצה ראש קטן וחופש גדול. הוא תיכנן להסתובב באשראמים, לחפש את שלוות הנפש, את השקט. הוא אמר לי: אני נוסע למצוא את עצמי, ללמוד לשלוט בגורל שלי... בסוף הוא יושב בכלא ובוכה בכל פעם שהוא רואה אותי. רק אחרי שאסרו אותו הוא הבין שהחיים מורכבים הרבה יותר מכפי שתיאר לעצמו, שמידת השליטה של אדם בגורלו היא הרבה פחות גדולה מכפי ששיער. רק בכלא הוא התפכח, רק שם הוא החל לחוש את צער הזולת, את הצער שלי..."

לא היו לי הרבה מילות נחמה. סיימתי את ארוחת הבוקר ונפרדתי ממנה. יצאתי החוצה. ראג'יב המתין בפתח המלון. ביקשתי שיביא אותי אל האשראם.

21

התנועה על כביש החוף הצר היתה צפופה ביותר. אוטובוסים ומכוניות
פרטיות ואופנועים בצהוב-שחור, ששימשו מוניות לנוסע אחד, התחרו על
מקומם תוך צפירות בלתי פוסקות. רוכלים פרשו בצידי הכביש יריעות בד
מטולאות, הניחו עליהן ערימות קטנות של ירקות, פירות וקטניות וציפו
לקונים. היו שם חורשות גדולות של עצי פאפאיה ומנגו, וילדים קטנים עם
תיקי בית ספר צעדו לאט בדרך עפר מאובקת.

האשראם של כת השמים ניבנה בקצהו של שביל תלול, על חורבות
מצודה עתיקה שהשקיפה אל חוף אנג'ונה. החוף היה מדהים ביופיו. הוא
נפרש בין צוקים שחורים ענקיים, שקצותיהם המשוננים דמו לחניתות
המזדקרות כלפי הרקיע. בצל הסלעים חסו כמה סוכות דייגים עלובות, בנויות
מיריעות בד כהות. על רצועת החול הצרה היו סירות, ולידן רשתות שכמה
גברים ונערים עסקו בתיקונן. האשראם שכן מעל כל אלה במיבנה חד-קומתי
צבוע תכלת, מוקף חומת אבן גבוהה. במרכז החומה היה קבוע שער ברזל עם
פיתוחי אמן. הוא היה פתוח לרווחה. מבעד לשער נשקפה חצר פנימית
מטופחת. לאורך כל החדרים, שנשקפו אל החצר, נמתחה מרפסת מקורה,
נתמכת בעמודי אבן מגולפים.

ראג'יב החנה את המונית ליד השער. ביקשתי שימתין ונכנסתי אל
החצר. כמה גברים ונשים, רובם בעלי חזות אירופית, ישבו שם על כיסאות
עץ, לבושים בגלימות תכלת, ושוחחו בשלווה. ראיתי על קירות הבניין שלטי
שיש רבים, שבהם נחרטו שמות של אנשים שהעלו תרומות לאשראם.

נכנסתי אל החדר שנשא את השלט "משרד קבלה". שני הודים ישבו שם
ועסקו בניירת כלשהי. הם הרימו את עיניהם אלי במבט של שאלה. אמרתי
שאני מתעניין בסדנת "הגשר אל האור", ורציתי לברר אפשרות לשמוע כמה

172

הרצאות. אחד מן השניים, גבר רחב גוף, גבוה ושחור שיער, מדד אותי בעיניו.

"תיכנס בבקשה," אמר. הוא הציע לי כיסא ליד שולחנו. הגבר השני היה הודי צנום שחדל מעיסוקו והביט בי.

"היכן שמעת עלינו?" שאל הראשון.

"באוסטרליה," שיקרתי, "קראתי מאמר עליכם."

פחדתי שאעורר את חשדו אם אומר שקראתי עליהם באנגליה או בארצות הברית. בעיתונות הבריטית והאמריקנית לא היתה כת השמים פופולרית במיוחד מאז פרשת ראם סינג.

"באיזה עיתון קראת עלינו?"

אמרתי שאני לא זוכר, אבל זכור לי שהיה שם ראיון עם אחד המורים בכת.

"הממ... מה הרשים אותך במיוחד בראיון הזה?"

"כל התיאוריה על ההכנות לקראת המוות כתחנת מעבר לעולם האמיתי, על ההתעלות הרוחנית הכרוכה במעבר הזה. הנושא הזה מעורר בי הרבה עניין."

מה המקצוע שלך?"

"אני עורך דין."

"מאיפה?"

"מסידני, זו עיר באוסטרליה."

"אני יודע. אתה נשוי? משפחה?"

"אני רווק."

"שמך?"

"סטיב מורגן."

שני הגברים ניהלו ביניהם שיחה קצרה בשפה שלא הבנתי. התשובות שלי, עד כמה שניסיוני בחקירת עדים איפשר לי להבחין, היו תמימות ורחוקות מלעורר חשד. לגבי שני ההודים האלה, חשבתי, הייתי לא יותר מעוד מערבי מטורף שבא להודו כדי למצוא את הדרך הנכונה.

חיכיתי כמה דקות עד שסיימו להחליף דברים.

"בסדר," אמר הגבוה בקול ענייני, "נשמח אם תצטרף אלינו." הוא הסביר לי את הנהלים: הכניסה אל האשראם חופשית בכל שעות היום, ניתן

לשמוע הרצאות ככל שארצה, לכל קבוצה, אמר, יש מדריך, והפעילות נמשכת בדרך כלל משעות הבוקר המוקדמות עד הערב. שפת ההרצאות היא בדרך כלל אנגלית, ועל־פי בקשה מיוחדת גם גרמנית או צרפתית. כרגע פועלות באשראם ארבע קבוצות. שאלתי אם עלי לשלם, והוא אמר שאין משלמים תמורת הלימודים, אבל תרומות יתקבלו ברצון.

הוא הושיט לי טופס למלא. היססתי לרגע מה לכתוב בסעיף "מקום מגורים בגואה", ולבסוף כתבתי את האמת. לא נראה לי שמישהו יטרח לבדוק אם אני אכן מתגורר שם. שלפתי את ארנקי, הנחתי בצד הטופס שלושה שטרות של מאה דולר כל אחד ואמרתי: "אשמח אם תקבלו את התרומה הצנועה שלי." הם חייכו בקורת רוח ולחצו את ידי.

"ברוך הבא לכת השמים," אמר ההודי הצנום.

הגבר הגבוה שאל אם אני מכיר את העקרונות שכת השמים דוגלת בהם. אמרתי שאני מכיר אותם רק באופן כללי.

"תרשה לי," אמר, "לתת לך הסבר קצר, כדי שלא תפגר אחרי הסדנה שלך."

"תודה," אמרתי.

"אצלכם במערב," אמר האיש בקול מתון, "אנשים פוחדים מן המוות, מתייחסים אליו כאסון או כסוף העולם. במקרה הטוב אנשים פשוט מתכחשים אליו, מתנהגים כאילו אינו קיים. אתה מכיר את האימורטאליטי?"

"שמעתי עליהם. זו הכת מאריזונה שטוענת שאפשר לחיות לנצח."

"בדיוק. האנשים האלה מקדישים מאמצים רבים להכחשת קיומו של המוות, והם מנהלים את חייהם כאילו יום מותם לא יגיע לעולם. מה שאנחנו אומרים הוא שהגוף עצמו יכול למות, אבל הנשמה לא. אנשים רבים סבורים שצריך להספיק הכול לפני שהמוות מגיע, משום שהם חושבים שאחריו אין כלום. אנשים מבוגרים ומתורבתים לכל דבר מתנהגים כילדים שהתגנבו בלילה לחנות ממתקים, והם בולעים וזוללים בבולמוס אדיר כאילו אין מחר. אנשים הורסים ומרעילים את כל צורות החיים הקיימות, מנהלים מלחמות ורוצחים זה את זה, מזהמים את האוקיאנוסים ומחסלים את הדגה, כורתים את יערות הגשם ומצמצמים את החמצן, כאילו היו היצורים האחרונים על

כדור הארץ, שחייבים לצבור הנאה, כסף וכיבושים מכל מקור אפשרי. מאחורי הזלילה הגדולה מסתתר פחד גדול, הפחד מן המוות. הטענה המרכזית של ההינדואיזם היא שאנחנו חיים בים של ייסורים, המכונה בשפתנו 'סאמארה'. השאיפה העליונה של בני האנוש היא להיחלץ ממנו, להגיע לדרגה הגבוהה ביותר של רוחניות, לנירוונה, לחופש מן הפחד. אל החופש הזה, אל שלוות הנפש המלאה, אפשר להגיע רק אחרי שמתגברים על הפחד מן המוות. המורים הרוחניים של כת השמים מלמדים אותך לנצח את פחד המוות כחלק מן הדרך לנצח את החיים."

הוא הסתפק בכך.

"המורה שלך יסביר לך את כל השאר," אמר.

קיוויתי שהמורה יהיה ראם סינג.

ההודי הוביל אותי במסדרון ארוך וחשוך ופתח דלת סגורה. בחדר גדול בעל תקרת קשתות קמורה ישבו על הריצפה בשילוב רגליים כעשרה גברים ונשים, כולם כבני ארבעים, חמישים ומעלה. התריסים היו מוגפים מפני אור היום ועל כני עץ קטנים לאורך הקירות דלקו נרות. גבר מזוקן כבן ארבעים, לבוש בגלימה תכולה, עמד מול החבורה ודיבר בקול חרישי. זה לא היה ראם סינג.

המלווה שלי הורה בידו על הריצפה, סמוך לאחד השומעים. התיישבתי.

"אני מברך את החבר החדש שהצטרף אלינו זה עתה," אמר המורה באנגלית. כמה מבטים עמומים הופנו אלי. חלק מן האנשים חייכו אלי בנימוס ושוב היפנו את מבטם אל הדובר.

"ובכן," אמר המורה, "כפי שאמרתי, מי שמת כשהוא עמוס ברוגז או תאוות חזקות ייוולד שוב מחדש, בגלגול המתאים, אל תוך הסבל והייסורים של העולם הזה. אבל מי שיודע, על אף כל הקשיים, למות נקי ממחשבות מזוהמות, מי שהשכיל לשמור על מודעות נכונה, יגלה שכל המצוקה שהיתה בעולמו נעלמה, ואט אט מפציע במקומה אור צלול וראשוני, זוהר נפלא אין־סופי, עמוק ועצום. אנשים שהציצו לעולם שאחרי המוות וחזרו מתארים תחושה נהדרת ואושר שמימי, מנהרה מלאה אור זוהר ורצון להמשיך הלאה אל העולם המופלא שמעבר לזה.

"הפוליטיקאים ואנשי הדת מתנכלים למחקרים שמאשרים את כל אלה,

מסתירים את העובדות הקשורות בחיים שלאחר המוות. הדתות הגדולות נהנות ממונופול על האלוהים. הן מהלכות אימים בסיפורי זוועה על בתי משפט עליונים ומאיימות בגיהינום לכופרים. הפוליטיקאים יודעים שמי ששולט במוות שולט גם בחיים..."

הסתכלתי סביבי. כל בני החבורה שישבו שם ללא ניע על מחצלות קש היו מרותקים לדברי המורה. יכולתי לשמוע כל איוושת בגד או רעש מכונית רחוקה, כאשר הפסיק המורה את דבריו כדי לתת לנאמר שהות להיחרט במוחם של השומעים. היתה לו נימת דיבור רכה, ועיניו ננעצו בכל פעם למשך זמן מה בעיני אחד השומעים. הנרות דעכו לאיטם, וכאשר החלו הלהבות הקטנות לרטוט ולהיעלם בזו אחר זו, הצללים בחדר התארכו והחשיכה גברה. המורה סיים את דבריו וביקש מכולם לעשות מדיטציה. הפכנו את כפות ידינו כלפי מעלה והנחנו אותן על ברכינו, עינינו הסתכלו הישר לפנים. המורה כרע והצטרף אלינו.

לא היה לי ספק שהכול מלבדי מטהרים ברגע זה את ראשיהם מכל מחשבה מיותרת, מכל עיסוק מטריד, והם מרחפים בחלל נעים ובלתי מזיק. אני חשבתי על מה שאעשה מכאן ואילך, על הדרך שבה אוכל לאסוף מידע על ראם סינג, על המקום שבו הוא מסתתר, על האנשים ששלחו אותו, על דרכי פעולתם. היה לי ברור שעלי לפעול בזהירות. כל צעד פזיז מדי עלול לנעול בפני דלתות, כל פליטת פה עלולה לחסל את הסיכוי למצוא מה שחיפשתי.

לאחר שעה ארוכה קם המורה ממקומו, ובזה אחר זה הזדקפו גם בני החבורה. המורה העלה אור בנורת חשמל חיוורת, ועתה יכולתי לבחון את האנשים טוב יותר. נראה היה בעליל שלפחות שניים מהם, מן המבוגרים שבקבוצה, היו חולים במצב קשה. אחד נשען על מקל הליכה וצלע על רגלו הימנית, האחר נתמך בידי גבר צעיר שהיה איתו. המורה עבר מאחד לאחד, שוחח איתם ארוכות, חיבק בחום כל אחד מהם. כולם הביטו בו בהערצה.

הקבוצה עברה על פני בדרכה החוצה. רוב האנשים בירכו אותי לשלום במנוד ראש קל. המורה ארז כמה ספרים בתוך תיק עור מרופט. החמאתי לו על ההרצאה המאלפת, ושאלתי אם אוכל לשוחח איתו. הוא נענה ברצון. הצגתי את עצמי שוב כפרקליט אוסטרלי, הוא אמר ששמו אצ'אריה גאנג'.

ישבנו על שרפרפי עץ זה מול זה בחצר המוצלת. ביקשתי שיספר לי על האשראם. הוא אמר שכת השמים פועלת שם זה שנים רבות. הוא עצמו הגיע אל הכת כתלמיד עשר שנים קודם לכן, וכבר חמש שנים הוא משמש מורה. יש ארבעה מורים באשראם מלבדו. בשנים האחרונות, אמר, רוב הבאים ללמוד באשראם של כת השמים הם אירופאים, חלקם חולים ללא תיקווה שרוצים לעבור מן העולם הזה אל העולם הבא בדרך הנכונה, אחרים בוחנים את אופציית המוות במישור תיאורטי יותר.

אמרתי לו שאני מעוניין להמשיך ללמוד שם. אמרתי שאני מאמין במעבר אל עולם טוב יותר, כי העולם הזה נמאס עלי. "יש לי יותר כסף ממה שאני יכול לספור, אבל אינני מאושר," אמרתי.

חיוך קל ריחף על שפתיו.

"הגעת אל המקום הנכון," אמר.

ראג'יב היה שרוע על המושב האחורי, שקוע בשינה עמוקה. הוא התעורר בבהלה כאשר פתחתי את דלת המונית.

"איך היה?" שאל.

"מעניין מאוד. ידוע לך איפה אוכל להשיג מידע על הכת הזאת?"

"למה שלא תיפנה אליהם? אני בטוח שיש להם חוברות וספרים על עצמם."

"אני יודע, אבל הייתי מעדיף לקבל מידע אובייקטיבי. אתה מכיר אנשים שיוכלו לעזור לי?"

"יכול להיות," אמר בשלווה והסיט בזריזות את ההגה כדי שלא לדרוס עז שטיילה באמצע הכביש, "מה בדיוק אתה רוצה לדעת?"

"כל מה שאפשר. איך מתנהלת הכת, מי באמת האיש החזק, מה הם עושים בכסף, מיהם חברי ההנהלה ומי המורים, חשוב לי בעיקר לדעת כל מה שאפשר על מורה שעבד כאן, שמו ראם סינג."

"למתי אתה צריך את התשובות?" הוא לא שאל לשם מה.

"הכי מהר שאפשר," אמרתי, "ואנא, בדוק את העניין בשיא החשאיות. אני לא רוצה שאיש יידע שאני מתעניין בכך."

"אל תדאג, אדוני," אמר, "איש לא יידע."

ביקשתי שיגיע למחרת מוקדם בבוקר כדי שאספיק להגיע לפתיחת הסדנה, למדיטציה של השעה שש.

בחמש וחצי בדיוק הוא כבר היה במלון. אורו הדל של השחר נחסם על־ידי עננים אפורים. גשם חם ודביק, מגשמי המונסון המאוחרים, ירד ללא הרף, ושלוליות גדולות ניקוו בתוך מהמורות הכביש. ראג׳יב אסף אותי אל מתחת למטרייה שחורה ענקית והוביל אותי אל המונית. המנוע השתעל פעם אחר פעם עד שהחל לפעול.

״ישנת היטב?״ שאל ראג׳יב. השבתי בחיוב.

״דיברתי עם אנשים,״ אמר, ״אספתי קצת חומר וזה מה שיש לי: קודם כל, יש לכת השמים שלושה אשראמים בכל הודו. כל סדנה נמשכת כמה שבועות, ויש תלמידים שנשארים כאן יותר זמן. יש להם מורים רוחניים בעלי שם, וכנראה, גם הרבה כסף.״

״מה עוד?״

״ובכן, המורה הרוחני העליון של הכת יושב באשראם של פונה. שמו מהאנטה. הוא בן חמישים ומשהו, איש חזק ומורה ותיק, שנימנה עם מייסדי הכת. מה שהצלחתי להשיג על ראם סינג הוא שהיה מורה באשראם בגואה כמה שנים, אחר כך נסע לחו״ל וכנראה חזר. איש אינו יודע היכן הוא נמצא כרגע. מה עוד? אה, כת השמים חיה בעיקר מתרומות וממה שמורישים להם אלה שלומדים באשראמים שלהם אחרי שהם מתים. זה הכול.״

״תודה,״ הייתי מאוכזב. ראג׳יב לא סיפק לי הרבה עובדות חדשות. ציפיתי שראם סינג יהיה בגואה או לפחות ישאיר עקבות ברורים.

22

הגענו אל האשראם דקות אחדות לפני השעה שש בבוקר. מזג האוויר התבהר. הים היה רגוע, וכמה סירות דייגים שייטו בקרבת החוף. הצעתי לראג׳יב לחזור לעיסוקיו ולשוב לקחת אותי בערב. הוא העדיף להישאר.

״יכול להיות שתצטרך אותי קודם,״ אמר, ״אל תדאג, לא אדרוש ממך תשלום נוסף.״

חברי הקבוצה כבר היו מכונסים בחדר כאשר הגעתי לשם. הם התגוררו בדירות שכורות או בבתי מלון בעיר, והגיעו אל האשראם על גבי אופנועי־מונית או באוטובוסים. אשה כבת שבעים ניסתה לקשור איתי שיחה. היא היתה אנגלייה מליברפול, אלמנה ערירית שהתקיימה מהשכרת חדרים בדירתה. פניה היו חרושים קמטים ופיה שמוט. היא אמרה שרצתה להתאבד לפני שהגיעה אל האשראם, אבל לא הצליחה לאזור אומץ. עכשיו, אמרה לי, קל לה יותר.

היא שאלה אם אני נמצא שם משום שגם אני פוחד מן המוות. אמרתי שאני בהחלט מגלה עניין בנושא, ושאלתי כבדרך אגב אם ביקשו ממנה תרומות.

״בוודאי,״ היא אמרה, ״הם דיברו עם כל אחד מאיתנו והסבירו כמה חשובה העבודה שהם עושים, ושבעצם הם לא נתמכים על־ידי שום גוף מסודר. הם נתנו לנו להבין שהכסף חשוב להם, ולחלק מאיתנו הוא לא יהיה חשוב בעוד זמן קצר.״

שאלתי איך הגיבה.

״הורשתי את ביתי לאשראם,״ אמרה, ״הם הביאו לי עורך דין והכתבתי לו את הצוואה שלי.״

״הם דיברו איתכם על התאבדות?״

"לא בדיוק," אמרה.

היא דיברה בשבחו של המורה אצ'אריה, סיפרה שקשר קשרי ידידות עם כל אחד מהם, הוא גם הזמין אותם פעמיים לארוחה הודית בביתו.

המורה נכנס לחדר וקטע את השיחה בעיצומה. אצ'אריה הביט על כל אחד מאיתנו במבט מלטף, בירך בבוקר טוב, אמר שהוא מקווה שמזג האוויר לא העכיר את מצב רוחנו והכריז על מדיטציה. ישבנו על המחצלות. הדממה נפרשה על החדר כיריעה גדולה. חשבתי על האנשים שישבו סביבי. להניע את האנשים האלה להתאבד נחשב כמעשה פשע בכל מדינה מתוקנת. גם הבודהיזם מתייחס להתאבדות כאל חטא. נראה היה לי שמורי כת השמים יודעים זאת היטב. על כן הם הולכים על הגבול הדק שבין מותר ואסור בזהירות רבה. הם מדברים על הבלי העולם הזה ועל נפלאות העולם הבא, משוחחים על הדרך הנכונה למות ומשאירים לרגע האחרון את הטיפול במוות עצמו. בשלב מתקדם כל כך אין להולכים למות כבר שום הזדמנות למסור עדות מרשיעה. הם עולים על המוקד, כביכול מרצונם, והם משאירים את רכושם למנהליו הממולחים של האשראם. אין עיסקה משתלמת מזו.

אצ'אריה גאנג' דיבר במהלך כל הבוקר על אנשים "פתוחים" ואנשים "סגורים". בזמן כלשהו בעברם של האנשים ה"סגורים", כתוצאה מסבל נפשי מצטבר, קמה שלא מרצונם חומה שסגרה על עולם הרגשות שלהם. כתוצאה מכך אבד אושרם, חוסלה יכולתם לשמוח. אנשים "סגורים" הולכים למסעדות, אבל לא ממש נהנים, מטיילים על חוף הים בעת השקיעה ואינם מסוגלים לראות את היופי, רואים סרט, הולכים לתיאטרון, נוסעים לחו"ל ונשארים אדישים. בעודם מחפשים את האושר, הם מבקשים ישועה מהירה בעולם החומר, הם אוכלים ומרבים בפעילות מינית, בקניות, אבל נראה שהתחושות שהם מצפים להן חולפות לידן ואינן נוגעות בהם, והאושר הפשוט, היום־יומי, יתחמק שוב כמו מים דרך אצבעות היד. אנשים "סגורים" מרבים בסיכומים של העבר ואוהבים לסגור תכניות לעתיד. אנשים "פתוחים" מתמקדים בהווה. ההווה שלהם פתוח ויצירתי, נקי מפחדים, ממתח ומדאגה, ההווה שלהם הוא זמן החיים החשוב ביותר. הם משאירים פתח להרפתקאות, לזרימה, לקבלת כל שינוי, כל אפתעה. ה"סגורים" מנסים לשלוט על החיים וסופגים אכזבה אחרי אכזבה משום ששליטה כזאת היא בלתי אפשרית. כמו

ריקוד שצריך ליהנות ממנו ולא לכפות עליו שליטה נוקשה, כך גם החיים, צריך להניח להם לזרום, לא להאיץ. אפשר לנהל את החיים מזווית של רואה חשבון שעסוק בספירת מלאי ובתיכנון יעדי השנים הבאות, ומאידך אפשר לפתוח פתח רחב ולהמתין בסבלנות, כמו האנשים ה"פתוחים", לכל מה שיקרה. דרך הפתח הרחב הזה ייכנסו החוכמה והאהבה, אולי גם הארה רוחנית.

המורה השתתק למשך זמן מה. האנשים לא גרעו עיניהם ממנו, מצפים להמשך.

חשבתי על עופרה שישבה, מן הסתם, כמו האנשים האלה, והסתכלה בהערצה בראם סינג שהיפנט את כולם בכוח אישיותו ובכישרון הרטורי שלו. היא היתה אשה משכילה, חכמה, מאלה שאינך יכול להוליכם שולל בדברי סרק. היה צורך בצירוף נסיבות מיוחד, כדי שגם היא תיסחף אל תורות החיים הללו ותאמין בכל ליבה שהן יפתרו את כל בעיותיה. אני האיש שדחף אותה לכך, אני שגרמתי לה לחפש את עצמה במחוזות אחרים, במבוכים סבוכים ללא מוצא.

המורה הכריז על הפסקת צהריים. בחדר האוכל של האשראם, על שולחנות עץ גסים, הגישה אשה צעירה נזיד עדשים ומרק סמיך. ישבתי ליד המורה. דיברתי איתו על רעיון החיים שלאחר המוות בדתות האחרות, בעיקר ביהדות. הזכרתי את האמונה היהודית בגן העדן ובגיהינום, והוא אמר שידוע לו על כך. היהדות, אמר, מדברת על אל שמעניש והורג אנשים. האלים ההודיים אינם מתערבים בגורלות אנוש, אף אחד מהם אינו מעולל רע. את ה"קארמה", הגורלות, קובעים האנשים לעצמם. האשמה בחיי הסבל אינה מצויה בשמים, ואת האחריות לייסורים כל אחד צריך לקבל על עצמו.

הוא היה איש שיחה נבון ונעים, והתקשיתי להחליט אם הוא בסך הכול מורה שמאמין בכל ליבו בעקרונות הכת או שהוא חלק מן הרשת המרושעת המבקשת לגזול את כספם של הקורבנות הנופלים ברשתה. ניסיתי את מזלי, ושאלתי אם הכיר את ראם סינג, כששימש מורה באשראם.

"כן," אמר והיפנה אלי מבט שכולו סקרנות, "למה אתה שואל?"

"שמעתי שכמה מן האנשים שלימד בלוס אנג'לס ובישראל התאבדו,"

הלכתי צעד קדימה, "יש שמועה שהוא לקח מהם כסף ונעלם."

קמטים נחרטו במצחו של המורה. נדמה היה לי שהתעורר בו כעס.

"אני לא מכיר את הפרטים," אמר והמשיך לאכול בשתיקה.

שעות אחר הצהריים הוקדשו לפעילות קבוצתית תומכת. בזה אחר זה קמו אנשים ודיברו על חייהם, על המניעים להצטרפותם לאשראם. אחת החולות סיפרה בקול שבור שהרופאים מניחים שתחיה לא יותר מחודשיים־שלושה, וכי כאשר ניסתה לחשוב על המוות נתקלה באין־ספור דעות קדומות ובהעדר הנחיות של ממש איך לעבור את הדרך הקשה. הציעו לה לשוחח עם פסיכולוג, אבל היא העדיפה למצוא את הדרך הנכונה בעצמה, וכך הגיעה לכת השמים. היא בחרה באשראם של גואה משום שיופיו של המקום קסם לה, ונראה היה לה שכאן היתה רוצה לבלות את ימיה האחרונים.

עם ערב, בדרך אל פתח היציאה, חסם את דרכי הגבר המגודל שקידם את פני כאשר הגעתי לשם יומיים קודם לכן.

"הייתי רוצה לשוחח איתך," אמר. הוא ביקש שאלך אחריו אל משרדו.

"האם הדרכון שלך איתך?" שאל כשהתיישבתי מולו, "היינו רוצים לראות אותו. יש כמה פרטים פורמליים שנצטרך להשלים בטפסים שלנו." חששתי שזה יגיע במוקדם או במאוחר. אמרתי שהדרכון איננו איתי והצעתי להביאו מחר. הגבר המגודל קם ממקומו.

"בסדר," אמר, "אנא הבא לי אותו מחר בבוקר."

העמדתי פנים כאילו הכול כשורה וכי לא תהיה, כמובן, כל בעיה לעשות כרצונם. ההודי הצנום ישב בשקט ולא גרע עיניו ממני. האם עוררתי את חשדם? האם בדקו במלון ומצאו שעורך הדין סטיב מורגן כלל לא רשום שם?

הערב האפיל כאשר יצאתי משם. גשם לא ירד עוד. היה חם וריחות כבדים של תבשילים עלו מן הבתים הסמוכים. ראג'יב המתין לי במונית שלו. ציפיתי לראותו ישן במושב האחורי כמו אתמול, אבל הוא ישב ליד ההגה, ער ודרוך. הוא התניע בפנים מתוחים ונסע במהירות מן המקום.

"הם שאלו אותי עליך," אמר.

ובכן, החששות שלי התאמתו.

"מי זה הם?" שאלתי.

"איש אחד גדול ואחד רזה. הם ניגשו אלי אחר הצהריים."

היה ברור לי שהמורה אצ'אריה גאנג' סיפר להם שהתעניינתי בראם סינג, וזה עורר את חשדם. עם כל רגע חולף התחזקה בי התחושה, שלמישהו באשראם הזה יש סיבה טובה לחשוש מפני כל ניסיון לחשוף את עברו ומעלליו של סינג.

"מה הם אמרו לך?"

"הם העמידו פנים כאילו סתם עברו שם וראו אותי במקרה. הם שאלו למה אני חונה ליד האשראם ואם אני מחכה למישהו. אמרתי שיש לי לקוח שבא כל בוקר לאשראם, ואני מחכה לו עד שהוא ייצא. הם שאלו אותי מי זה. אמרתי שאני לא יודע את שמך. זה העורך דין האוסטרלי? שאלו. אמרתי שיכול להיות. הם שאלו מאיפה אני לוקח אותך, נזהרתי ואמרתי שאנחנו נפגשים על חוף וגאטור. הם רצו לדעת איפה בדיוק אתה גר שם, ואמרתי שאני לא יודע."

"איך הם נראו לך? כועסים?"

"הם נראו מתוחים."

"ואיך הסתיימה השיחה?"

"הם לא שאלו עוד שאלות. פשוט הסתובבו וחזרו אל האשראם. זה היה בסדר מה שעניתי להם?"

"כן, תודה." שאלתי את עצמי מה חושב ראג'יב על מה שאני עושה שם באמת. נראה היה לי שאין עוד כל סיבה לשמור סוד מפני האיש הזה, שעשה כמיטב יכולתו לעזור לי. סיפרתי לו את הסיפור על עופרה ועל מטרת הנסיעה שלי להודו. הוא הגיב בהתרגשות.

"כל הכתות שאני מכיר," אמר, "מנוהלות על־ידי אנשים חכמים, מוסריים ובלתי אנוכיים, אבל כל אחד בהודו יודע שיש לא מעט נוכלים שהסתננו לעסק. אם רק תפקח את העיניים תגלה נוכלים כמעט בכל מקום. ראית את הסאדהו שהולכים בצידי הדרכים?" ראיתי. קשה מאוד להתעלם מן האנשים מגודלי הזקן והשיער ההולכים יחפים, לבושים בפשטות, לאורך דרכים שאינן מסתיימות לעולם, בין מוקד עלייה לרגל אחד למשנהו, כשהם מתקיימים מתרומות כסף ומזון, "איש אינו יודע בעצם כמה מהם מעמידים פנים,"

המשיך ראג'יב, "אותם דברים אמורים גם לגבי הכתות השונות. יש מאות אשראמים וכתות בהודו. לעולם לא תדע מי מהם לוקח את כספך ונותן לך תמורה מכל הלב, כמעט בלתי אפשרי להבחין בשרלטנים שחדרו לתוך מכרה הזהב הזה. יכול להיות שגם כת השמים מנוהלת על-ידי נוכלים, ואני מצטער שאשתך נפלה קורבן דווקא לכאלה." הוא הבטיח לעשות מאמץ נוסף כדי לאסוף פרטים חדשים על הכת ואנשיה, על ראם סינג והשותפים שלו.

ראג'יב המתין לי ליד פתח המלון כשעליתי לחדרי. בדקתי היטב כל חפץ. לא, איש לא ערך שם חיפוש. טילפנתי למרכזנית ושאלתי אם מישהו ביקש את עורך הדין סטיב מורגן מאוסטרליה. היא נזכרה שטילפנו וחיפשו אותו פעמיים.

"את יודעת מי זה היה?"

"גבר, אם אני לא טועה. הוא לא הזדהה."

"מה אמרת לו?"

"אמרתי שאין לנו אורח בשם מורגן במלון."

היחידים ששמעו על סטיב מורגן היו אנשי האשראם. לא היה שום סיכוי שמישהו אחר מלבדם התקשר לבית המלון. ידעתי שאין עוד טעם לשוב אל האשראם למחרת בבוקר. נזכרתי באזהרה ששמעתי מפיו של מפקד משטרת לוס אנג'לס: "האנשים האלה עלולים להיות מסוכנים."

הצטערתי על שלא נזהרתי מספיק. אילו לא הייתי מתפתה לשאול על ראם סינג, מן הסתם הייתי יכול להמשיך להשתתף בסדנה לאורך זמן ותוך כדי כך לאסוף מידע שיוביל אותי אל האיש שאני מחפש. עם זאת, אמרתי לעצמי, במוקדם או במאוחר הייתי חייב לשאול עליו, ואז היו מתחילים לחשוד בי.

ירדתי אל ראג'יב. סיפרתי לו על האלמונים שניסו לבדוק את זהותי באמצעות פנייה למרכזנית המלון. הוא הצדיק את החלטתי שלא לשוב אל האשראם לאחר שהשקר שלי התגלה. אמרתי לו שאני זקוק לתכנית פעולה חדשה. הוא עצר את המונית בפתחה של מסעדה קטנה בשולי הדרך היורדת אל הים.

"בוא נדבר על זה," אמר בנימה מעשית.

184

המלצר הביא מגש עם דגי פום-פרט בתבליני מסאלה, שהיו טעימים להפליא, וקינגפישר, הבירה המקומית.

"אם אתה שואל אותי," אמר ראג'יב וקינח בכף ידו את פיו מקצף הבירה, "כדאי שניסע לחפש את המקום שבו נולד ראם סינג. יכול להיות שנגלה דווקא שם משהו שאנחנו לא יודעים."

למחרת בבוקר נסענו לעיר הבירה של גואה, פאנג'ין, כדי לחפש במירשם התושבים את כתובתו של ראם סינג. קיבלנו שתי כתובות. תחילה נסענו ברחובות צרים ועמוסים אל הכתובת הראשונה, בשכונה בפאתי העיר. הלחות היתה גבוהה מן הרגיל והזעתי ללא הרף. הכתובת הובילה אותנו לרחוב קרישנמורטי, שלכל אורכו ניצבו בתים ישנים בני קומה אחת. אשה קשישה שגרה בבניין שחיפשנו אמרה שכאן התגוררו הוריו של ראם סינג וכאן הוא נולד, אבל המשפחה כבר לא גרה כאן. לא, היא לא ידעה את כתובתם החדשה. כל שידעה היה שעקרו מכאן מזמן. ראג'יב התדפק על דלתות הבתים השכנים וניסה לדלות פרטים נוספים. הוא חזר עם גבר שחום עור כבן שבעים, שנשען על מקל.

"הוא מכיר את ראם סינג," אמר ראג'יב, "תן לו דולר, והוא יספר לך כל מה שהוא יודע."

נתתי לאיש שטר של חמישה דולר, הוא ליטף אותו בחמדה, סגר עליו את כף ידו ופתח את פיו. הוא הכיר את ראם סינג מאז היה תינוק. הוריו של סינג נפטרו זמן לא רב לאחר שנולד.

"ראם סינג נשלח ללמוד באשראם בצפון," סיפר, "הוא חזר לגואה כשהיה כבר בחור צעיר." הראיתי לו את הכתובת הנוספת שהיתה בידי. הוא הכיר את המקום.

"זה הבית שלו," אמר, "שם הוא גר."

הוא אמר שפעם שמע שראם סינג משמש מורה באשראם של כת השמים בגואה.

"מתי?" שאלתי.

"לפני חמש שנים," אמר לאחר הרהור קל, "אולי אפילו יותר." שאלתי אם הוא יודע פרטים על הכת.

185

האיש צחק.

"יש כאן, אצלנו בהודו, שלושה מיליון אלים, ואולי אותו מספר של כתות. איך אני יכול לדעת?"

שוטטנו עוד זמן מה בסימטאות השכונה. ראג'יב ניסה למצוא אנשים נוספים שהכירו את ראם סינג. הוא שוחח עם מנהל בית הספר המקומי, עם מפקד המשטרה, עם סוחרים ונהגים. אף אחד מהם לא זכר את האיש.

נסענו אל הכתובת השנייה שקיבלנו. זה היה בית אבן גדול ומרווח בתוך מטע של עצי אגוז, במקום שבו נשפך נהר המולדבי אל הים. הבית היה סגור, והגינה סביבו מוזנחת. מנעול כבד תלה על שער הברזל. התדפקנו על דלתותיהן של הווילות באיזור. מן התשובות שקיבלנו התברר שהבית שייך לראם סינג, שהוא התגורר בו עד לפני מספר שנים, ועזב למקום בלתי ידוע. לא הצלחנו לקבל פרטים נוספים.

186

23

חזרנו אל המלון ושיחררתי את ראג׳יב עד למחרת היום. הוצאתי מן הכספת סכום כסף קטן והלכתי לאכול במסעדה סמוכה, על החוף. אחרי שלושה ימים בגואה יכולתי לסכם רק הישגים מעטים: הצלחתי להיכנס לאשראם של כת השמים והייתי עד לחלק מן הפעילות שמתבצעת שם, שמעתי ממקור ראשון על עקרונות הכת, שמעתי סיפורים על ילדותו של ראם סינג, אבל לא הצלחתי לאתר אותו, והיתה לי תחושה ברורה שכת השמים לא תעזור לי להגיע אליו. הבנתי שאם הוא מסתתר באיזשהו מקום בהודו, יהיה לי מאוד קשה, אם לא בלתי אפשרי, למצוא אותו אי פעם.

שוב כירסם בי הספק. המשימה שקיבלתי עלי נראתה לי עכשיו, יותר מאי פעם, גדולה ממידותי. חשבתי על ילדי, על הצורך שלהם באביהם, שיהיה לצידם בתקופה כה קשה. האם יש בכלל טעם לבזבז כאן את הזמן?

ישבתי ליד חלון מול הים, אכלתי תבשיל חריף כלשהו שבער בתוכי כאש. שתיתי בקבוק של יין מקומי אדום כדי לכבות את השריפה. היין פיזר במוחי ערפל כבד וניקה אותו ממחשבות.

הערב היה חמים ונעים והשמים נקיים מעננים. אור רך פרוש היה עדיין על העיירה המתכוננת לקראת הלילה. השעה היתה מוקדמת מכדי לשוב אל המלון. הלכתי לטייל לאורך החוף. כמה ילדות בנות עשר או שתים עשרה, לבושות בשמלות דלות ושפתיהן צבועות באדום עז, הציעו את גופן למכירה תמורת כמה רופיות. כשעברתי לידן הן הרימו בבת אחת את שימלותיהן מעל לראשיהן במחוות פיתוי גסה. גוף הבוסר שנחשף היה צנום ועלוב. גבר שמן עצר להתמקח ולקח עמו אחת מהן אל החול. הם התרחקו מעט והתפתלו על יריעת בד מטונפת לעיני העוברים ושבים. שתי פרות קרבו אלי בלי שהשגחתי והטילו מימיהן לידי. מיהרתי ללכת משם.

אינני זוכר מתי הרגשתי לראשונה שמישהו עוקב אחרי, אבל זכור לי שהיתה כבר חשיכה ועמודי הפנסים הפיצו סביבם אור צהבהב קלוש. אנשים צעדו על דרך העפר מול החוף, רוכלים הציעו למכירה מיני מאפה ומשקאות קרים, קבצנים נטפלו לכל מי שנראה כתייר, ולמראית עין שום דבר לא אמור היה לעורר את חשדי. אף על פי כן היה לי רושם שהלך והתחזק, שאדם אחד או כמה אנשים לבושים במדי משטרה עוקבים אחרי מרחוק ואינם מרפים. עצרתי ליד דוכן עיתונים ובחנתי מזווית העין אם גם הם נעצרו. ראיתי כמה מהם קונים בקבוקי משקה בקיוסק קטן. המשכתי ללכת והסבתי מדי פעם את ראשי לאחור. לפתע לא ראיתי אותם עוד. משכתי בכתפי. לא ייתכן שהיו מעוניינים בי, הייתי תייר תמים שלא ביצע שום עבירה, מה כבר יכלה המשטרה לרצות ממני?

מול הים, על גבעה מכוסה עצי דקלים גבוהים הצומחים באלכסון, ראיתי שלל אורות צבעוניים. שמעתי מוסיקה קצבית, וחבורות גדולות של צעירים נהרו לשם ללא הרף. הלכתי בעקבותיהם. ככל שקרבתי לשם, החרישה המוסיקה יותר את אוזני. היא בקעה מרמקולים ענקיים שהיו מוצבים בשטח. בעמדת התקליטן עמד צעיר לא מגולח, שערו היה עשוי צמות דקיקות שירדו על פניו, פלג גופו העליון היה עירום ומקועקע בכתובות ובציורים. מאות צעירים וצעירות רקדו בלהט בין עצים וסלעים שנצבעו בצבעים זוהרים. נשים שכרעו על מחצלות שפתו קומקומים על כירות גז קטנות ומכרו תה, עוגות ופירות. סוחרי הסמים עשו עסקים מצוינים. רבים עישנו צ׳אראס, חשיש, מעבירים מיד ליד מקטרות צ׳ילום מתוצרת מקומית או בקבוקי נרגילה קטנים. אחרים שאפו לריאותיהם מריחואנה, משכו לאפם קוקאין, בלעו כדורי אקסטזי. ככל שהשפעת הסם גברה גדלו גם מימדי השמחה. החוגגים צחקו בקול, התעוותו בהתלהבות, התחבקו והתנשקו, כרעו על החול האדמדם ועשו אהבה בגלוי או התקפלו בכאב והקיאו.

הודי צעיר שנשא מגש עם שתי כוסות צ׳אי ניגש אלי והציע לי אחת מהן. ״מתנה של קבלת פנים,״ אמר. היססתי. ״זה חינם,״ חייך, הושיט לי כוס וחיכה עד שאשתה. שתיתי בבת אחת. התה היה מתוק וטעים.

מישהו טפח על שכמי. הסתובבתי בבהלה לאחור. לא הכרתי איש במקום הזה והמחשבה הראשונה שעלתה במוחי היתה שמישהו רוצה לפגוע בי.

קפצתי אגרופים, מוכן להשיב מלחמה.

"תירגע," צחק ראג'יב, "אני מהטובים, שכחת?"

"זה אתה שעקבת אחריי?" שאלתי.

פניו הרצינו.

"מישהו עקב אחריך?"

"נדמה לי."

"מישהו שאתה מכיר?"

"זו היתה רק תחושה, ראג'יב. ייתכן שטעיתי. אני רגיש מאוד עכשיו, אתה יודע."

"בוודאי."

הוא אמר לי שבא לכאן כדי לבלות את הלילה, לעשן מעט חשיש, לרקוד, להכיר נערות. זו אמורה להיות, סיפר, אחת ממסיבות החוף הגדולות שהיקנו לגואה מוניטין עולמי. בדרך כלל הן נערכות רק בלילות של ירח מלא. בתום הלילה, כאשר השמש עומדת לזרוח עובר מישהו עם משרוקית ומעיר את אלה שנרדמו כדי שיצטרפו לריקוד האחרון, ריקוד הזריחה.

שני צעירים עברו לידינו והציעו לנו אסיד פונץ', קוקטייל של כמה סוגי אל.אס.די. ראג'יב דחה אותם והראה לי פיסת חשיש שהביא עמו. הוא הציע חלק ממנה גם לי. סירבתי בנימוס.

ריחו העז של הסם שעלה ממאות סיגריות בוערות עמד באוויר. מישהו הגביר עוד יותר את עוצמת המוסיקה והריקודים סחפו יותר ויותר אנשים. ראג'יב התפתל בעמידה, בעיניים עצומות. כמה נערות רקדו לידינו. אחת הסירה את חולצתה, ושדיה הצעירים קיפצו עם כל תנועת גוף. שני בחורים כבני עשרים רקדנו בתחתוני ביקיני. זוגות נצמדו זה לזה והתנשקו בלהט. ראיתי גבר בבגדי אשה רוקד עם גבר אחר, עשרות רוקדים צבעו את שערם ופניהם בצבעי ירוק וכתום זרחניים, להטוטנים גילגלו לפידים בוערים באוויר, בלעו וירקו אש. זו היתה החגיגה המדהימה ביותר שראיתי אי פעם.

"בוא," אמר ראג'יב, "תרקוד גם אתה, תיהנה, תיסחף עם כולם..."

התופים הלמו בראשי, תנועות הריקוד היפנטו אותי, הרגשתי את איברי נעים מאליהם. בפעם הראשונה זה זמן רב נכנעתי למה שקורה, רציתי לאבד שליטה. הפסקתי לחשוב, חוויתי את הגוף שלי שהתנועע לקצב של ריקוד

שהמציא את עצמו. מימי לא רקדתי כך. המתח העצום שמילא את קרבי החל
להתפוגג.

משהו מוזר התחולל בי. גופי איבד את משקלו. הרגשתי קל כנוצה, מרחף
באוויר. קשת של צבעים הסתחררה לנגד עיני, צבעי האיפור של הרוקדים,
להבות האש של הלהטוטנים, פירות המנגו, הפאפאיה והבננות שנישאו בידי
הרוכלות זהרו בגוונים שלא הכרתי. ראיתי אנשים מרחפים סביבי כאילו היו
להם כנפיים, רקדתי על ענן, ראיתי מלאכים, הייתי בגן עדן...

"אל תזוז!" צרח מישהו באוזני וחפץ מתכתי ננעץ בגבי עד כאב.
זה היה אקדח.

24

כשאני מנסה לשחזר את אירועי הלילה ההוא אני זוכר שבקושי עמדתי על רגלי כשזה קרה. היום ברור לי לחלוטין שהייתי מסומם. לא מספיק כדי לאבד את ההכרה, אבל מספיק כדי שלא להשגיח מה בדיוק נעשה איתי. כמו רבים אחרים, עישנתי גם אני בנעורי כמה וכמה סיגריות של מריחואנה שהצליחו לסחרר מעט את ראשי, אבל הפעם זה היתה משהו אחר, סם קשה, חזק, לא משחק ילדים, משהו שדופק לך לא רק את הראש אלא גם את כל הגוף, משהו שלא הייתי משתמש בו לעולם מרצוני החופשי.

לא הייתי צריך להתאמץ כדי להגיע למסקנה שמישהו זמם לסמם אותי, מישהו שהניע אותי לקחת את הסם בלי שידעתי מה זה. יכולתי להעלות על דעתי רק אדם אחד שיכול היה לעשות זאת, ההודי המסתורי שהגיש לי כוס תה כברכת ברוך הבא. הסם היה בתוך המשקה.

אני לא זוכר שהופתעתי במיוחד כשקנה האקדח נתחב לתוך עמוד השדרה שלי. לאורך כל היום קיננה בי הרגשה שמשהו רע עלול לקרות. זה התחיל בחשדות שהתעוררו באשראם לגבי הזהות האמיתית שלי, אחר כך היה הניסיון לבדוק את זהותי במלון והשוטרים שהלכו בעקבותי, ועכשיו זה, הקול המאיים וקנה האקדח.

לא זזתי. הרגשתי ידיים מוצקות מגששות על פני גופי. אחת מהן פלשה לכיסי מכנסי ונברה בהם בגסות. הייתי בטוח שמישהו מנסה לשדוד אותי. לא ניסיתי להתנגד. היו לי בכיס כמה רופיות וחפיסה של ממחטות נייר. לא יותר מזה.

הייתי נינוח למדי כשחשבתי ששודדים אותי, תיארתי לעצמי שזה יימשך דקה או שתיים ואחר כך ייעלמו השודדים בידיים ריקות, אבל הדברים התפתחו לכיוון אחר, הרבה פחות צפוי.

היד האלמונית נשלפה מן הכיס שלי, ואז צץ מולי פרצוף קשוח של שוטר לבוש מדים שנפנף בשקית פלסטיק קטנה וצרח: "זה היה בכיס שלך!" לאור פנסי היד שהחזיקו השוטרים הבחנתי באבקה לבנה בתוך השקית.

"מה זהו?" תבע השוטר לדעת. הוא היה עצבני. שני שוטרים נוספים עמדו לידו ושלחו אלי מבטים חמורים. לא הבנתי מה קורה.

אמרתי לשוטר שזו הפעם הראשונה שאני רואה את השקית הזאת, ואין לי שום מושג מה יש בתוכה. במקום תשובה, הוא ליקק את אצבעו וטבל אותה בתוך השקית. כשעלתה משם, חלקה העליון מכוסה באבקה הלבנה, הגיש אותה לקצה לשונו וטעם.

"קוקאין," אמר.

קוקאין? להרף עין חשבתי שאני שרוי בעיצומו של חלום בלהות, אבל השוטר היה אמיתי וגם שקית הסם. ניסיתי להסביר לו שאני תייר שהגיע אל החוף בסך הכול כדי לצפות במסיבה, טענתי שאין לי שום קשר לסמים, אבל לא השליתי את עצמי. ההוכחה החותכת היתה בידיו, ובנסיבות אלה כל תירוץ או הסבר לא יכלו להועיל. כל הניסיונות לשכנעו שאני חף מפשע עלו בתוהו. כצפוי, הוא איבד את שלוות רוחו.

"אתה חושב שאני טיפש?" צעק, "כולם ראו שהוצאתי את השקית מהכיס שלך!" מאחר ששום שקית גדושה בסם לא היתה לי בכיס כשיצאתי מן המלון, היה ברור שמישהו טמן לי מלכודת, מישהו ששלח את ההודי לסמם אותי ואחר כך, בלי שארגיש, הצליח להחדיר את השקית לכיסי ולהודיע למשטרה.

ידעתי שחוק הסמים ההודי לא שונה מחוקים דומים במדינות רבות. אם אתה מחזיק סמים בכמות שתואמת צריכה אישית ממוצעת, כלומר מנה מזערית אחת או שתיים, ואתה שומר אותה לעצמך, לא ייגעו בך לרעה בדרך כלל. אם יש לך כמות גדולה יותר, אפילו קצת יותר, אתה עלול להיחשב כמי שעוסק בסחר סמים. במקרה הזה הכלא הוא התחנה הבאה, ולזמן רב.

בהודו יש מאות אלפי סוחרי סמים ומכורים לסמים, שהמשטרה מתעלמת מהם בדרך כלל. במידה מסוימת, עצימת העין מצד המשטרה היא גם דרך לעודד תיירות צעירה שהחופש להשתמש בסמים קורץ לה מאוד. שמעתי שמארגני מסיבות הסמים בחופי וגאטור, אנג'ונה וצ'אפורה בגואה משלמים

סכומי שוחד גדולים לשוטרים כדי שלא יגיעו באותו לילה אל החוף. אם כן, מדוע הם באו בכל זאת לשם ועצרו אותי, תייר זר שבסך הכול ביקש לראות מסיבת חוף בגואה? לא היו לי אשליות. מישהו שיחד אותם, מישהו שרצה בכל מחיר לסלק אותי מהדרך ולא להשאיר עקבות.

לא יכולתי לחשוב בבהירות על מצבי. ראשי היה סחרחר, השפעת הסמים כבר עברה את השלב של התרוממות הרוח ונכנסה לשלב של בחילה עמוקה. רציתי להקיא, להירדם ולהתעורר כשהסיוט יחלוף.

שלושת השוטרים עמדו סביבי באקדחים שלופים. הרגשתי עדיין את קנהו של אחד מהם תקוע בגבי. מעגל גדל והולך של סקרנים הקיף אותנו. גם אם רציתי לברוח, לא היתה כל דרך לעשות זאת.

נדחפתי קדימה בידי השוטרים. הם כיוונו אותי אל השביל שעולה מן החוף לרחבת החניה. ראיתי את ראג׳יב מגיח מתוך הקהל ומסתכל על הנעשה בעיניים קרועות מתדהמה. זמן מה היה אובד עצות, אבל הוא התעשת במהירות, חסם את דרכם של השוטרים בידיים מושטות ופתח בוויכוח נוקב איתם. אחד מהם, שנשא על כותפותיו דרגות קצין מוזהבות, רתח מכעס כשהופרע ממלאכתו. הוא צעק על ראג׳יב, נופף בידו בתנועות מאיימות, ניסה לדחוף אותו הצידה. ראג׳יב סירב בעקשנות לפנות את הדרך, אף על פי שידע היטב שאין כמעט סיכוי שהמחאה שלו תגרום לכך שישחררו אותי. לבסוף כיוונו אליו השלושה את אקדחיהם, והמבט בעיניהם אמר שלא יהססו לירות אם יוסיף לעמוד שם. הוא ויתר ונסוג לאחור. הבטתי אליו בתיקווה שימצא בכל זאת דרך לעזור לי, אבל הוא רק הוסיף לעמוד בצד הדרך, נרעש וחסר אונים. כשהתקדמנו לעבר ג׳יפ המשטרה שהמתין לנו, כיסה אותו ההמון והוא נעלם מעיני.

היה חם, אבל היתה לי צמרמורת שלא הירפתה ממני. שאלתי את אחד השוטרים לאן הם לוקחים אותי. הוא לא טרח להשיב. הרגשתי מחנק. היתה לי תחושה ברורה שהסיפור הזה לא יסתיים טוב.

שוטר דחף אותי בגסות אל תוך הג׳יפ הפתוח. שניים תפסו מקום לידי, השלישי החזיק בהגה. נסענו בכביש הצר לאורך החוף. הירח האיר את הים השקט. בחלק מן החופים ראיתי מאות צעירים, מוצפים אורות צבעוניים, רוקדים לצלילי מוסיקה, מתפתלים בתנועות מוזרות, מתגוללים בתוך החול.

היו שם הרבה מאוד אלכוהול, ובעיקר סמים, ובשום מקום לא ראיתי שוטרים שינסו לעצור מישהו שמוכר סמים או מחזיק אותם בכמות מסחרית. זה רק חיזק את ההרגשה שלי שכל מה שקרה לי היה פרי מזימה מתוכננת היטב. הרבה כסף עבר ודאי מיד ליד כדי שהמלכודת תפעל ביעילות.

הכביש גלש לפתע מטה. מימין היתמר צוק שלא ראיתי את קצהו. משמאל היה הים ומלפנים שער צר, חסום בגדר תיל ועליו שלט: "כלא אגוואדה". פנס חיוור האיר את שני השוטרים המזוינים ששמרו על השער. הצטוויתי לצאת מן הג'יפ ונדחקתי קדימה. העפתי מבט מהיר על הכלא שהשתרע לפני. למרגלותיה של גבעה עוטה צמחייה סבוכה היו ביתנים מוארכים צבועים לבן, שהוארו בנורות בודדות. ראיתי חומת אבן שירדה אל הים. קרן אור תכלכלה של מגדלור שנשלחה מראש הגבעה חלפה אט אט מעל ראשי, נעלמה ושוב הופיעה.

הוכנסתי אל מה שנראה כבניין המינהלה. הלכנו לאורך מסדרון ארוך. הזעתי מפחד, כשהבנתי שהעניינים מסתבכים ללא מוצא. שמעתי די והותר על הודו כדי לדעת שהכול ייתכן כאן, גם הבלתי אפשרי ביותר, גם הגרוע ביותר.

מצאתי את עצמי בתוך חדר עלוב עם מעט ריהוט משרדי ישן. קצין משטרה ניהל שיחה ארוכה בטלפון. מדי פעם שתה תה כהה, כמעט שחור, מכוס זכוכית. השוטרים שעצרו אותי הניחו על שולחנו את שקית הקוקאין. הוא הביט בה פעם אחת, כאילו ראה כבר הרבה כאלה, והמשיך לשוחח.

עמדתי על רגלי וחיכיתי. לא היה שום דבר אחר שיכולתי לעשות, פרט אולי להרהר במצב שנקלעתי אליו. קשה היה לי להגיע למסקנות אופטימיות. ידעתי שכל בית משפט, בהודו, בישראל ובעצם בכל מקום על פני כדור הארץ, יתייחס לשקית הסמים שנמצאה בכיסי כאל הוכחה חותכת. היו לי לקוחות שנעצרו, הועמדו לדין ונדונו לשנים ארוכות בכלא, בדיוק על סמך ראיות כאלה. ידעתי שאם ירשיעו אותי, אצטרך לשבת שנים ארוכות בכלא הודי שנימנה עם הגרועים בבתי הסוהר בעולם. כל הסיכויים היו שאם זה יקרה, לא אצא משם חי. חשבתי על ילדי. הם איבדו כבר את אמם, עתה הם עומדים לאבד את אביהם. הרגשתי שהדם אוזל מפני. רגלי פקו. מה לא הייתי נותן כדי להיות רחוק משם.

הדקות שחלפו נדמו לי כשעות. מן החלון נכנסה פנימה רוח ים קלה וייבשה מעט את הזיעה שעל מצחי. שמעתי את גלי הים מתנפצים ברעש חד־גוני אל סלעי החוף. לבסוף הניח הקצין את השפופרת והורה לי בידו לשבת. אחד השוטרים דחף בגבי כדי לזרז אותי להתיישב.

הקצין הוציא ממגירת שולחנו דרכון והושיט לי אותו.

"זה שלך, אדוני?"

זה היה הדרכון שלי. השארתי אותו בכספת בחדר המלון ועכשיו הוא כאן. לא היה לי ספק שהם היו במלון ופתחו את הכספת.

"כן," אמרתי, "זה שלי."

הוא דיפדף בדרכון.

"שמך הוא מיכאל שמיר," קרא, "האם זה נכון?"

"זה נכון."

הוא הניח את הדרכון שלי מידיו ושלח אלי חיוך מלגלג. היו לו פנים מאורכות ועצמות לחיים בולטות, שיער שחור כפחם, מסורק לאחור ומשומן בהפרזה. עיניו היו קטנות ומרושעות.

"קצת בילבלת אותי," אמר, "אם אתה מיכאל שמיר, מי הוא לעזאזל סטיב מורגן?"

עכשיו היה ברור לי מעל לכל ספק מי הטמין לי את המלכודת, מי שיחד את השוטרים כדי שיעצרו אותי. פחות מדי הערכתי את כוחה ואת מידת השפעתה של כת השמים.

"יש לי הסבר," אמרתי לו, אף שחשתי שהוא לא היה מעוניין להקשיב. התחלתי לספר לו, אבל הוא התעלם במופגן מהרצון שלי לדבר על זה.

"מר שמיר," קולו היה קשה וסמכותי, "אל תספר לי מעשיות. תענה לי רק על שאלה אחת: האם זה נכון שהצגת את עצמך כסטיב מורגן, עורך דין מאוסטרליה?"

לא השבתי.

ממגירת שולחנו הוציא מאזני תלייה ושקל את הסם.

"הכנסת את עצמך לעסק ביש," אמר, "עסק מאוד לא נעים."

הוא הצית סיגריה.

"אתה יודע כמוני," אמרתי, "שהסמים הושתלו עלי כדי שישליכו אותי אל

הכלא. זו היתה דרך להיפטר ממני."

הוא צחק.

"הדמיון שלך מאוד פעיל, אדוני."

"אני עורך דין מישראל," הרמתי את קולי, "אני לא משתמש בסמים ובוודאי לא סוחר בהם. אני רוצה לראות את עורך הדין שלי."

"לעורך הדין שלך תהיה עבודה קשה לשכנע את בית המשפט שאתה חף מפשע," הוא נהנה להתעלל בי, "אדם חף מפשע לא מסתובב בגואה ומציג את עצמו בשם בדוי, לא מתרוצץ במסיבת חוף עם 104 גרם של קוקאין נקי. רק אל תגיד לי שהבאת את זה לצריכה אישית שלך."

"לא ראיתי את הסם הזה מעולם," אמרתי.

הוא הוציא שקית נייר חומה מתוך מגירה וניער את תוכנה על השולחן. היו שם חבילות של דולרים, הכסף שלי.

"יש כאן בערך עשרת אלפים דולר," אמר, "מצאנו את זה בכספת שלך במלון. אתה יודע מה אנחנו חושבים? אנחנו חושבים שעשית את הכסף הזה ממכירת סמים בחוף."

עשרת אלפים דולר? רק עשרת אלפים דולר? "היו הרבה יותר מזה בכספת שלי במלון," אמרתי. הקצין משך בכתפיו באדישות ולא השיב. הגנבים האלה תחבו, כמובן, את כל השאר לכיסיהם.

"אני רוצה לדבר עם עורך הדין ועם הקונסול שלי," מילמלתי.

"ואנחנו רוצים שתודה באשמה," הגיב ההודי.

"אתם חייבים לאפשר לעורך הדין שלי..."

הקצין קטע אותי בתנועת יד מהירה, כאילו גירש מעל פניו זבוב טורדני.

"אדוני," הוא אמר, "כל מה שמעניין אותנו הוא שתפסנו אותך מנסה למכור סמים במסיבה על החוף. זו עבירה חמורה מאוד. יש מדינות שמוציאות להורג אנשים שסוחרים בסמים. אנחנו, למזלך הרב, מדינה מתקדמת שלא עושה את זה. אבל יש לנו תחליף גרוע עוד יותר. יש לנו בתי כלא שהם, תאמין לי, נוראים מן המוות. אתה חוטף שם את המחלות הקשות ביותר, אתה מת שם לאט, בייסורים, בעינויים. לכן תרשה לי לתת לך עצה קטנה: במקום לחפש תירוצים, פשוט תודה באשמה. אני יכול להבטיח לך שאם תעשה את זה, אני בעצמי אבקש מהשופט שיתחשב בך. הודאה באשמה תחסוך לך כמה

שנים קשות אצלנו בכלא, היא תבטיח שתישאר בחיים."

כמעט נעלבתי כשניסה להפעיל עלי שיטת שכנוע פרימיטיבית כל כך.
הוא הרי יכול להאמין שאני עורך דין מנוסה, הוא יכול לתאר לעצמו ששום
הבטחה לא תשכנע אותי להודות באשמה. הבטתי עליו בבוז ולא השבתי.

הצלחתי להרגיז אותו. הוא העווה את פניו בכעס. לרגע חשבתי שאולי
לא הייתי צריך להתנצח. נזכרתי שסיפרו לי שאפשר להסתדר עם שוטרים
הודים אם רק משלמים את המחיר הנכון. אולי, שאלתי את עצמי, האיש הזה
בעצם מצפה ממני לכסף? אמרתי לו:

"תשמע, בוא נפתור את הבעיה בדרך הפשוטה ביותר. אני מבין שגרמתי
לכם הוצאות גדולות, ביזבזתם שעות של עבודה כדי להביא אותי לכאן, מה
שאני מציע הוא שתיקחו את הכסף שמצאתם אצלי ותיתנו לי ללכת. הרי
ממילא תצטרכו לשחרר אותי אחרי שהקונסול שלי יידע שאני כאן..."

קצין המשטרה העלה על שפתיו חיוך רחב שכולו ביטחון עצמי.

"הקונסול שלך לא עושה עלי כל רושם," אמר, "וחוץ מזה, ההצעה שלך
מעליבה אותי."

הבנתי שגם הוא וגם השוטרים שלו קיבלו מכת השמים הרבה יותר מכפי
שאוכל אני לשלם להם.

חזרתי וביקשתי להודיע על מעצרי לקונסול הישראלי ולעורך הדין
שאנקאר צ'אנדרה. הקצין שרק בהתפעלות כששמע את שמו של הפרקליט.

"אני רואה שבחרת את הטוב ביותר," אמר, "זה רק מוכיח שאתה באמת
סוחר סמים גדול. רק פושעים עשירים יכולים להרשות לעצמם לשכור את
צ'אנדרה בכבודו ובעצמו."

הוא הניח לי להוסיף לשבת שם בלי שהמשיך לדבר. אחרי דקה ארוכה
אמר:

"נתתי לך זמן לחשוב בעניין ההודאה באשמה. מה התשובה שלך?"

"אני לא מתכוון להודות, אם זה מה שאתה רוצה לדעת."

הקצין שירבט כמה משפטים על פתק והניד את ראשו לעבר השוטרים.
הם אחזו בזרועותי, ספק צעדו איתי ספק גררו אותי על פני המסדרון שהוביל
אל חדר שבו נטלו ממני טביעת אצבעות וצילמו אותי מחזיק בידי שלט ועליו
מספר העציר שלי. אחר כך השליכו אותי לתוך תא אפל וטרקו את דלת

197

הברזל. שמעתי קשקוש מפתח במנעול וצעדים מתרחקים.

בתא שררה צחנה איומה, כאילו גדוד של אנשים עשה שם את צרכיו. ראשי הסתחרר, ובחילה עלתה במעלה גרוני. ייאוש נורא חנק אותי.

25

שעה ארוכה עמדתי באפילה ללא ניע, פוחד להתקדם לעבר הבלתי נודע. מן האשנב הקטן נראתה רק חשיכה סמיכה, שמדי פעם פילחה אותה קרן האור המסתובבת של המגדלור שמעלי. לא ראיתי דבר בתוך התא פנימה. בדמיוני הכול היה עלול להימצא שם: בור פתוח של מחראות, שלדי אדם שנמקו, עכברושי ענק שמטיילים על הריצפה. הרגשתי חולשה נוראה, ורגלי התקשו לשאת את גופי. הייתי חייב למצוא מקום לשבת או לשכב. מיששתי בזהירות את הקירות ואת מה שביניהם. לא היתה שם מיטה, רק מחצלת בלה וקוצנית שהדיפה ריחות חריפים של שתן. החלקתי בידי על פניה כדי לאמוד את גודלה. היא היתה גדולה די הצורך כדי להכיל עליה את ישבני, בשום אופן לא את גופי אם ארצה להשתרע עליה. התיישבתי ולא עצמתי עין.

חשבתי בקדחתנות על צעדי הבאים. מנקודת ראות משפטית היה מצבי בכי רע. היו עלי סמים בכמות מסחרית, היה לי כסף מזומן רב, נעצרתי במקום שמשמש שדה פעולה נרחב לסוחרי סמים, השתמשתי בשם בדוי. כל מה שאגיד לא ישכנע שופט כלשהו להאמין דווקא לגירסה שלי. הרגשתי שאני מתמודד מול כוחות חזקים ממני, אלה ששיחדו ואלה שלקחו מהם את השוחד. הייתי נתון בידיהם לטוב ולרע, לא היה לי שום ביטחון שיודיעו בכלל לקונסול הישראלי על מה שקרה, לא היתה שום ודאות שייענו לבקשתי להזעיק מבומביי את עורך הדין שלי או יביאו אותי לפני שופט כדי להאריך את מעצרי. מכל זווית שבחנתי את מצבי, הוא היה חסר סיכוי באותה מידה.

הכרתי מספיק בתי סוהר במסגרת עבודתי המשפטית כדי לדעת שסוד ההישרדות בכלא טמון ביכולת שלי להישאר שפוי. שיננתי לעצמי שאני חייב לשמור על קור רוח, הייתי חייב לשרוד, לא להישבר.

הייתי חייב לעשות הכול כדי לצאת משם.

לבסוף עלה השחר, ואורו הדל הסתנן אל תוך התא. הבטתי סביבי. בפינה היה דלי פח מצחין לעשיית צרכים, שלא נשטף ודאי זה זמן רב. הריצפה היתה מזוהמת, על הקירות הטחובים חרטו אסירים שמות ותאריכים משני העשורים האחרונים. בתיקרה היה בית מנורה ללא נורה, והאשנב המסורג שפנה אל הים היה חשוף ללא חלון שניתן להגיפו.

קמתי בקושי מן המחצלת. גופי כאב כאילו שימש שק חבטות למתאגרפים מקצועיים. קרבתי אל האשנב והצצתי החוצה.

בסמוך השתרע חוף סלעי, וגלי הים התרפקו עליו. דייגים העלו רשת במרחק של יידוי אבן, וסירה מהירה משכה עפיפון שבו נאחז מישהו שנשם אוויר של חופש, כאילו זה היה הדבר הטבעי ביותר בעולם. רק אתמול זה היה טבעי גם בשבילי.

שעה ארוכה עמדתי שם, נושם את ריח הים כדי להימלט מצחנת התא. לבסוף שמעתי קול צעדים כבדים וצליל שקשוק של כלי מתכת מתקרבים אל התא שלי. סוהר שמן ומזיע החזיק שני דליים גדושים שהכילו את ארוחת הבוקר, ואסף מתוכם, בכף העשויה ממחצית אגוז קוקוס, זנב של דג ומעט אורז בצבע מוזר, השליך אותם על צלחת של פח יחד עם צ'אפאטי, פיתה הודית יבשה, והשחיל את הצלחת מבעד לסורגים. לא נגעתי בארוחה. אוכל היה הדבר האחרון שחשבתי עליו או שהייתי זקוק לו. הייתי זקוק נואשות למישהו שיידע לחלץ אותי מכאן, הייתי מוכן לשלם כל סכום שאוכל להשיג ובלבד שאהיה רחוק משם, אבל הסיכוי שהישועה תגיע בעתיד הנראה לעין היה קלוש מאוד, אם לא למטה מזה. רק שלטונות הכלא יכלו להזעיק אלי את פרקליטי או את הקונסול שלי, והם לא ששו לעשות זאת. הייתי כלוא בחור הזה ללא זכויות בסיסיות של עציר, לא ידעתי כמה זמן יימשך הסיוט, התפללתי שאשתחרר לפני שתגיע הידיעה לילדי.

עמדתי ליד החלון זמן רב. השמש עלתה, התא התחמם במהירות והצחנה החריפה ככל שנעשה חם יותר. החוף מולי התמלא מתרחצים. ראיתי אנשים בבגדי ים, רוכלים שמכרו דברי מתיקה וגלידה, תיירים שהצטלמו למזכרת.

היום עבר בעצלתיים. פעמיים נוספות הכניסו לתאי אוכל שלא נגעתי בו. שמעתי צעקות מתאי כלא רחוקים, מישהו בכה בתא לידי. היה לי חם

200

והבגדים שלבשתי החמיצו מזיעה, שנטפה ממני ללא הרף. שתיתי מעט מים מספל הפח שהוכנס לתאי עם צלחת האוכל. היה להם טעם מבחיל, וכעבור שעה קלה התפתלתי בכאבי בטן נוראים. ידעתי שעשיתי טעות. בשום פנים ואופן אסור היה לי לשתות את המים המעופשים האלה. שילשלתי ללא הרף אל תוך הדלי המצחין. הרגשתי מזוהם, עלוב, חולה וחסר אונים.

הכלא התנהל על־פי קצב החיים ההודי, כלומר שום דבר לא היה דחוף, כל דבר יכול היה לחכות, גם הבעיה שלי. מבחינתם, ידעתי, יכולתי למות בתא הזה, ואולי זה בעצם מה שרצו. זה היה יכול להיות פתרון מושלם מבחינת המשטרה ומבחינת מי ששיחד אותה.

גם בלילה הבא לא הצלחתי לעצום עין. את כל שעות החשיכה העברתי בעמידה או בישיבה. בטני כאבה וזיפי הזקן שלי צמחו ויצרו גירוי עז על עור פני. הייתי רעב וצמא. חשבתי על עופרה, על שנות הנישואין הראשונות שלנו, חשבתי על מה שקרה אחר כך. היא אהבה אותי, היא היתה ידידה טובה ואוזן קשבת, היא ידעה לתת לי תמיד את העצה הנכונה בזמן הנכון, אבל אני לא ידעתי להעריך את כל אלה. איך יכולתי להיות אטום כל כך? חשבתי גם על עינב ועל דרור. ראיתי אותם לנגד עיני מנסים לחזור אל שיגרת החיים, משתדלים להתגבר על הלם האסון שקרה לאמם, שואלים את עצמם מה קרה לי שלא טילפנתי כבר כמה ימים. לא היה כל סיכוי שיתנו לי לטלפן אליהם מן הכלא.

בבוקר פתח הסוהר את דלת תאי והורה לי לבוא איתו. קיוויתי שמשהו טוב קורה, שהמשטרה בכל זאת הגיעה למסקנה שאי־אפשר להתעלל בי לאורך זמן. הסוהר הכניס אותי לחדרו של קצין המשטרה שקידם את פני בליל מעצרי. חיפשתי על פניו סימנים מבשרי טוב, אבל לא מצאתי אף אחד כזה. הוא אפילו לא הציע לי לשבת.

״ובכן, מר שמיר,״ בחן אותי קצין המשטרה במבט ארוך ונראה שהיה שבע רצון למראה הזוהמה שדבקה בי, ״איך בית ההבראה שלנו בעיניך?״

לא השבתי.

הוא ריחרח והעווה את פניו בהבעת גועל.

״אתה מסריח, מר שמיר. אתה זקוק למקלחת טובה.״

הוספתי לשתוק.

"אני מניח שחשבת על מה שהצעתי לך?"

"חשבתי."

"והחלטת להודות?"

"לא," אמרתי, "אני לא אודה."

"אתה עושה שטות גדולה," אמר הקצין, "כדאי שתדע שיש לנו דרכים להוציא ממך את ההודאה הזאת, אני לא מציע לך לגרום לנו להפעיל אותן."

הוא המתין רגע ארוך לתשובתי. אחר כך קם על רגליו בתנועה נמרצת ואותת לסוהרים. יצאנו מן החדר, אבל לא הלכנו לעבר התא שלי. ירדנו במדרגות תלולות ועצרנו לפני תא זעיר. גם כאן לא היה מנוס מן הצחנה הנוראה ומריח כבד של טחב וזיעה שנוסף אליה. ראינו מישהו שרוע ללא ניע על ריצפת התא. לא היה ברור לי אם הוא חי או מת. אחד השוטרים פתח את דלת התא ובעט בצלעותיו. הייתי בטוח ששמעתי קול של עצמות נשברות, אבל האיש לא זע. השוטר רכן עליו והרים את ראשו. עיניו היו עצומות, והשוטר קירב את אוזנו לנחירי אפו. זמן מה האזין בשקט, כשכולנו עומדים במקומנו וממתינים לתוצאה. לבסוף משך השוטר את ידו, והראש נחבט בריצפה הלחה.

"הוא מת," אמר ותלה עיניו בממונה עליו, מצפה להוראות.

"קח אותו מכאן," זרק הקצין.

השוטר רכן, החזיק ברגליה של הגופה וגרר אותה במעלה המדרגות, כשהיא נחבטת בכל מדרגה כשק של גרוטאות.

הקצין שלח לעברי מבט קשה. הוא אמר:

"עכשיו אתה מבין למה התכוונתי כשהצעתי לך להודות ולהיפטר בעונש קל? אמרתי לך שכל יום בכלא הודי מפחית את סיכוייך לחיות. ראית במו עיניך מישהו שלא זכה לצאת מכאן חי. תזכור את זה."

הוא הכניס אותי לתאו של המת. שני עכברושים ענקיים הביטו בנו בעיניים בורקות ולא זזו ממקומם. התא היה קטן כדי מחצית מן התא שבו הייתי עצור. האשנב שלו היה ממוקם באורח מוזר בתחתית הקיר, ליד הריצפה, נוגע כמעט במי הים.

"זה הצינוק שלנו," אמר הקצין בחיוך מתועב, "כשיש גאות, המים

נכנסים ישר פנימה. אם יש לך מזל, הם מגיעים עד הביצים שלך, אם אין לך, הם עולים עד מעל לראש... כל מי שנכנס לכאן, תאמין לי, מוכן לעשות הכול ובלבד שנוציא אותו מפה."

הוא יצא, סגר את הדלת והשאיר אותי בפנים. נתזים של מים התעופפו דרך האשנב אל התא והרטיבו את בגדי. הקצין עמד שעה ארוכה מחוץ לתא והתבונן בי נרטב עד לשד עצמותי מרסיסי מים נוספים, שמילאו את התא עם כל התרסקות של גל גדול אל הסלעים. רעדתי מפחד. רק בסרטי זוועה ראיתי תאי כלא כאלה.

מבע פניהם של הקצין והשוטרים שהתבוננו בי היה אדיש וקר. היה ברור לי שלאיש מהם לא יהיה איכפת אם גם אני אפח את נשמתי.

המים גאו ללא הרף. הקצין פתח את הדלת.

"ובכן, מה דעתך עכשיו על ההצעה שלי?"

היתה רק תשובה אחת שיכולתי לתת. ידעתי שזה ירגיז אותו, ידעתי שזה מסכן את חיי, אבל אסור היה לי להיכנע.

"אני לא מתכוון להודות במה שלא עשיתי," אמרתי.

"או קיי," חייך, "אתה מתעקש, אני מתעקש, מעניין מי משנינו ינצח."

הוא אותת בתנופת יד אל השוטרים והם הוציאו אותי מן הצינוק ותמכו בי כשגררתי את רגלי אל תאי.

דלת התא ננעלה מאחורי. היה לי זמן בשפע כדי לחשוב, אבל המחשבות לא הובילו אותי לשום מקום. לא ידעתי אם הם באמת מתכוונים להשליך אותי שוב אל הצינוק ולשבור אותי שם, או שזהו רק איום שמרחף באוויר. לא ידעתי כמה זמן הם ימשכו את הבקשה לפגוש את עורך הדין שלי ואת הקונסול הישראלי. הכול היה תלוי בהם, ולא היה לי מושג מה בדיוק הם יעשו. מיום שאני זוכר את עצמי ניהלתי מלחמות חורמה באנשי משטרה שהרגיזו אותי, שהעזו לדבר אלי בנימה מאיימת הרבה פחות מכפי שהקצין ההודי דיבר. שנאתי מצבים שלא יכולתי לשלוט בהם, שנאתי את מה שקורה לי עכשיו. הרגשתי שאני חייב לעשות משהו, מהר. ידעתי שהזמן פועל לרעתי. הפחתי בעצמי רוח קרב ואימצתי את מוחי כדי למצוא את הדרך הנכונה לנהל את המלחמה.

בשעת צהריים מאוחרת חרק המפתח במנעול התא. הסוהר השמן קרא לי בתנועת יד לצאת החוצה.

"יש לך אורחים," אמר.

התקשיתי להאמין. שאלתי אם ידוע לו מי בא לבקר אותי, אבל הסוהר אמר שהוא אינו יודע. הלכנו במסדרון צר בין שתי שורות של תאים, יצאנו לחצר והסוהר פתח דלת אל ביתן המבקרים. שמתי לב שלא היו שם סורגים שהפרידו בין המבקרים לבין האסירים, אבל באולם הסתובבו סוהרים רבים שאמורים היו לפקח על הנעשה.

מאווררי התיקרה סבבו באיטיות וניסו לשווא לגרש את החום הכבד ששרר שם. בפעם הראשונה ראיתי את האסירים שישבו באותו כלא. מרביתם היו הודים, והיו גם שנים או שלושה צעירים בעלי חזות אירופית.

שאנקאר צ'אנדרה, פרקליטי, ועוד גבר לא מוכר לי המתינו לבואי. הגבר שלא הכרתי הציג את עצמו כקונסול ישראל בבומביי. הם סיפרו לי שקיבלו בשעות הבוקר הודעה על מעצרי והזדרזו לבוא. שניהם היו לבושים בחליפות ללא דופי והדיפו ריח קל של בושם גברי. התביישתי לשבת מולם מלוכלך ומוזנח. שנאתי את מבט הרחמים שעמד בעיניהם.

הם הביאו איתם כמה בקבוקי משקה קרים ושקית מלאה פירות טריים. הייתי אסיר תודה. הם הביאו גם את עיתוני הצהריים, שבהם פורסמה הידיעה על מעצרי בכותרות שמנות. בעיתון של גואה זו היתה כמעט כותרת ראשית: "עורך דין ישראלי ידוע נעצר בחוף וגאטור כחשוד בסחר סמים בהיקף גדול." בגוף הידיעה היו כל הפרטים שידעתי על הסם שנמצא ברשותי, על הכסף הרב שהיה לי, על הזהות הבדויה ועל המעצר בחוף.

רשמתי לקונסול את מספרי הטלפון בביתי, וביקשתי שיטלפן עוד באותו ערב לבני המשפחה שלי וירגיע אותם, לפני שהידיעה תגיע לעיתונות הישראלית. הוא הבטיח שיעשה זאת.

שאנקאר צ'אנדרה היה נרעש וחסר מנוחה. הוא אמר שההודעה היכתה אותו בתדהמה ורצה לשמוע את כל הסיפור. סיפרתי בפרטי פרטים על מה שאירע, על החשד שלי שאנשי האשראם עומדים מאחורי המזימה לשלוח אותי אל הכלא לשנים רבות כדי שלא אפריע להם. אמרתי שאני מבקש להגיש מיד בקשה לשחרור בערבות ולביטול ההאשמות, וכן לדרוש את

התערבותו של משרד החוץ ההודי.

שאנקאר צ׳אנדרה רשם הערות בפנקסו. הוא נתן את רשות הדיבור לקונסול שהביע השתתפות בצערי והבטיח לדווח מיד למשרד החוץ בירושלים על מה שקרה. הוא היה בטוח שהמשרד יפעל במהירות. אמרתי שאני ודאי לא הישראלי היחיד שנכלא בכלא הודי ולא הראשון שבו הוא מטפל. הוא אישר את ההערכה שלי.

״מניסיונך,״ ביקשתי לדעת, ״האם יש סיכוי שהפעולה הדיפלומטית תביא לשחרור מהיר שלי?״

הקונסול היה נבוך. הבחנתי שחיפש מילים מתאימות כדי לנסח בעדינות את הבשורה הרעה שעמד לבשר לי.

״תראה, מר שמיר,״ הוא דיבר לאט, בקול מהוקצע, ״הודו היא אמנם מדינה שמקיימת יחסים דיפלומטיים עם ישראל, אבל זה לא אומר שהם ייתנו הוראה לשחרר אותך לפני שיבדקו את העובדות.״

״במילים אחרות, זה עלול להימשך זמן רב.״ רציתי פעולה מהירה, לא סחבת ביורוקרטית.

״העניינים האלה נמשכים תמיד קצת זמן,״ אמר, ״מובן שהקונסוליה הישראלית תעשה הכול כדי להקל עליך בינתיים.״ נראה היה לי שהם יצליחו, אולי, למנוע את כליאתי בצינוק, אבל לא יצליחו לשחרר אותי בקרוב מן המעצר.

הפרקליט מבומביי המתין בסבלנות לתורו. הוא אמר ששוחח קודם הביקור עם קצין המשטרה שחקר אותי, ולמד ממנו כי המעצר שלי בחוף וגאטור היה פרי הודעה אנונימית שהתקבלה במשטרה. בהודעה נאמר שעסקתי בפועל במכירת סמים לצעירים שבאו להשתתף במסיבת החוף.

״הוא משקר,״ מחיתי, ״גם הוא וגם אני יודעים בדיוק מי מסר את המידע למשטרה, אנחנו יודעים היטב שמישהו שילם הרבה כסף כדי שיעצרו אותי.״ שנקאר צ׳אנדרה נאנח.

״אני, כמובן, מאמין לך, מר שמיר,״ אמר, ״אבל אתה יודע כמוני שיש לנו כאן בעיה לא קלה. קודם כל, לא נוכל להוכיח מי באמת הודיע למשטרה, מי באמת טמן לך את המלכודת...״ הוא הוסיף לדבר, אבל דבריו נמוגו באוויר. האזנתי להם בחצי אוזן. ידעתי בדיוק מה יגיד: אין הוכחות שהיתה כאן מזימה

שפלה, אבל יש הוכחות שסחרתי בסמים. לא רציתי לשמוע את כל אלה, רציתי לדעת אם יש הליך משפטי כלשהו שיאפשר לסיים את הבדיחה המרה הזאת. צ׳אנדרה דיבר עכשיו על האפשרות לפנות לבית המשפט העליון ולתבוע את שחרורי על סמך מעצר שווא.

"זה יעזור?" דרשתי לדעת.

"קו ההגנה צריך לשאוף למטרה אחת — להטיל ספק," אמר, "צריך לטעון שאין שום היגיון בעלילה שטפלו עליך, שאין כל היגיון שעורך דין מכובד ואמיד מישראל יבוא דווקא לגואה כדי לסחור בסמים..."

"ומה תאמר אם ינפנפו כנגדך בטענה שמסרתי שם בדוי? האם הם לא עשויים לראות בכך הוכחה שאמנם היה לי מה להסתיר?"

הקשיתי עליו במתכוון. הוא הסכים איתי שטענה כזאת עלולה לצוץ. הוא אמר שאכן מצבי לא קל, אבל הוא כבר טיפל בעבר בלקוחות של משרדו שנקלעו למצבים קשים, והוא מקווה שגם עכשיו ניתן יהיה לשכנע את בית המשפט בצדקתי. נימת דבריו, ועיניו שהתרוצצו בחוריהן, אותתו לי שהוא חושב שיהיה קשה, קשה עד מאוד, לשכנע את שלטונות המשפט ההודיים שאני צודק ולא המשטרה.

אבל זו היתה רק הקדמה למה שבא אחר כך. צ׳אנדרה ביקש לשוחח איתי ביחידות. הקונסול הצטדד באחת הפינות, וההודי התקרב אלי ואמר בקול מודאג:

"אני בטוח, מר שמיר, שאתה לא מטיל ספק בכוונותי הטובות. הסכמתי לקבל עלי את העבודה כשבאת למשרדי בבומביי, באתי לכאן ברגע שהודיעו לי על כך מהמשטרה. אבל כפי שאני רואה את הדברים כרגע, לאחר בדיקה ראשונה, לא נראה לי שאוכל לטפל אישית בעניין שלך..."

חשבתי שלא שמעתי היטב.

"תחזור בבקשה על הדברים שאמרת," ביקשתי.

הוא חזר בדיוק על הדברים.

"אני יודע," אמר, "שזה לא הוגן מצידי לומר לך זאת דווקא בנסיבות כאלה, אבל עומס העבודה במשרד גדל מאוד בימים האחרונים. צר לי, אבל לא אוכל להתמסר למאבק המשפטי שאתה זקוק לו עכשיו... המעצר שלך היא עניין מסובך מאין כמוהו, זה תובע עבודה משפטית קשה ומורכבת מאוד,

ואני, כפי שאמרתי, לא אוכל לקחת אותה על עצמי. עם זאת, הייתי רוצה להציע לך מישהו אחר במקומי, בחור צעיר ונמרץ שעובד אצלנו במשרד בבומביי. אני בטוח שהוא יעשה הכול כדי לעזור לך...״

הבנתי היטב את הדברים שאמר, ובעיקר את אלה שלא אמר. הוא היסס לטפל בנושא המעצר שלי כי היה בטוח שיפסיד, והוא לא רצה שזה ייזקף לחובתו.

הייתי מטורף מכעס, אבל הדחקתי הכול פנימה. לא היתה לי ברירה. הייתי זקוק לעזרה, גם אם במקום צ׳אנדרה הגדול יבוא מישהו אחר. סיכמנו שצ׳אנדרה ינחה את ממלא מקומו בעניין הבקשה שתוגש לערכאות המשפט ההודיות, ובה בשעה יפעל הקונסול באמצעות משרד החוץ.

הם קמו והלכו, ואני נשארתי לבד, ריק ממחשבות. הצרה שלתוכה נקלעתי, ואשר קיוויתי להיחלץ ממנה בדרך זו או אחרת במהירות, נראתה עתה כסלע ענקי שנתלה על צווארי וצובר משקל מרגע לרגע. לא רציתי לחשוב על כך. רציתי לחשוב על עינב ועל דרור. התגעגעתי אליהם עד כאב. קיוויתי שהקונסול יטלפן אליהם בעוד מועד ויצליח להרגיע אותם קצת.

26

הסוהר עורר אותי ממחשבותי. חדר המבקרים התרוקן. קמתי מן הכיסא בכבדות, כאילו הייתי ישיש שכל תנועה עולה לו בכאב. יצאנו מבניין המבקרים והלכנו בשביל המוביל אל ביתני הכלא. לצד השביל שכבו על הקרקע שלושה צעירים, עיניהם פעורות באימה, גופיהם מיטלטלים בעוויתות נוראות וקצף לבן ניגר מפיהם. לידם עמדו שלושה שוטרים וצחקו בפה מלא. זה היה מראה נורא.

האטתי את צעדי. הרגשתי שאני חייב לעשות משהו, להזעיק עזרה, לנסות להציל אותם.

"תמשיך ללכת," דחק בי הסוהר, "זה לא העניין שלך."

"אתה לא רואה?" אמרתי בחרדה, "האנשים האלה עומדים למות, למה אף אחד לא קורא לרופא?"

הסוהר הזעיף פנים.

"מגיע להם," אמר, "הם ניסו לברוח."

לברוח? איך לא חשבתי על אפשרות כזאת? אם הם ניסו, מן הסתם קיים כאן נתיב בריחה כלשהו. מן המבט הראשון היה ברור לי שכלא אגוואדה לא ניבנה למטרה שלשמה הוא משמש כיום. הוא נראה יותר כמוצב ששמר על המיפרץ מפני פולשים מן הים. בחומת האבן היורדת אל המים ניצבו עדיין התותחים הישנים בעמדות הירי שלהם. הכלא שוכן במורד של גבעה תלולה, שבפיסגתה נמצאים כנסייה קטנה ומגדלור שמתריע על הימצאם של סלעים במי הים הסמוכים.

"תפסתם אותם בזמן שברחו?" שאלתי.

הוא צחק בקול רם.

"לא אנחנו, נחשי הקוברה עשו בשבילנו את העבודה. הם הכישו את

הבורחים וכשמצאנו אותם, הארס כבר התפשט בגוף שלהם, והם שכבו שם, מפרפרים בלי להפסיק..."

הוא אמר שהשלושה ניסו להימלט במעלה הגבעה החולשת על הכלא.

"כל מי שברח בדרך הזאת," אמר בנימת אזהרה, "נמצא בסופו של דבר מת על הגבעה. המקום הזה עשוי להיראות לך תמים מאוד, עם עצי פאפאיה וקוקוס וצמחייה סמיכה, אבל שזה לא יטעה אותך. כל הגבעה שורצת מאות קוברות ארסיות, ואין סיכוי לצאת מכאן חי."

"אתם רוצים שהאנשים האלה ימותו, נכון?" אמרתי, "אתם לא מגישים להם עזרה רפואית בכוונה.".

"אתה בחור אינטליגנטי," קרץ לי, "הבנת בדיוק את העניין."

ישבתי בתא על פיסת המחצלת ושתיתי מיץ מנגו, שהביאו לי הפרקליט והקונסול. שתיתי לאט, כדי שהתענוג לא יסתיים מהר מדי. כמעט בכיתי כשחשבתי על כך שקרן האור היחידה כרגע בחיי היא המיץ המתוק בבקבוק הזה. חשבתי על סיכויי הבריחה, על הנחשים השורצים בין עצי הפאפאיה הקוקוס על הגבעה. חלמתי בהקיץ. דמיינתי את עצמי מפלס לי דרך בזריזות בתוך הצמחייה, כשלפתע צונחים עלי גדודים של נחשים, פולשים אל גופי, מכישים אותי בכל איברי. נזכרתי לפתע בנחש אחד נוסף, הנחש שהיה מצויר על חזהו של שמעון ליטני, הנאשם באונס. דומה היה שעברו שנים מאז המשפט. כמה מהר נשכחו ממני דברים שמילאו פעם את חיי.

טיפת המיץ האחרונה החליקה במורד גרוני. מצצתי את הבקבוק והשלכתי אותו לפינת התא. נברתי בשקית הפירות. היו שם כמה בננות ותפוזים, אוצר בלום. חשבתי שאם אתגבר על התשוקה להתנפל עליהם בבת אחת, אוכל להאריך את הנאת האכילה בימים אחדים. התלבטתי מה לאכול היום, תפוז או בננה, כשלפתע שמעתי משהו שהקפיץ אותי על רגלי. שירים עבריים. מישהו שר בעברית בתא ממולי.

ניגשתי אל הסורגים ושאלתי מי זה.

"שמי דור," אמר בחור צעיר, "מה שמך?"

אמרתי לו.

"על מה הם עצרו אותך?" שאל.

209

"סמים," אמרתי, "הם טוענים שסחרתי בסמים."

"אין הרבה אנשים בגילך שעושים את זה."

"לא עשיתי כלום," הרגשתי שאני חוזר על עצמי, "מישהו ניסה להפליל אותי."

"זה לא עושה עליהם רושם," הוא אמר, כבקי ויודע, "כל מי שנעצר טוען את זה. כמה מצאו אצלך?"

"קצת יותר ממאה גרם קוקאין."

הוא שרק בהשתאות.

"אצלי מצאו לא יותר משלושים גרם חשיש," סיפר לי, "תפסו אותי בדיוק כשהצעתי אותם למכירה." הוא הזדרז להוסיף שעשה מה שתרמילאים צעירים רבים עושים, כלומר קנה בצפון, במקום שבו מגדלים את הסם, ומכר בדרום ברווח כדי לממן את המשך הטיול שלו.

"כמה זמן אתה כבר בכלא הזה?" שאלתי.

"שישה חודשים."

"הקונסול היה אצלך?"

"היה, אבל הוא לא הצליח לעשות כלום. ההודים מתעקשים להעמיד אותי לדין."

"מתי המשפט שלך?" "מחרתיים."

הוא התלונן על התנאים בכלא, אמר שקיבל הרעלת קיבה נוראה והפחית כמעט עשרה קילוגרמים ממשקלו, ושבלי שוחד הוא לא היה מצליח לשרוד כאן. אמו, סיפר, כבר הוציאה אלפי דולרים כשכר טירחה לעורך דין וכתשלום שוחד לאנשים שטענו שהם מקורבים לבית המשפט. תיקוותו הגדולה היתה שיקבל עונש קל ושלא יישלח לבית הסוהר בבומביי, שהוא גרוע אף יותר מזה של גואה.

הסוהר תחב מבעד לסורגים את ארוחת ערב.

"אל תיגע בזה," אמר דור, "אמא שלי היתה כאן אתמול והביאה לי כמה דברים טובים לאכול." הוא השליך לעברי כריך גדול ומפתה. שלחתי את ידי מן הסורגים ותפסתי אותו. השלכתי אליו כמה תפוזים.

"רציתי לברוח מכאן," אמר, "אבל הדרכון שלי נמצא במשטרה, ובלי דרכון אין לי סיכוי לברוח מהודו."

שוחחנו קצת. דור סיפר שהודו עוררה בו התרגשות שלא פסקה גם אחרי כמה חודשים. הוא היטלטל באוטובוסים ישנים ימים ולילות על פני כבישים צרים והרוסים, נסע ברכבות צפופות עשרות שעות, עשה מדיטציה באשראמים שונים, הצטרף לקורס הילינג בפונה וירד לגואה כדי להשתתף במסיבות החוף ההמוניות. שם גם עצרו אותו.

סיפרתי לו שפגשתי את אמו והיא עשתה עלי רושם של נמרה שנלחמת בחירוף נפש למען גוריה. הוא אמר בכאב:

"רק אחרי שנעצרתי, הבנתי כמה אני אוהב אותה."

למחרת הודיעו לי על בואו של אורח נוסף. גם הפעם לא אמרו לי מיהו. זה לא יכול היה להיות הפרקליט, גם לא הקונסול. לא יכולתי לנחש מי עשוי לבקר אותי. הגעתי לחדר המבקרים, והוא חיכה לי שם כמו מתנה מפתיעה משמים. התרגשתי למראהו.

"ראג'יב!" קראתי, "לא היית צריך..."

הוא חייך במבוכה.

"היה ברור לי שאבוא לבקר אותך," אמר, "רק שעשו לי קצת בעיות עם אישור הכניסה לכאן, לכן זה נמשך יומיים."

הוא סיפר שמאז מעצרי התקשה להירדם בלילות. גם הוא היה בטוח שטמנו לי פח. הוא קירב אלי את ראשו כדי שלא ייאלץ לדבר בקול רם.

"חקרו אותך?" שאל.

"כן."

"הודית בהאשמה?"

"לא."

"טוב עשית."

סיפרתי לו שעורך הדין שלי והקונסול הישראלי ביקרו אותי יום קודם לכן.

"ומה הם אמרו?" התעניין, "יש סיכוי שישחררו אותך עד המשפט?"

"לא בטוח."

"תאמין לי," אמר ראג'יב, "מישהו שילם הרבה כסף כדי לשכנע את המשטרה לעשות לך את התרגיל הזה. שום קונסול ישראלי ושום עורך דין לא

יוכלו לגרום להם לוותר עליך עכשיו בקלות."

הוא השתהה לרגע, בוחן את פני כדי לוודא שירדתי לסוף דעתו.

"במקרה הטוב תחכה כאן עוד הרבה חודשים עד שיגישו כתב אישום. אם
יהיה לך מזל תקבל במשפט שנה או שנתיים בפנים, אם לא יהיה לך מזל..."
הוא לא המשיך.

הדברים היו פשוטים ונבונים. הם תאמו בדיוק את מה שחשבתי גם אני.
שום מקל קסמים משפטי או דיפלומטי לא יצליח להניע את ההודים לסגור
את התיק, אם לא ירצו בכך.

"אסור לך להישאר בכלא," אמר ראג'יב, "זה לא בשבילך, גם לאסירים
הודים זה סיוט להיות כאן. אתה חייב לחשוב על דרכים כדי לצאת מפה, ואני
לא מתכוון לדרכים המקובלות."

"למה אתה מתכוון?"

"חשבת לברוח?"

הוא הצליח להחיש את פעימות הלב שלי.

"חשבתי על זה רגע או שניים. זה נראה לי בלתי אפשרי."

"כל דבר אפשרי, אם אתה מאמין בו. אתה לא תהיה הראשון שתנסה
לברוח מכאן. נכון שהיו כאלה שלא הצליחו, אבל היו גם כאלה שזכו בחופש
ונשארו בחוץ. אני אעזור לך."

סיפרתי לראג'יב על שלושת הבורחים שגססו בחצר הכלא. הוא הניד את
ראשו בצער.

"מי שלא מכיר את האזור," אמר, "מתפתה לחשוב שדי לצאת מתא
המעצר ולטפס על הגבעה כדי לברוח מכאן. האמת היא שאין שום סיכוי
שבעולם להימלט בדרך הזאת. השמועה אומרת שהמשטרה פיזרה שם את
הנחשים במתכוון, כדי שיתרבו ויכישו כל מי שמנסה לחצות את הצמחייה."

ראג'יב אמר שיש דרכי בריחה יעילות יותר. הסוהר האיץ בנו לסיים.

"הכסף שלי אצלם," אמרתי, "הדרכון שלי אצלם, הם יחסמו את
הגבולות, הם לא ירפו ממני עד שיתפסו אותי."

"או קיי," חייך ראג'יב, "יש לך ברירה. אתה יכול להישאר כאן."

"אני יודע."

ראג'יב קם ממקומו.

"אתה זקוק למשהו?" שאל.

"אוכל נקי," אמרתי, "שתייה, אם אפשר."

ליוויתי אותו במבטי עד שיצא מאולם המבקרים. האפשרות לברוח היתה מפתה, אבל לא ראיתי את עצמי עושה זאת, בעיקר לא אחרי מה שניגלה לעיני בחצר. בריחה נראתה לי פתאום מעשה נועז מדי, מסוכן מדי, לא בגילי, לא בשבילי.

למחרת נפתחה דלת תאי ושני שוטרים לקחו אותי אל תא העינויים בקומה שמתחתינו. כשהגענו לשם, המסדרון והתאים כבר היו מוצפים מים. הגאות החלה.

השוטרים בוססו במים וקיללו. הושלכתי אל התא, הדלת נסגרה מאחורי והשוטרים שבו ועלו משם. נשארתי לבדי. המים הגיעו עד קרסולי והם גאו ללא הרף. ניסיתי לשכנע את עצמי שכל מה שיקרה לי הוא שאירטב במי הים, שלא ייתכן שהמים יציפו כליל את התא, לא האמנתי שהשאירו אותי שם כדי למות.

גווייה של עכבר מת צפה לידי. נמלטתי ממנה אל קצה התא והקאתי אל תוך המים. מעולם לא הכרתי אנשים שהגיעו לתהומות של השפלה אנושית גדולה כל כך. מעולם לא העליתי על דעתי שזה עלול לקרות לי, אבל זה קרה וזה היה אמיתי. צרחתי כל עוד נשמתי בי. רציתי שיוציאו אותי משם. לא חשבתי על המחיר שאצטרך לשלם, רציתי להיות מחוץ לזוועה הזאת. התא שממנו הובאתי לכאן נראה לי עתה כפיסגת שאיפותי.

איש לא נענה לקריאותי. המים הגיעו עד לכתפי. עוד מרחק מה והם יגיעו לתיקרה ויטביעו אותי בלי שאוכל לצאת משם. לא יכולתי לחשוב על דבר, פרט לדרכים שיסייעו לי להיחלץ מן התא בטרם יהיה מאוחר מדי. צעקתי ללא הרף. שמעתי את קולי מהדהד בין כותלי האבן הטחובים שהתכסו מים במהירות. חשקתי את שפתי בכל כוחי, כשטיפסו המים ועלו מצווארי אל סנטרי. עצמתי את עיני...

התעוררתי כשמישהו טילטל בגסות את גופי. שכבתי בשלולית מים בתא העינויים. הייתי מותש, רציתי להקיא שוב. קצין המשטרה עמד מעלי.

213

"יש לך מזל," אמר, "הגאות היום היתה קצרה מן הרגיל. כנראה שאיבדת את ההכרה." הוא חייך. "אני בטוח שלמדת לקח. עכשיו נחזיר אותך אל התא שלך, וכשתתאושש נדבר על ההודאה. בסדר?"

הינהנתי בראשי.

ראג'יב הגיע אחר הצהריים. הוא הביא לי פירות ומים מינרליים. מראה פני וסיפור קורותי בתא העינויים הבהירו לו שמצבי נואש. הוא היה נסער ולא הסתיר זאת.

"אין ברירה," אמר, "חשבתי על זה כל הזמן. אי־אפשר להשאיר אותך לחסדי המשפט שלהם. אתה מוכרח לצאת מכאן, עוד הלילה."

היססתי. הייתי חלש, מדוכדך, רציתי לישון.

"חבל על כל רגע," אמר ראג'יב, "כלא אגוואדה הוא בית מעצר פרימיטיבי. קל יחסית לברוח ממנו. אל תשכח שעלולים להעביר אותך מכאן לכלא שמור יותר או לתקוע אותך שוב בצינוק, ואז אפסו כליל סיכוייך לברוח אל החופש."

הוא בדק אם הסוהר מביט לעברנו והחליק לתוך ידי חפץ מתכתי.

"בלילה," אמר, "יש רק סוהר אחד בכל מסדרון. עליך להתגבר עליו בעזרת המכשיר הקטן שנתתי לך." זו לא תהיה בעיה מיוחדת." שאלתי את עצמי מהיכן אסף את המידע על סדרי הכלא.

"שמע היטב," הוסיף, "אחרי שתתגבר על השומר, צא לחצר, לך ימינה, לאורך הגדר. יש שם פנסים קטנים שמאירים פחות או יותר את השטח. ליתר ביטחון, חפש מקום פחות מואר, טפס על הגדר, השתדל שלא להיפצע מן התיל וקפוץ למטה. אתה יודע לשחות?"

גימגמתי תשובה חיובית. לא האמנתי שאני עומד לעשות את זה.

"מצוין," אמר ראג'יב, "אחרי שתקפוץ, תשחה ימינה, תזכור: ימינה בלבד. תשחה לאורך המבצר, עד שתגיע לביתן האחרון של הכלא. אחרי דקה או שתיים תראה מימינך מלון גדול. זהו ה'טאג' פורט אגוואדה', חמישה כוכבים, בית תענוגות לעשירים. תגיע אל החוף של המלון ולך לעבר הבניין. בדרך אתה חוצה שביל עפר, ומיד אחריו נמצאות המדרגות המובילות אל המלון. שם, על השביל, אחכה לך. ברור?"

214

עדיין היססתי. לא הייתי בטוח שיהיו בי האומץ והכוח לפרוץ החוצה מן הכלא.

"אתה מצפה ממני ליותר מדי," אמרתי, "אני לא יודע אם אוכל לעשות את זה."

"אני בטוח שתוכל," אמר ראג'יב בקול מעודד, "תחשוב על האלטרנטיבה. היא גרועה הרבה יותר."

אמרתי לו שיהיה עלי לוותר על הדרכון שלי ועל הכסף, שנמצאים בידי מפקד הכלא. "בלעדיהם," אמרתי, "אני אבוד."

"כפי שזה נראה לי," השיב, "אתה אבוד גם אם תישאר כאן. ההבדל הוא שבחוץ יש לך דרכים שונות לשרוד, כאן אין לך אף אחת."

בחנתי אותו במבט ארוך.

"ראג'יב, למה אתה עושה את זה בשבילי?"

"בוא נאמר," השיב, "שהייתי עושה את זה בשביל כל מי שנעשה לו עוול, ולך נעשה, לדעתי, עוול גדול במיוחד."

הוא איחל לי הצלחה והלך. כשהוחזרתי לתא, פתחתי לראשונה את כף היד שלי ובחנתי את החפץ שנתן לי ראג'יב. היה זה מיכל של גז מדמיע להגנה עצמית.

חיכיתי בהתרגשות ובחרדה עד הערב. כשירדה החשיכה, חילק הסוהר את ארוחת הערב וחזר לשבת בקצה המסדרון. אכלתי בננה ואגס, מן הפירות שראג'ב הביא לי. הרחש בתאים שכך לאיטו. בית המעצר שקע בדממת לילה. הצצתי לעבר הסוהר. הוא ישב על השרפרף בראש רכון ונימנם. הרגשתי פיק ברכיים. ליבי הלם כמו מאה פטישים. ידעתי שאם לא אצליח להימלט הלילה, גורלי נחרץ למשך שנים ארוכות. לפתתי בידי את המיכל והחלטתי להעז.

"סוהר," קראתי בכל כוח ריאותי, "סוהר!!!"

נשכבתי על הריצפה וחזרתי על הקריאה שוב ושוב. לבסוף שמעתי דשדוש צעדים נגררים, וראיתי את פרצופו של הסוהר נתחב בין הסורגים.

"אני מרגיש נורא," נאנקתי, "אני חושב שאני הולך למות."

הוא היסס רגע. נראה לי שחכך בדעתו, אם להזעיק את החובש או לברר תחילה בעצמו מה העניין. אילו היה מזעיק מישהו נוסף, היה ניסיון הבריחה

נגדע עוד לפני שהחל. אבל הוא לא קרא לאיש, פתח את הדלת המסורגת ורכן מעלי. בו ברגע שלפתי את המיכל וריססתי את פניו. שמעתי צווחה חדה והוא לפת את פניו בשתי ידיו. היה נדמה לי שכל זה קורה למישהו אחר, רציתי להאמין שאני חולם. אבל הסוהר גנח וידעתי שאני חייב להמשיך אם חיי יקרים לי. הסרתי את חולצתי, משכתי את ידיו וכבלתי אותן זו לזו. הוא התפתל וניסה להשתחרר.

"אם תצעק," אמרתי בקול נחוש, "אני הופך אותך לעיוור לכל החיים."

לקחתי את המפתחות, נעלתי את התא והשלכתי את הצרור לעבר תאו של דור.

"אני לא מאמין שאתה בורח," הוא אמר, "כל הכבוד, שמיר."

"חכה עשר דקות," צעקתי אליו, "אחר כך תפתח את התא שלי, תציל את הסוהר ותזעיק עזרה. תגיד להם שניסיתי לשכנע אותך לברוח, אבל אתה לא רצית לגרום בעיות ולכן נשארת בכלא. זה יעזור לך מחר במשפט." הוא זרק לעברי תודה ואיחל לי הצלחה.

פתחתי את בריח הדלת שחסמה את המסדרון ויצאתי בלאט אל החצר. לא רחוק משם, ליד השער, ניצבו שני שוטרים, עישנו ושוחחו. חמקתי לאורך קיר הבניין, צעדתי במהירות עד לקטע הגדר שנראה לי מואר פחות וטיפסתי כאחוז אמוק למעלה. חשתי את ציפורני המתכת של התיל הדוקרני ננעצים בגופי עד זוב דם, אבל לא עצרתי. עצמתי את עיני, קפצתי למטה ונחבטתי בסלעים. זה כאב.

נפטרתי מנעלי, זינקתי לתוך המים ושחיתי כמטורף בכיוון שראג'יב הורה לי. כמה דקות חלפו ואז שמעתי מן הכלא צעקות ויבבות של צופר אזעקה. אורות של זרקורים שוטטו על פני הסלעים למרגלות הכלא ועל המים שהתרפקו עליהם. התרחקתי מן החוף. חשבתי שהשחייה תהיה עניין של מה בכך. נהגתי לשחות הרבה בבריכה של הקאנטרי קלאב, היה לי עדיין כושר גופני טוב. אבל זה לא הספיק. המים היו קרים מכפי שציפיתי. במקומות מסוימים הם היו עמוקים, במקומות אחרים ניגפתי בסלעים. פצעתי את כפות ידי, ומי המלח צרבו את הפצעים כאש.

אינני יודע כמה זמן שחיתי. אני זוכר רק שהתקדמתי בקושי, בשארית כוחותי. הרגשתי שחלף נצח עד שהקפתי את המבצר וראיתי את המלון.

שרשרות של נורות צבעוניות תלו מעל רחבה שצפתה על הים, תזמורת ניגנה
מוסיקה לריקודים וזיקוקין עלו מדי פעם אל השמים ונפרשו שם כמרבד של
כוכבים. אנשים חסרי דאגה רקדו עם בנות זוג שהתרפקו עליהם. בשבילם
בישר הלילה הזה רק טובות.

התקרבתי אל החוף. החול היה חמים, ואיש מלבדי לא היה שם. רק פרה
אחת נימנמה סמוך לשפת המים. הלכתי במהירות לעבר המלון. התדריך של
ראג'יב היה מדויק מאוד. ראיתי שביל עפר ומדרגות שמובילות אל הבניין.
שמעתי את ראג'יב קורא חרש בשמי.

"עשית עבודה יפה," לחש ומשך אותי אחריו. היה לו "רויאל בולט
אנפילד", אופנוע הודי ישן ללא קפיצים. התיישבנו עליו. הייתי רטוב עד
לשד עצמותי והמושב הנוקשה היה כמכשיר עינויים. נשכתי את שפתי ולא
אמרתי דבר. ראג'יב נמנע מלהעלות אור בפנסים, אבל זה לא הפריע לו
לנסוע במהירות עצומה. קיפצנו על דרך עפר צדדית שהתרחקה מרצועת
החוף. עמוד השדרה שלי איים להתפרק מחוליותיו בכל פעם שצנחנו אל תוך
מהמורה וזינקנו מתוכה. דהרנו במעלה גבעה, ומשם ראינו את הכביש המוביל
אל בית המעצר. לפחות שלוש מכוניות משטרה הסתובבו שם באורות כחולים
מהבהבים, וצופרים ייבבו בכל כוחם.

נסענו בשבילים נסתרים מעין, בין צריפי עץ ובתי חימר ובתוך חורשות
דקלים, קיפצנו בבריכות מלח שיבשו והלכנו ברגל בתוך שדות אורז מוצפים
מים כשאנו גוררים איתנו את האופנוע. לבסוף עצרנו בתוך כפר קטן,
שביקתותיו היו מפוזרות בין עצי מנגו ואגוז. ראג'יב פתח פישפש בחצר
קטנה, הוביל לתוכה את האופנוע ולחש לי להיכנס פנימה. הוא לחץ על ידית
של דלת. לאורו המלא של הירח ראיתי על המשקוף פסל אבן של פיל שמנמן
בעל חדק ארוך.

217

27

נכנסנו לחדר קטן. נורה עירומה, מעל מדף שהכיל כמה פסלונים של אלים בדמות אדם וחיות, האירה מעט את החדר. מן הספה התרוממה דמות של גבר זקן. היו לו פנים שזופים, זקן לבן ושיער שיבה ארוך והוא לבש כותונת ארוכה עד למטה מהברכיים.

"זה אבא שלי," אמר ראג'יב, "שמו מוראראג', וכאן הבית שלנו." הוא הציג אותי בפני אביו, שקירב את כפות ידיו זו לזו בברכת שלום והרכין את ראשו.

"נמאסטה, ברוך הבא," אמר בקול נעים.

ראג'יב אמר שנראה לו שאצטרך לגור עמם במשך כמה ימים עד שהחיפושים אחרי ייפסקו. הוא אמר שבבית יש רק שני חדרים, הוא ואביו יישנו בחדר הסמוך ואני על הספה.

"מאז שמתה אמא שלי, לפני כשנתיים," אמר, "אבא הזדקן במהירות. הוא עשוי להיראות לך לפעמים קצת מוזר, הוא דתי מאוד."

אמרתי לראג'יב שאני מצטער על שבגללי הוא מסכן את חייו וגורר איתו לתסבוכת גם את אביו, כאילו לא די בכך הוא גם נאלץ לאבד זמן יקר של עבודה. אמרתי שאין לי מושג איך אוכל לגמול לו ומתי. הוא אמר:

"כל מה שאני רוצה הוא שתנקום את מותה של אשתך. תבטיח לי שלא תנוח עד שתצליח להגיע אל האיש שהרג אותה." אמרתי שאני מבטיח לעשות כל מאמץ, אף שלא היה לי מושג איך אסתדר בלי דרכון ובלי כסף. הוא ניחש מיד את מחשבותי.

"אני אשיג לך דרכון וקצת כסף," אמר, "כשיהיה לך, תחזיר לי."

האב הביא שלוש כוסות של משקה צמחים חם על מגש. שתיתי לאט ובהנאה. מזון הפיגולים של בית המעצר והצחנה הנוראה נראו לי עתה

כחלום ביעותים רחוק. השעה היתה בערך שתיים אחר חצות. רק עכשיו התחלתי לחוש את העייפות משתלטת עלי. ראג׳יב הביא שני סדינים וכר והראה לי את המקלחת בחצר. זה היה מיבנה קטן עם גג פח, שהכיל גם בור עגול במקום בית שימוש. שרר שם חושך וראג׳יב התנצל על שהחשמל לא מגיע לשם.

״כדאי שתתרגל לעוד משהו,״ חייך, ״אין לנו גם מים חמים.״ השתוקקתי לקרצף את גופי כדי לנקות את הזוהמה שדבקה בי בבית המעצר ואשר מי הים לא הצליחו לשטוף אותה כליל. הייתי מוכן להתרחץ לא רק בחשיכה אלא גם במי קרח. ראג׳יב הביא לי מגבת, ואני מירקתי את עצמי וחפפתי את השיער שוב ושוב.

אביו של ראג׳יב דיבר אנגלית טובה. הוא ביקש שאבחר מבגדיו כל מה שארצה כדי לעבור את הלילה ואת הזמן שיידרש עד שאכבס את בגדי. לקחתי ממנו כותונת ארוכה, השתרעתי על הספה ונרדמתי כאבן.

אני לא זוכר כמה שעות הצלחתי לישון, עד שחשתי שמישהו מטלטל בכוח את גופי. פקחתי עיניים ובהיתי בעלטה. שמעתי את ראג׳יב לוחש: ״קום, המשטרה כאן.״ רק אז שמעתי דפיקות עזות על הדלת. כשהסתגלתי לחשיכה ראיתי גם את אביו של ראג׳יב עומד לידינו ומחכה להוראות מבנו. ראג׳יב אסף את המצעים מן הספה והשליכם על המיטה בחדר הסמוך, אחר כך לחש משהו באוזני אביו. אל הדפיקות בדלת ניתלוו עתה קריאות עצבניות ונקישות מהדהדות של מה שנשמע כקתות של אקדחים או רובים. אביו של ראג׳יב לקח אותי אל הכוך ששימש מטבח, גישש על הריצפה בפינה ומשך מכסה של פתח חשוך.

״תתחבא שם,״ לחש.

גלשתי פנימה ונחבטתי בשק של קמח. שמעתי את המכסה נטרק מעלי. לא ראיתי דבר. מיששתי שקים של קטניות ושאפתי לריאותי ריחות עזים של תבלינים. השתרעתי מכווץ כתינוק ליד שני שקים, והתפללתי שאיש לא ימצא אותי. בספרי הטיסה שקראתי ובסרטים שראיתי זה תמיד נגמר טוב, במציאות זה עלול להסתיים רע מאוד. לא היה לי ספק שאם יתפסו אותי, יהיו חיי שווים מעתה ואילך כקליפת השום. הרהרתי בזוועה בצינוק שמחכה לי,

בהתעללות הבלתי נמנעת, ראיתי לנגד עיני את שלושת הגוססים בחצר הכלא שהסוהרים הניחו להם למות. הבנתי שזה עלול לקרות גם לי. אט אט כבשו אותי הרהורי חרטה על שבכלל התפתיתי לברוח מכלא אגוואדה.

מעל לראשי נשמעו קולות רמים. תיארתי לי שחוקרים את רג׳יב ואת אביו, ששוטרים עורכים חיפוש בבית. ניסיתי להבין איך קרה שהמשטרה הגיעה מהר כל כך בדיוק אל המקום הנכון. האם מישהו מהשכנים הלשין? האם מישהו עקב אחרי האופנוע בלי שהרגשנו? אחר כך התברר שההסבר פשוט יותר. המשטרה בדקה את רישומי המבקרים שהיו אצלי בכלא, הם מצאו שם את שמו וכתובתו של ראג׳יב והגיעו אליו מיד.

מעלי הלמו ללא הרף צעדים נמרצים ונשמעו קולות עולים ויורדים. הפחד שיתק אותי. חששתי שהשוטרים יפתחו באש כשיראו אותי. מבחינתם, זה עשוי היה בהחלט לפתור את הבעיה. חיסולי כאסיר בורח היה מאפשר לסגור את התיק באורח האלגנטי ביותר.

שכבתי שם רועד מפחד שעה ארוכה. שמעתי רשרושים מעל, מישהו הזיז רהיטים, מישהו דפק על קירות. לבסוף, קרה הדבר שחששתי ממנו יותר מכול: מיכסה המחסן שבו הסתתרתי נפתח מעלי. אלומת אור עזה של פנס טיילה סביבי. חדלתי לנשום. האור גישש במחסן הקטן כמו משושים של רמש ארסי האורב לטרפו. דימיתי לשמוע קול של נעליים נחבטות לידי, ידיים שאוחזות בי וחושפות אותי לאור הפנסים...

בימים האחרונים הייתי קרוב אל המוות כפי שלא הייתי מימי. הייתי קרוב אליו גם כאן, במחבוא האפל במרתפו של בית אי שם בגואה. מעט מאוד הפריד ביני לבין השוטרים שחיפשו אותי. הייתי בטוח שיגיעו אלי.

אלומת אורו של הפנס שוטטה סביבי למשך פרק זמן ארוך. לבסוף נשמעה פקודה קצרה, המיכסה נטרק והחשיכה שבה לשרור במחסן. לא האמנתי שהשוטר ויתר על חיפוש יסודי יותר במחסן.

נפלה דממה. השקט היה מוחלט, כמעט צורם. לא שמעתי דבר. פחדתי שהשוטרים לקחו איתם את ראג׳יב ואביו. חששתי לגורלם. היה ברור לי מה יקרה להם ולי אם ישליכו אותם אל הצינוק של כלא אגוואדה ויחקרו אותם

באכזריות. גם אם לא ירצו לגלות דבר על אודותי, הם ייאלצו לעשות זאת במוקדם או במאוחר. מה יקרה לי אז? לאן אברח ללא כסף וללא דרכון?

השקט לא נמשך זמן רב. רחש גרירת המיכסה קטע את מחשבותי. שמעתי את ראג׳יב קורא לי לעלות, וסוף סוף יכולתי לנשום לרווחה. הוא הושיט לי יד ומשך אותי כלפי מעלה. התיישבתי על הספה, והזקן הביא לי תה חם.

ראג׳יב סיפר שהשוטרים הגיעו לאחר שבדקו מי ביקר אצלי בבית המעצר. הם דרשו לדעת מה היו הקשרים בינו לביני. הוא אמר להם שבא לבקר אותי כדי לדרוש את הכסף שנשארתי חייב לו בעבור שירותיו כנהג מונית. הוא הסביר להם שמדובר בכסף רב, והוא לא רצה לוותר עליו בקלות. הוא העמיד פנים מופתעים כשהשוטרים סיפרו לו שהצלחתי לברוח מן הכלא, והוא גידף בקול על שאיבד את הסיכוי לקבל ממני את מה שמגיע לו. הם שאלו עוד כמה שאלות, סרקו את הבית והסתלקו.

מאז לא הוטרדנו עוד. ראג׳יב ואביו השתדלו לתת לי הרגשה שאני אורח רצוי. שניהם היו נעימי הליכות ומתחשבים. הם הציעו שיביאו לי אוכל ממסעדה כלשהי, משום שהאב בישל בעיקר מזון צמחוני, סוגים שונים של קטניות, ירקות שורש, צמחי תבלין. אבל לא רציתי להכביד עליהם. הייתי מוכן להסתפק במה שיש. תחילה חשבתי שלא יהיה לי קל, אבל הסתגלתי מהר הרבה יותר משציפיתי. המעבר לסוג של תזונה בריאה יותר חולל נפלאות. בתוך זמן קצר התחלתי להרגיש קל ונמרץ משהייתי מאז זמן רב.

הזמן חלף לאט. רוב שעות היום עסק הזקן בענייני הדת שלו, בכל מיני טקסים קטנים. עם הזריחה הוא היה מתרחץ בצריף שבחצר ומדליק קטורת בפינת המזבח הביתי. אחר כך היה מניח עלים טריים של פרחים על פסל הפיל ושר מזמורים. לפני ארוחת הבוקר היה מבצע מול השמש תרגילי יוגה של בוקר, ולסיום משתחווה לארבע כנפות הארץ. הוא הקפיד תמיד ללבוש בגדים נקיים ולהניח מקלות קטורת בוערים ליד כל עץ פרי כדי לרצות את האלים שייתנו לעצים את ברכתם. בערב היה שוקד שעה ארוכה על הכנת המזון. לי אסור היה לעזור לו. הוא היה בן המעמד הברהמיני, מעמד הכוהנים, ואסור היה לו לאכול אם מישהו ממעמד נחות ממנו נוגע במזון.

לפני שהיה מתחיל לסעוד, נהג הזקן להניח מעט אורז לפני האלים

ולשאת תפילות תודה. שאלתי אותו מדוע יש בהודו אלים רבים כל כך. הוא
צחק, ועיניו החכמות הביטו בי כפי שמביטים בילד שאינו מודע לשטויות
הנפלטות מפיו.

"גם אתה אינך אחד," אמר, "יש בך האיש הטוב והאיש הרע, האיש
הסולח והאיש הנוקם, האיש החזק והאיש החלש. מי שמבין שהאחד כולל את
כולם, ריבוי אלים לא מפריע לו. המערב מאמין באל אחד ולא מסתדר איתו,
אנחנו מאמינים במיליון אלים ולוקחים מכל אחד מהם את מה שדרוש לנו.
על כן בני המערב עניים ברוח, ואנחנו עשירים."

הוא הוביל אותי אל פסל הפיל על משקוף הדלת.

"זהו, למשל, האל שמסמל את החוכמה. שמו גאנאש," אמר, "אתה מכיר
את הסיפור?"

אמרתי שלא.

"ובכן, אביו הוא האל שיווא, ואמו היא האלה פארוואטי היפה. גאנאש
נולד עם ראש רגיל, אבל הוא היה יפה כל כך עד שעיניה הבוערות של אמו,
שהביטה בו כל הזמן באהבה ובהערצה, הציתו את ראשו. אביו ההמום לא
רצה להשלים עם מותו של הבן, הוא שלח מיד שליחים להביא את ראשו של
היצור הראשון שיפגשו בדרך. הביאו לו פיל. שיווא ערף את ראש הפיל
והציב אותו במקום ראשו של בנו. הפסל שאתה רואה הוא אפוא פסלו של
האל גאנאש. זהו אל מאוד פופולרי בהודו, כי הוא לא שמר טינה להוריו והוא
תמיד שמח לעזור לכולם.

"את הסיפור על ראשו של גאנאש סיפרו אבותינו הקדמונים, ומאז הוא
עובר מדור לדור, אבל לא רק בגלל האגדה המרתקת, גם בגלל מוסר ההשכל.
המסר הוא שלא רצוי שאמא תעריץ מדי את ילדיה, לא רצוי שהאבא ינסה
לתת לבנו ראש אחר...״

בכל בוקר וערב היו ראג׳יב ואביו מתיישבים על השטיח ועושים מדיטציה של
חצי שעה. הם הפצירו בי להצטרף. ניסיתי לנקות את הראש, תנאי הכרחי
למדיטציה יעילה, אבל זה לא היה פשוט. מחשבות, התלבטויות ובעיות
טורדניות גדשו את מוחי ללא הרף. הניסיון לסלק אותן נכשל בהתחלה
כישלון חרוץ, אבל אט אט הצלחתי לרחף מעל המחשבות. חשתי גאווה על

222

שהצלחתי, והנאה רבה על שיכולתי בדרך זו לרפות את עצבי המתוחים. התחלתי להבין את עופרה, להרגיש בדיוק מה עבר עליה כשעשתה מדיטציה.

לראג׳יב לא היה טלפון בבית. לא יכולתי לטלפן גם מטלפון ציבורי, כי אין כאלה בהודו. יש רק משרדים קטנים שניתן לקנות בהם שיחה מקומית או בין־לאומית מפקיד שיושב ליד סוללה של טלפונים. לא היתה לי ברירה אלא להסתכן לטלפן משם. ראג׳יב הביא אותי למשרד נידח בסימטה חשוכה. טילפנתי הביתה. זו היתה שעת ערב וקיוויתי שעינב ודרור יהיו בבית. אמה של עופרה הרימה את השפופרת. היא נשמעה מבוהלת עד עמקי נשמתה כאשר שמעה את קולי.

״איפה אתה?״ צעקה, ״אנחנו נורא דואגים לך.״

ניחשתי שהם יודעים על הבריחה.

״כל העיתונים כתבו עליך, ממשרד החוץ התקשרו ושאלו אם אנחנו יודעים איפה אתה מתחבא...מה עשית, מיקי?״

אמרתי שבסך הכול היתה כאן אי־הבנה, שעצרו אותי בטעות ועל כן ברחתי מן הכלא, נשבעתי לה ששלומי טוב, שאנשים טובים עוזרים לי ואני ממשיך בתכנית המקורית שלי. ביקשתי שתרגיע את הילדים.

״אל תשאל איזה גיהינום היה כאן מרגע שזה התפרסם,״ אמרה, ״כבר חשבנו ש... שנפצעת או שפגעו בך, או שלא נראה אותך עוד הרבה זמן.״ היא ביקשה את מספר הטלפון שלי, אמרתי שאני מעדיף לעמוד איתה בקשר ולא להיפך.

״אתה עדיין בורח מהם, נכון?״

״נכון, אבל אין לי ברירה. אני חייב לסיים את מה שלקחתי על עצמי.״

היא נאנחה.

״אתה רוצה לדעת מה כתבו עליך?״ היא ביקשה שאשאר על הקו והלכה להביא גזיר עיתון, אחד מרבים שהתייחסו לבריחתי מכלא אגוואדה. ״הם אפילו השיגו תמונה שלך,״ אמרה.

היא קראה את הכתוב:

״משטרת הודו פתחה במצוד נרחב אחרי עורך הדין הישראלי מיקי שמיר, שנעצר בחוף גואה כחשוד בסחר בסמים, נכלא בכלא אגוואדה והצליח להימלט משם בעזרת ריסוס גז מרדים על סוהריו...״ בהמשך הידיעה נאמר:

"מקורביו של עורך הדין שמיר קיבלו בתדהמה את דבר מעצרו, ושללו את האפשרות של קשר כלשהו בינו לבין סחר סמים. נסיעתו להודו קשורה במותה של רעייתו עופרה שהתאבדה במושב רישפון, כנראה בהשפעתו של המורה הרוחני שלה, איש כת השמים ההודית, ראם סינג... משרד החוץ הישראלי פנה לשלטונות בניו דלהי בבקשה לדווח על התפתחות בפרשה."

"עיתונאים מתקשרים אלינו כל הזמן," אמרה, "אבל אף אחד מאיתנו לא מוכן להשיב על שאלות. גם במשרד שלך נתנו הוראה לא לדבר."

"תודה," אמרתי.

"בוא הביתה מיקי," התייפחה, "מסוכן שם, הם עלולים להזיק לך אם יתפסו אותך. הילדים זקוקים לך וגם אני. כולנו אוהבים אותך. אנא, עזוב הכול ובוא."

חשתי צביטה חדה בלב. ראיתי אותם לנגד עיני אחוזי דאגה, מתפללים לשלומי, מצפים שהסיוט יסתיים. אבל לא יכולתי להרשות לעצמי להתרכך, לא עכשיו. אמרתי שאני נמצא במקום בטוח ושעדיין לא הרמתי ידיים, גם אם היעד התרחק ממני. "אני מבטיח שאשוב אחרי שארגיש שמיציתי את כל הדרכים להשיג את המטרה," אמרתי.

אחר כך דיברתי עם עינב ודרור. הם בכו מהתרגשות וצווחו משמחה כששמעו את קולי. ניסיתי להרגיע אותם, אמרתי שהעיתונים מגזימים ושאני מסתדר. היה פחד בקולה של עינב כשאמרה: "תיזהר שם, טוב?" ודרור הוסיף: "תחזור מהר, אתה חסר לנו."

הורדתי את השפופרת בתחושה של מועקה כבדה.

סיפרתי לראג'יב על עופרה, על ילדינו, על הבית שבו אנו גרים ועל שיגרת חיינו. התביישתי להודות שלא הכרתי כמעט את הילדים שלי, שלא הייתי נאמן לאשתי, שגידלתי משפחה ללא אהבה. בדיתי מליבי סיפור על יחסים יפים של ידידות והערכה, על אהבה ושותפות, ובעודי מפליג ומספר, הרגשתי שאני מספר לו בעצם על מה שכל כך רציתי עכשיו שיהיה.

"אני שמח שהיו לכם חיים יפים כל כך," אמר ראג'יב בעצב, "חבל שאשתך לא זכתה להמשיך לחיות."

אמרתי שאם יש דבר שאני מצטער עליו הוא שלא זכיתי להמשיך לחיות

איתה.

שקענו באלם. ראג'יב ישב מולי בראש מורכן, וכשהרים אותו לאחר זמן מה, היו עיניו מוצפות דמעות. ראיתי בהן כאב וייסורים קשים.

"אני מבין לליבך," אמר בלאט, "גם אני איבדתי את אשתי."

לא ידעתי שהיה נשוי. עד לאותו רגע הוא לא דיבר על כך.

"קראו לה נירמאלה," אמר, כשהוא תולה עיניו במשהו הרחק ממני. רק עכשיו שמתי לב, שעל השידה, בצד פסלי האלים, היתה תמונה של אשה צעירה ויפה עם נקודת בינדהי אדומה במרכז מצחה, אות להיותה נשואה, "היא היתה עובדת סעד שטיפלה בתושבי שכונת הפחים של גואה. היא התמסרה להם כאילו היו בני משפחתה, עבדה ימים ולילות כדי לשפר את תנאי החיים הקשים שלהם, והם אהבו אותה מאוד. יום אחד, כשחזרה משם הביתה, ניסה מישהו לשדוד אותה בדרך. היא התנגדה, הוא שלף סכין ואחרי מאבק קצר הרג אותה..."

ראג'יב סיפר, שהמשטרה לא התאמצה במיוחד. בהעדר סימני היכר ועדויות הם לא הצליחו למצוא את האיש וסגרו למעשה את התיק. ראג'יב לא השלים עם החלטת המשטרה. הוא גייס את חבריו, נהגי המוניות, ואליהם הצטרפו עשרות מתושבי שכונת הפחים שנשבעו לעשות דין צדק ולנקום את מותה של נירמאלה. במשך שבועות חיפשו בכל גואה אחרי השודד, שילמו כסף למלשינים של העולם התחתון, חקרו חשודים. לבסוף הם עלו על עקבותיו. בלילה אפל, בדרך עפר שחצתה את כביש החוף, חסמו את דרכו כחצי תריסר מוניות שעה שרכב על קטנוע. הוא ניסה להימלט, אבל לא היה לו כל סיכוי. הם כפתו אותו, ולאור פנסי המוניות חקרו אותו בשיטות שלהם. הוא הודה בשוד וברצח. למחרת נמצאה גופתו על החוף.

"עברו שנתיים מאז," אמר ראג'יב, "הפושע בא אמנם על עונשו, אבל הזיכרונות נשארו, הכאב נשאר. כל יום וכל שעה אני מרגיש בחסרונה של נירמאלה. לכן קל לי להבין כמה אתה מתייסר."

הוא ואני מחינו דמעה, וכמו על־פי אות מוסכם קמנו ממקומנו, כרכנו את זרועותינו זה על כתפיו של זה והארכנו בחיבוק. הרגשנו קרובים זה לזה, קרובים יותר מאי פעם.

28

למחרת הראה לי אביו של ראג'י'ב ידיעה בולטת בעיתון המקומי בשפה האנגלית, ובה צילום שלי וסיפור הבריחה מכלא גואה. שמי פורסם שם בשיבוש אותיות, שנגרם כנראה בגלל טעות דפוס. בידיעה נאמר שהמשטרה מחפשת אחרי באשמת סחר סמים, וכל מי שיודע דבר על מקום הימצאי מתבקש לפנות אליהם. הם הציעו גם פרס של עשרים אלף רופיות למי שיסייע בתפיסתי.

בשולי הידיעה היו כמה שורות שקראתי בעניין רב. נאמר שם, שצעיר ישראלי בשם דור אלון, שהיה עצור בגואה באשמת סחר בסמים, הוא שהזעיק את שלטונות הכלא מיד לאחר בריחתי. במשפטו שהתקיים למחרת קיבל בית המשפט את טענת פרקליטו כי אף שהבחור יכול היה להימלט, הוא העדיף להישאר בכלא ולעזור לסוהרים, ולכן יש להתחשב בעובדות האלה בעת שייגזר העונש. שמחתי לקרוא שהבחור נענש בתשלום קנס סמלי כלשהו ובמאסר על תנאי, ושוחרר מיד. חשבתי בהתרגשות על אמו שסוף סוף החזירה אותו הביתה.

מאז מאסרי בכלא גואה לא התגלחתי. החלטתי לגדל זקן. רציתי להאמין שכך אהיה בטוח יותר. גם ראג'י'ב הסכים איתי. לאחר שהזקן צמח, הוא צילם אותי במצלמה הפשוטה שלו, ואחרי זמן מה הביא לי דרכון בריטי על שם פול אוונס ובו תמונתי וכל החותמות הדרושות, לרבות אשרת כניסה להודו וחותמת נמל התעופה בבומביי. ידעתי שזה עלה לו הון תועפות. החזקתי את הדרכון בידי והתקשיתי להגיב. מעולם לא עשה בשבילי מישהו מה שעשה ההודי הצנום הזה, שבקושי הכיר אותי.

"זה נראה מושלם," אמרתי לבסוף, "אני לא יודע איך..."

226

ראג'יב קטע את דברי. "אני חושב שאינך צריך עוד להסתתר כאן," אמר, "כבר יומיים שאין מחסומים בכבישים, ונוכחות המשטרה בשטח חזרה להיות כמו שהיתה לפני שברחת. אני מניח שהם סבורים שהצלחת לחמוק מהם."

הוא לא שאל מה בדעתי לעשות. אולי ידע שבעצם לא גיבשתי עדיין תכנית של ממש. הייתי נחוש להמשיך, אבל לא ידעתי כיצד. שאלתי את עצמי מה הייתי אומר ללקוח שהיה בא להתייעץ איתי בנסיבות כאלה. לא היה לי צל של ספק שהייתי אומר לו חד־משמעית: עזוב הכול והשתדל להימלט מכאן, הצלחת לברוח פעם אחת, הזדמנות שנייה לעולם לא תהיה לך."

מבחינתי, הודו היתה עכשיו שטח ציד, שבו הייתי חיה נרדפת אחת מול כל המשטרה ההודית. איזה סיכוי היה לי לשרוד? שקלתי את האפשרות לחזור הביתה. אבל פירושו של דבר היה לעזוב את הודו בידיים ריקות, להודות בכישלון.

ראג'יב חייך. "החלטה קשה, מה?"

שלחתי אליו חיוך עגמומי.

"אתה רוצה לדעת מה דעתי?" שאל.

"מאוד."

"אני חושב שאתה צריך להמשיך."

"למרות הסיכון?"

"למרות הסיכון," הוא נשמע נחרץ.

להמשיך? לאן? גואה היתה התחנה הראשונה שלי בהודו. שם נולד ראם סינג, שם בילה את מרבית שנות חייו ובאשראם המקומי שימש מורה רוחני. למרבה הצער, לא הצלחתי לגלות שם דבר, עוררתי חשד, הסתבכתי קשות. אולי צריך הייתי בכלל להתחיל את המסלול בפונה. שם, על־פי המידע שקיבלתי ממפקד המשטרה בלונדון, אמור לשבת טאמאל מהאנטה, המנהיג של כת השמים לא מן הנמנע שגם ראם סינג נמצא שם.

"אני יודע שעלי לנסוע לפונה," אמרתי בדאגה, "אבל איך אגיע לשם? איך אני אמור להיכנס לאשראם בפונה, לבצע חקירה, להגיע למסקנות? מה אם יחשדו בי וינסו לבדוק שוב את זהותי האמיתית?"

ראג'יב שלח אלי מבט שובב.

"לכל היותר, תמצא את עצמך בכלא של פונה. שמעתי שהוא נוח יותר מזה של גואה."

"זה לא מצחיק," אמרתי.

"רק רציתי לשפר קצת את האווירה," אמר, ופניו הרצינו בבת אחת, "בכל אופן, אתה יכול לנסוע לפונה בלי חשש."

"איך זה?"

"פשוט מאוד," אמר ראג'יב, "אני אסע לשם איתך."

שוב הצליח ההודי הזה להביא אותי במבוכה.

"זה רעיון מטורף," אמרתי.

"זה הרעיון היחיד שהוא בר־ביצוע."

"אני לא יכול לעשות לך את זה, אתה צריך לפרנס את עצמך ואת אביך, אתה לא יכול לנסוע איתי."

"יש לי חסכונות," הוא אמר, "אבא יסתדר, גם אני."

איך יכולתי להרים ידיים עכשיו, כשראג'יב מוכן לעמוד לצידי כדי להבטיח שאוכל להמשיך לפעול בהודו? זה היה כמו אות משמים, כמו סימן שעלי להישאר כאן עד שאסיים את המלאכה.

נפרדנו מאביו של ראג'יב כשהערב ירד, הצטיידנו במעט אוכל ובמשקאות ויצאנו לדרך במונית ה"אמבסדור" הרעועה. היו לפנינו כמעט שש מאות קילומטרים, וראג'יב האמין שנגיע לפונה למחרת בבוקר, אם הכול יתנהל כשורה. יצאנו מגואה באין מפריע והתקדמנו אל פנים היבשת. לא חששתי שיזהו אותי. היה לי דרכון שנראה כשר לכל דבר, וזקני התמלא כאילו טיפחתי אותו שנים. היו בו יותר שערות שיבה מכפי שציפיתי, וגופי כחש בשבועות שבהם הסתתרתי בביתו של ראג'יב. הייתי בטוח שאפילו מכרי הוותיקים ביותר לא יוכלו להכיר אותי עכשיו.

ה"אמבסדור" התנהגה על הכביש כסוס מירוץ שהריח מרחבים פתוחים. היא התפתלה בזריזות בין כלי הרכב שמילאו את האספלט המחורר עד שוליו, דהרה במהירות בקטעים שהתפנו, צפרה בגאון בין שהיה צורך בכך ובין שלא. ראג'יב החזיק בגאווה בהגה וחלק מחמאות למונית שלא איכזבה אותו, כך אמר, גם בדרכים הקשות ביותר. אבל מהר מאוד התברר שלמרות רצונה

הטוב היה הגיל בעוכריה של הגרוטאה הישישה. למרבה הצער, ביצעה ה"אמבסדור" את דהרת הברבור שלה הרבה לפני שציפינו לכך, עוד בטרם התחלנו להצפין ממש לכיוון פונה.

זה קרה בדיוק כשחצינו עיירה זעירה שהחלה להתכנס לתוך שנת הלילה שלה. רעש מוזר עלה לפתע מן המנוע ומיד לאחריו בקעו משם קולות שבר, שריקות וצילצולים. עצרנו בשולי הדרך. ראג'יב הרים את מכסה המנוע, וניסה לתקן את התקלה לאורו של פנס. שום דבר לא הועיל. אחרי שעה ארוכה אמר נואש, עמד ליד המכונית והביט בה כמי שמספיד את המת. גבר תמיר ומרשים חלף על פנינו ועצר. לראשו של האיש היה טורבן שאסף לתוכו את שערותיו, זקן גדול ומטופח ירד על חזהו ופגיון היה ענוד על ירכו. הוא נראה לי כדמות מן האגדות שנחתה לפתע אל תוך המציאות. הוא שוחח עם ראג'יב ודקות אחדות אחר כך נעלם כלעומת שבא. ראג'יב חזר אל המכונית.

"איש מופלא," אמר, "הוא הלך לחפש בשבילנו מכונאי."

שאלתי מי הוא.

"הו," השיב ראג'יב, "הוא סיקי. זו הכת היחידה שאני מכיר, שאתה יכול לסמוך על אנשיה שיגישו לך עזרה בכל פעם שתצטרך." הוא מנה את חמשת הסימנים המאפיינים את הסיקים: השיער שאין הם גוזרים לעולם, אות לקדושה האופפת אותם; מסרק השנהב, אות לניקיונם; המכנסיים הקצרים שהם לובשים מתחת למכנסיהם כדי להקל עליהם להילחם בעת הצורך; צמיד הברזל, אות לנחישותם, ופגיון הפלדה, אות להיותם מגיניהם של הזקוקים לעזרה.

הסיקי חזר לאחר שעה קלה עם מכונאי מקומי, שבדק ארוכות את המונית והגיע למסקנה שהמנוע שבק חיים ואין עוד טעם לתקנו. אף על פי כן הבטיח לגרור את ה"אמבסדור" אל המוסך שלו ולשמור עליה עד שראג'יב ישוב. הוא לקח את מפתחות המכונית, מסר לראג'יב את כתובתו ונעלם בחשיכה. הסיקי עצר למעננו ריקשה והתעקש ללוות אותנו לתחנת האוטובוסים, שם חיכה איתנו עד שעלינו על האוטובוס הנכון.

תפסנו מקום במושבים האחוריים, שהיו עדיין פנויים. כלי הרכב התמלא במהירות בהודים שנשאו סלים וצרורות גדולים ובשניים או שלושה תרמילאים צעירים בהירי שיער. ראג'יב הציע לי להצטייד במידה רבה של שלוות נפש

כדי לעבור את הנסיעה בשלום.

"זה לא יהיה קל," הזהיר אותי, "זה אף פעם לא קל כשאתה נוסע באוטובוס בהודו."

גם אלמלא ההזהרה שלו היו הרבה סימנים מוקדמים בשטח, שהבהירו כי הנסיעה הזאת לא תהיה בשום פנים ואופן טיול מהנה של תיירים מפונקים. קודם כול זה היה אוטובוס שצבעו דהוי וחלקי הפח שלו מחלידים, וכל כולו מאיים להתפרק בכל רגע. המנוע צילצל ורעש, וצינור הפליטה היה פגום במידה כזאת, שכל אדי הדלק השרוף מילאו את חללו של כלי הרכב. מיזוג אוויר לא היה כמובן. צרה נוספת היתה הנהג. בחצי גוף עירום, מכנסיים בלויים וסנדלים שתלו על רגליים מטונפות הוא נהג כמטורף. ללא מורא וללא איתות עקף מכוניות שנסעו לאט יותר, ניצל שוב ושוב ברגע האחרון מתאונות חזיתיות, שוחח עם היושבים לידו ושכח להסתכל על הכביש, סטה אל השוליים וכמעט התהפך. משום מה נסענו רוב הזמן באפילה מוחלטת. רק לעתים רחוקות טרח הנהג להדליק את הפנסים.

הדרך היתה אכן מקור בלתי נידלה של ייסורים ותלאות. לפעמים נדמה היה לי שהנסיעה הזאת לא תסתיים לעולם. גופי כאב כל כך, עד שנאלצתי לנשוך את שפתי כדי שלא לצעוק. היה חם ומחניק, והיתושים עשו בנו שמות. לפעמים עצרנו ליד קיוסק או מסעדה בשולי הדרך, שתינו תה ואכלנו משהו.

פעם אחת, באמצע הלילה, עשינו הפסקה של שעתיים ליד מקדש בעיירה קטנה. שתי אימהות ירדו מהאוטובוס עם בנותיהן הקטנות. ירדנו גם אנחנו כדי לחלץ עצמות ונכנסנו בעקבותיהן אל המקדש. היה שם פסל גדול של אלה עירומה, שנשאה על צווארה רביד גדול עשוי מגולגולות של ענקים שחיסלה במו ידיה. רג'יב אמר לי שזו האלה קאלי, ומי ששוכב לרגליה הוא טשהאשי, בעלה שחנקה למוות. היתה לה לשון ארוכה ואדומה שנטפה דם של ממש, דמם של בעלי החיים שהוקרבו לה קורבן על מזבח מאחוריה. כמה נשים היו שם עם ילדותיהן. רוב הילדות היו בנות עשר. הן טבלו את פניהן בדם, ותלו תלתלים משיער ראשיהן על עץ הפירין שנמצא בחצר. בלילות ללא ירח, אמר ראג'יב, טקסים כאלה הם סגולה בדוקה מאין כמוהו לריבוי בנים זכרים.

חזרנו אל האוטובוס לאחר הטקס המייגע. הוספנו לנסוע על כביש רצוף
מהמורות. נימנמתי והתעוררתי לסירוגין. נוסע אחד או יותר עישנו חשיש,
והריח המתקתק, הכבד, בא ונמוג בגלים. ילד בכה.

חלמתי על מקלחת ומשקה קר.

29

הבוקר עלה, השמש חיפשה לשווא פירצה בשמים מכוסי האובך כדי לשלוח את קרניה אל האדמה, כמה חסרי בית עדיין לא התעוררו משנתם בשולי הדרך. ליד הבקתות אפו נשים צנומות צ׳אפאטי דקות על מדורות גחלים. קיוויתי שנעצור בקרוב כדי לשתות תה, אבל עצרנו בשל סיבה אחרת לגמרי. המעצורים פצחו לפתע ביללה מורטת עצבים, וכמעט מחצית מן הצרורות שנישאו על גבי המדפים ניתקו ממקומם והתעופפו על ראשי הנוסעים. לפני שהספקתי להבין מה קורה, תחב ראג׳יב לידי שטר כסף של מאה רופיות וזירז אותי להכניס אותו מיד לדרכון שלי. גם הוא עצמו חפן בידו שטר כסף.

שני שוטרים עלו לאוטובוס מן הדלת הקדמית. היו להם מדים מרופטים, פניהם עטו זיפי זקן ותת־המקלעים שנשאו נראו ישנים ומוזנחים. הם עברו מנוסע לנוסע ותבעו לראות תעודות. השוטר שפנה אלי היה עייף ועצבני. הוא הביט בי בחשד, שלח אל הדרכון שלי אצבעות מזוהמות, דיפדף בו מראשיתו ועד סופו, כשהוא בוחן כל דף ודף, הוציא בשלוות נפש את שטר הכסף והכניס אותו לכיסו.

״בוא אחרי,״ אמר בקול מצווה.

זה נשמע רע. אחרי שלקח את השוחד, חייב היה, על־פי ההיגיון, להניח לי. הוא לא עשה זאת, וזה עורר בי פחד. היתה לי הרגשה שזיהה אותי. הוא לא היה פוקד עלי לבוא אחריו, אלמלא ניחש או ידע בדיוק מי אני.

אלף מחשבות בריחה התרוצצו במוחי בעת ובעונה אחת. משני צידי הכביש היו בתים מטים לנפול וצריפי פח, ומאחוריהם חורש עצים דליל. זו היתה סביבה שלא הכרתי, אנשים שלא ידעתי אם ייתנו לי מחסה או יסגירו אותי לידי המשטרה, זו היתה סביבה שבה ניתן יהיה לירות בי, ואיש לא יניד עפעף. שמעתי את ראג׳יב מנסה להתערב. הוא אמר שהוא מכיר אותי, שאני

תייר בריטי שנוסע איתו לטיול, אבל השוטר לא הגיב. הוא הרים את כלי הנשק שלו ודירבן אותי לקום. ייאוש עמוק ריפה את ידי. קמתי ממקומי בקושי ויצאתי החוצה. השוטר דרש ממני לשבת על הקרקע ולא לזוז. עשיתי כרצונו. כמה הודים חלפו על פני והביטו בי באדישות. ילדים שיחקו בכדור סמרטוטים ולא זיכו אותי במבט, כאילו היו עדים למחזה שבכל יום. רק אני ידעתי שנפל דבר. המשטרה הצליחה לשים את ידה עלי, הם יחזירו אותי אל הכלא, הם ינעלו אותי בצינוק וינקמו בי על שברחתי מתחת לאפם.

ראיתי את ראג'יב יוצא מן האוטובוס, ניגש אל השוטר ומסתודד איתו. קנה הנשק לא מש ממני, וגם עיניו של השוטר. הרכנתי את ראשי. חשתי לפתע עייפות רבה. ניסיתי לעשות מדיטציה, להימלט מן המתח, מן האימה. לרגעים נדמה היה לי שזה עובד. מוחי הצטלל, הצלחתי שלא לחשוב על שום דבר, הרגשתי קל יותר. ואז נגע מישהו בגופי. פקחתי את עיני. ראג'יב עמד מעלי. "בוא," אמר. קמתי בלי להבין דבר. ראיתי את השוטר מתרחק מאיתנו. חזרנו לאוטובוס, כשהשוטר השני ירד ממנו. הוא לא זיכה אותי אף במבט אחד.

הנהג התניע, האוטובוס הזדעזע ונתלש ממקומו.

שאלתי את ראג'יב מה, לעזאזל, קרה כאן.

"שום דבר," חייך, "לכל ההצגה הזאת היתה רק מטרה אחת, הם פשוט ראו לפניהם תייר לא צעיר, הניחו שיש לך ודאי כסף ורצו להפחיד אותך כדי שתשלם להם יותר. הם עושים את זה לא פעם. זאת ההכנסה הצדדית שלהם. מזה הם חיים."

"אבל לא שילמתי להם יותר כסף," אמרתי.

"אני שילמתי," צחק ראג'יב.

פונה היא עיר אפורה ומכוערת, אבל אחרי נסיעת הזוועה באוטובוס היא נראתה בעיני כגן עדן עלי אדמות. שכרנו דירה זולה ברחוב סואן ליד התחנה המרכזית. טילפנתי לדינה במשרד בתל אביב. היא נבהלה לשמוע את קולי, והמילים נתקעו בפיה.

"כל העיתונים כותבים עליך," מילמלה, "אנחנו פוחדים שעלול לקרות לך משהו."

אמרתי שאין לה סיבה לדאוג, וביקשתי שתשלח מיד סכום כסף כלשהו לאחד הבנקים בעיר על שמו של ראג׳יב. ידעתי שלא נשאר הרבה כסף לזכותי, לאחר שרוקנתי את קופת המשרד ערב צאתי להודו, אבל לא היתה לי ברירה. הייתי זקוק לכסף בדחיפות, לא יכולתי להניח לראג׳יב להוסיף ולשלם בשבילי. סמכתי על מסירותם של דינה ושל איתן שמילא את מקומי. קיוויתי שלא יאכזבו.

״עוד משהו שאולי יעניין אותך,״ אמרה דינה, ״זוכר את אבנר גבעתי? ההוא שאשתו התאבדה אחרי גזר הדין?״ התאמצתי לזכור, הכול נראה לי רחוק כל כך. בתי המשפט, האנשים שהגנתי עליהם. ״כמה שבועות אחרי שהיא מתה,״ המשיכה, ״הוא פשוט יצא מדעתו. היה מתרוצץ ברחובות וקורא לה, עד שאישפזו אותו בבית משוגעים. את הילדים שלהם אימצו קרובי משפחה. חשבתי שתרצה לדעת.״

סיימתי במהירות את השיחה. ניסיתי למחוק את הסיפור מזיכרוני ולא יכולתי. כמו בהינף של איזו יד מכוונת חזר אלי אבנר גבעתי שוב ושוב ואילץ אותי להתמודד עם ההקבלה בינו לביני.

סיפרתי לראג׳יב על משפט גבעתי, על הנאשם ועל אשתו. הוא ראה שמצב רוחי נעכר כאשר דיברתי על כך. היה לו סיפור שנועד לשפר את ההרגשה שלי.

״יום אחד,״ סיפר, ״החליט ברהאמא, האל העליון, שצריך למצוא בת זוג לאדם. הוא חיפש את החומר המתאים, אבל לא מצא שום דבר שניתן לברוא ממנו אשה כפי שצייר בדמיונו. על כן לקח מן הטבע חומרים שונים: את המולת הדבורים, פחדנותה של הארנבת, יהירותו של הטווס, נוקשותו של סלע החלמיש, עליצות צבעיהם של פרחי המרגנית, הפכפכותם של הרוחות, מתיקותו של הדבש, פטפטנות התוכי, צביעות התנין ונאמנותו של הכלב. הוא עירבב את כולם, ברא מהם את האשה ונתן אותה לאדם. עברו שמונה ימים והאדם בא אל ברהאמא, פניו עצובים: מה נתת לי, אמר לו, כל היום היא מקשקשת, כל היום היא מתלוננת על מיחושים, היא מפונקת, היא בלתי נסבלת. אנא, קח אותה ממני. לקח ברהאמא את האשה ממנו. עברו שמונה ימים, ושוב בא האדם אל האל ופניו עצובים: אני לא יכול לשכוח אותה, אמר, אני מתגעגע לשירתה, למחולותיה, למבט עיניה ולמגע גופה. מה

לעשות? אמר לו ברהאמא: זה ייחודה של האשה. לא טוב לך איתה ולא טוב לך בלעדיה..."

למחרת יצאנו לחפש את האשראם של כת השמים ומצאנו אותו ללא קושי. נהג ריקשה מקומי העלה אותנו אל גבעת פארוואטי, מעל נהר מאלה. כל העיר השתרעה לעינינו משם, מגיחה ונעלמת בתוך ענן של ערפיח. האשראם בראש הגבעה היה גדול ומרשים, כתליו היו צבועים תכלת. הצצנו לחצר. עשרות גברים ונשים בגלימות כחולות ישבו בשלווה על ספסלים מתחת לעצים, שתו קפה ושוחחו בנחת. ציפורים צייצו, ואיש מן היושבים לא נראה מוטרד או חורש מזימות. לרגעים נדמה היה לי שהגענו למקום הלא נכון.

אבל זה היה האשראם של כת השמים, מקום מושבו של המורה הרוחני הראשי, טאמאל מהאנטה.

אם ההשערות שלי נכונות, כאן נפלה ההחלטה לשלוח את ראם סינג לאירופה, לארצות הברית ולבסוף גם לישראל.

נסענו אל הנהר והתיישבנו קרוב לקו המים בסוכה קטנה, שבה הגישו משקאות קרים ומאכלים פשוטים. הסלעים על הגדה זהרו בשמש כאבני חן מלוטשות. שתינו מים מינרליים ודיברנו על האפשרויות שעומדות בפנינו. לא היו הרבה כאלה. הצעתי שאכנס לאשראם בזהות החדשה שלי, אציג את עצמי כמיליונר בריטי חולה, שמאמין בקיומו של העולם שמעבר לעולם הזה, וכך אעקוב מקרוב אחרי מה שקורה שם. ראג'יב התנגד.

"הם יהיו עכשיו זהירים הרבה יותר," אמר, "מה שקרה בגואה הדליק אצלם אור אדום. הם ינסו לבדוק כל אירופאי שמגיע אליהם, מחשש שהוא בא לרחרח ולגלות את הסודות שלהם, הם עלולים לגלות שפול אוונס לא היה ולא נברא."

"איך הם יגלו את זה?"

"פשוט מאוד. הם עלולים לחפש פרטים עליך באנגליה. כל משרד חקירות שם יגלה מיד את האמת."

"נסעתי לפונה," הזכרתי לו, "כדי למצוא את ראם סינג ולעקוב אחרי ראשי כת השמים. איך אתה מציע שאעשה זאת אם לא אכנס אל תוך האשראם שלהם?"

"אתה לא יכול להיכנס לשם," אמר, "זה מסוכן מדי בשבילך."

"אז לשם מה הגענו לכאן?" התמרמרתי.

"תירגע," אמר בנחת, "אני אכנס לאשראם במקומך."

היתה לו כבר תכנית מוכנה. הוא תיכנן לספר להם על רצונו ללמוד את עקרונות הכת ובד בבד להתנדב לעבוד באשראם בכל תפקיד שיתבקש. זה לא היה רעיון יוצא דופן. ראג'יב ידע שבאשראמים רבים בהודו עובדים מתנדבים, שהושפעו מן המורים הרוחניים ורצו לתרום את עבודתם. הסיכוי שמישהו יחשוד במניעיו של מתנדב מקומי היה אפסי, וראג'יב חשב שחדירה שלו אל תוך האשראם והתרועעות עם העובדים שם עשויה לסלול טוב ממני את הדרך אל ראם סינג.

"חוץ מזה," אמר, "כל חקירה שיעשו עלי, תגלה שאמרתי את האמת. בעצם, כמעט את כל האמת."

הסכמתי בלית ברירה. שאלתי אותו כמה זמן יחלוף, לדעתו, עד שיעלה על המידע שחיפשתי.

"בהודו," הוא אמר, "מילת המפתח היא סבלנות. לי יש כל הסבלנות שבעולם. מה איתך?"

למחרת בבוקר נפרדתי ממנו בתחושה שיהיה עלי לבלות זמן רב בפונה. ניסיון העבר צריך היה ללמד אותי ששום תיכנון מוקדם לא יהיה מעשי כשמדובר בהודו. כשיצאתי לדרך רציתי להאמין שאשאר כאן זמן קצר ככל האפשר. טעיתי. עכשיו, גם אחרי שנחלצתי מן הצרה בגואה, מסע החיפושים שלי אחרי ראם סינג עדיין התנהל בעצלתיים. ההווה היה מעורפל, העתיד עוד יותר. ידעתי שאולי בסופו של דבר אצטרך להרים ידיים ולמצוא דרך לשוב הביתה בשלום. זה יהיה ודאי פתרון שבני משפחתי לפחות יקבלו בהבנה. יעבור זמן מה, וכולם ישכחו שנסעתי אי פעם להודו כדי לחפש מחט בערימת השחת, אבל אני לא אשכח. אם אשוב בלי שלכדתי את ראם סינג, ירדפו אותי ייסורי המצפון כל חיי. הרגשתי שעלי לעשות הכול כדי שזה לא יקרה.

פונה לא היתה בשום פנים העיר שהייתי בוחר לבלות בה חופשה ארוכה, או חופשה בכלל, אלא אם כן התכוונתי להסתגר באחד האשראמים. היו שם כמה, אבל שני אשראמים היו גדולים מכולם. האחד של כת השמים, האחר

של הגורו אושו.

יצאתי אל העיר ושוטטתי עד הצהריים בשווקים, שאפתי אל ריאותי עננים של אבק והתשתי את שרירי הפה שלי בצעקות על מקבצי נדבות ונהגי ריקשות שנטפלו אלי. עברתי על פני מגרש מירוצי הסוסים וראיתי את האורוות שבהן הכינו את הסוסים למירוץ הקרוב, ביקרתי במוזיאון הדהוי שאיכלס את אוסף הפולקלור המגוון של ראג׳ה קלקר. מותש ומשועמם חזרתי אחר הצהריים לדירה השכורה שלנו, והופתעתי לראות שם את ראג׳יב.

"לא הצלחת?" שאלתי בדאגה.

"דווקא כן," חייך, "זה היה פשוט יותר משחשבתי. נכנסתי אל המשרד באשראם, אמרתי להם שאני רוצה ללמוד ולעבוד ושאין לי ציפיות לקבל שכר. הם שאלו אותי כל מיני שאלות, מאין באתי, מה מצבי המשפחתי והכלכלי, רמת ההשכלה שלי, ולמה הכת שלהם מעניינת אותי. אמרתי שכבר שנים אני מסתובב בהודו ומחפש את עצמי אחרי שאשתי מתה, סיפרתי שיש לי כספי ירושה של הורי ששמורים בבנק למקרה חירום, ושהחיים בעולם הזה בעצם די נמאסו עלי. הם נתנו לי טפסים למלא וביקשו שאחזור מחר."

"מי זה הם?" שאלתי.

"שלושה גברים מבוגרים, אחד הציג את עצמו כטאמאל מהאנטה, מנהל האשראם. גבר נוסף אמר ששמו רמאיאן, והוא ממונה על סדנת הגשר אל האור, האחר הציג את עצמו בשם ובתפקיד שאני לא זוכר."

"איך הוא נראה, מהאנטה?"

"איש גדול, חזק, מטופח, מתהלך בגלימת תכלת עשויה ממשי. מה שהכי בולט אצלו הן העיניים, שחורות וגדולות שחודרות אליך כמו סכין. לא מסוג האנשים שהיית רוצה לפגוש בסימטה חשוכה."

נשמעה נקישה על הדלת. בפתח עמד בעל הבית והושיט לי מברק שהתקבל זה עתה מדינה, מזכירתי. היא הודיעה לראג׳יב ששלחה כמה אלפי דולרים אל סניף ה"יוניון בנק אוף אינדיה" בפונה. נשמתי לרווחה. דינה מעולם לא איכזבה אותי. הלכתי עם ראג׳יב אל הבנק, והוא מסר לי את הכסף. הצעתי לו חצי ממה שקיבלתי. הוא ניסה להתנגד, אבל אני לא ויתרתי. הכרחתי אותו

237

לקבל את הסכום, והרגשתי שעשיתי את הדבר הנכון.

סוף סוף היה לי כסף, סוף סוף הצלחתי להיפטר מתחושת התלות שכה העיקה עלי. הלכנו לחגוג בבית תה ליד הנהר. הצעתי לראג׳יב לעקור לבית מלון, אבל הוא טען שמוטב לנהוג חיסכון בכסף, משום שאין לדעת מה יהיו ההוצאות שלנו בעתיד.

שתינו תה בחלב ואכלנו עוגיות. אחר כך הלכנו לשוק וקנינו מצרכים לארוחת הערב. ראג׳יב אמר שיבשל מאכל הודי אופייני, פרוסות של גבינה לבנה קשה בירקות ברוטב קארי. קנינו גם אננס טרי, אנונה וכמה פירות אקזוטיים שאת שמם לא קלטתי. הלכנו הביתה לאורך הנהר, עצרנו לשתות בדוכן רחוב מיץ מקני סוכר. לשנינו היה מצב רוח טוב והרבה תיקווה, שבמקום הזה נצליח לעשות סוף סוף את מה שרצינו.

נכנסנו אל חדר המדרגות. אור יום קלוש הסתנן פנימה מן הפתח. שמענו מעלינו קול צעדים רצים במדרגות וקרבים אלינו. גבר גבה קומה, רחב גוף ושרירי, נחבט בנו, חמק וללא התנצלות מיהר החוצה. עלינו אל הדירה ופתחנו את הדלת. לאור הדמדומים נראה הכול כשורה, אבל מבט נוסף הבהיר לנו שמישהו היה שם לפנינו. היו דברים שהוזזו ממקומם. תיק החפצים שלי, למשל, היה פתוח למחצה. יכולתי להישבע שהשארתי אותו סגור כשיצאתי מן הדירה. הוצאתי מהתיק את כל החפצים, ניערתי את הגרביים שבתוכם הסתרתי את הדרכון. הוא לא היה שם. מצאתי אותו לבסוף מתגולל בין הלבנים בתיק. לא היה לי ספק שמישהו הוציא אותו ממקום המסתור שלו ועיין בו. גם ראג׳יב מצא שמישהו חיטט בחפציו, אבל ארנקו היה שם, סגור, וכמה שטרות כסף שהיו בתוכו לא נלקחו. בדקנו היטב את הדירה. שום חפץ לא נעלם.

״מי שהיה פה,״ אמרתי, ״לא בא כדי לגנוב.״

״אתה זוכר מה שהם עשו בגואהז?״ שאל ראג׳יב.

״הם ניסו לבדוק מי אני באמת.״

״נראה לי שזה בדיוק מה שהם עשו גם כאן,״ אמר ראג׳יב, ״הפעם מי שנמצא על הכוונת זה אני. כנראה שהם זהירים אפילו יותר מכפי ששיערתי. אתה חושב שהם בודקים בצורה כזאת את זהותו של כל מי שרוצה להצטרף אל הסדנה?״

"שאלה טובה. אתה חושב שהם חושדים בך?"

"לא התרשמתי כך בבוקר."

ראג'יב קרב אל החלון. שרב מעיק עמד באוויר, ואבק עלה מן הרחוב. שאון המכוניות והמולת האדם לא שככו גם בערוב היום. הוא שב ופנה אלי:

"אם לא היה להם מה להסתיר," אמר, "אם הם לא היו חוששים שמישהו יגלה עליהם את האמת, הם לא היו בודקים בשבע עיניים כל מי שממלא את טופסי ההרשמה שלהם."

לכל אורכו של יום המחרת, מרגע שראג'יב הלך אל האשראם, לא מצאתי מנוח. פחדתי שהפורץ שנשלח על־ידי כת השמים הצליח איכשהו לחשוף את זהותי האמיתית. פחדתי שהם יעוללו משהו לראג'יב. שאלתי את עצמי מה אעשה אם הם יחסלו אותו וישליכו את גופתו למקום סתר כלשהו. חששתי להישאר בבית, שנאתי לשוטט ברחוב. ירדתי אל הנהר וישבתי על שפת המים בודד ומודאג, מחכה שהזמן יעבור. ילדים ופרות התרחצו בנהר, נשים כיבסו שם את בגדי המשפחה ובעלי מכוניות שטפו באותם מים את כלי הרכב שלהם על הגדה. שמתי לב שלמרביתם לא היו שעונים על פרקי ידיהם, איש מהם לא מיהר לשום מקום, לזמן לא היה שום ערך, העתיד הבטיח להיות בדיוק כמו ההווה, בדיוק כמו העבר.

כשהעריב היום, חזרתי הביתה וכססתי ציפורניים בדאגה רבה.

ראג'יב חזר למרות חששותי, והוא היה להוט לדבר. היו בפיו דברים שהצליחו לצמרר אותי לרגע. הוא סיפר שנכנס למשרד האשראם בבוקר. אחד האנשים שקיבלו את פניו אתמול ישב שם.

"לא תנחש לעולם מה היתה השאלה הראשונה שלו," ראג'יב תלה בי מבט מתגרה.

"אל תמתח אותי," התחננתי. הייתי חסר מנוחה.

"או קיי," אמר ראג'יב, "הוא שאל מי זה פול אוונס."

נרעדתי. פתאום חששתי שמי שפרץ אתמול אל הדירה שלנו לא התכוון, בעצם, לראג'יב. לא מן הנמנע שהוא דווקא רצה לדעת מי אני. שאלתי את עצמי איך הם עלו על זהותי החדשה. נרעדתי כשחשבתי על כך שעכשיו הם יודעים לבטח שאני לא פול אוונס, כשם שלא הייתי סטיב מורגן שביקש

להצטרף לאשראם בגואה.

"מה ענית להם?" שאלתי ללא נשימה.

"אמרתי שבסך הכול שכרתי איתך דירה במשותף, שאתה בריטי מוזר שבא כדי ללמוד מדיטציה באשראם של אושו, ושאתה נמצא שם כמעט כל היום וחלק מן הלילה."

"והם האמינו לך?"

"נראה לי שכן. על כל פנים, הם לא שאלו שאלות נוספות עליך."

הרגשתי הקלת מה, אבל עדיין הייתי מוטרד.

"הם יגלו מהר מאוד ששיקרת להם בעניין שלי. אתה יודע שלא באתי ללמוד מדיטציה באשראם של אושו," אמרתי.

"הם יגלו מהר מאוד שאמרתי את האמת," אמר ראג'יב בקול בוטח, "ממחר בבוקר אתה באמת הולך לאשראם של אושו."

לא היתה לי, כמובן, שום ברירה אחרת. גם לראג'יב לא היתה. הוא חייב היה להסביר את נוכחותי בפונה, והסיבה שנתן היתה הטובה מכולן. במחשבה שנייה, אפילו רציתי לבקר באשראם של אושו. הייתי סקרן לדעת אם הסיפורים ששמעתי נכונים. חוץ מזה, כל אשראם היה עדיף על שוטטות ברחובות המזוהמים של פונה.

ראג'יב הוסיף לספר לי את קורות היום. הוא שמח לשמוע שכת השמים זקוקה לפקיד, ואמר שיעשה ברצון את העבודה שיטילו עליו. בסוף קיבלו אותו לתקופת ניסיון של חודשיים כפקיד בחצי מישרה. את יתרת הזמן איפשרו לו להקדיש ללימודים בסדנה.

"הספקת להשתתף בשיעורים? דיברת עם אנשים? התחלת לאסוף חומר?" שאלתי.

"השתתפתי בשיעור אחד בבוקר ואחד בצהריים, בסדנה של רמאיאן. לא משהו מיוחד, אותן התיאוריות שוב, אותה השיטה של שטיפת המוח. המורה עשה את העבודה הכי טוב שאפשר. אבל מה שחשוב עוד יותר הוא שפתאום, היום, הבנתי את העיקרון הכלכלי של כת השמים. שים לב איפה הם ממוקמים. בגואה, בפונה ובווראנאסי, שלושה מקומות שמתרכזים בהם המון אירופאים שבאים לאזור לנופש או ללימודים רוחניים. זהו קהל שיש לו בדרך כלל כסף, וזה בדיוק הקהל שכת השמים מעוניינת בו. הכת עובדת יפה כמו

מכונה משומנת, מחלקת חומר מודפס בבתי מלון, במסעדות, בריכוזי תיירים, עורכת הרצאות פומביות בכל מקום אפשרי מחוץ לאשראמים שלהם ותופסת בדרך זו קורבן אחרי קורבן."

הוא הראה לי את אחת החוברות של כת השמים. היא היתה מודפסת בכמה שפות על נייר כרומו יקר. ראיתי צילומים מרהיבים של האשראמים. קראתי את הטקסט האנגלי. זה היה מידע תמים על הסדנה. שום דבר לא הזכיר במפורש או ברמז את סחיטת הכסף ומעשי ההתאבדות.

"מחוכם," אמרתי.

"בקבוצה שבה אני לומד," אמר ראג'יב בעיניים נוצצות, "יש בערך חמישה עשר איש, גברים ונשים. נחש כמה הודים נמצאים שם."

"רק אחד, אתה."

"בדיוק. עכשיו אתה מבין?"

הוא סיפר שבתום הלימודים הלך לעבוד במשרד.

"נתנו לי למיין בעיקר ניירת, חשבונות, קבלות, תעודות על אספקת מוצרים, תיקונים, שום דבר מעניין."

"יש עוד פקידים באשראם?"

"יש עוד שלושה מתנדבים כמוני, ויש אחד קבוע, פקיד ותיק ושתקן שקוראים לו סוואמי סנג'אי. הוא ממונה על הכספים. יש לו תיק על כל תלמיד באשראמים של הכת בפונה, גואה ווראנאסי, אבל התיקים האלה סגורים בכספת ענקית. נזהרתי מאוד לא לעורר חשד, לכן לא שאלתי יותר מדי שאלות."

הוא אמר שסנג'אי נימנה עם האנשים שלעולם אינך יכול לשער את גילם האמיתי. עורו השחום היה חלק עד כדי הולכת שולל, ידיו היו ארוכות וגרומות כידיו של סאדהו המתנזר מאכילה. הוא לא הירבה לדבר ולא לצחוק, איש צנום ושתקן שהיה רכון שעות ארוכות על ערימות מסמכים כשמשקפי הקרן העגולים שלו גולשים על קצה חוטמו.

"הפקידים יושבים על מחצלת, ליד שולחנות עץ זעירים," המשיך ראג'יב, "סנג'אי יושב מרוחק מעט מאיתנו, מאחורי גבו הכספת הגדולה שרק הוא וטאמאל רשאים לפתוח אותה." ראג'יב אמר שכאשר נפתחה פעם

הכספת, הוא ראה בה תיקים רבים וכמה חבילות של כסף מזומן. סנג'אי תייק
שם כל מסמך. הוא לא השאיר דבר על שולחנו כשהלך הביתה.

ראג'יב לא ידע אם סנג'אי נשוי, אב לילדים או חי בדד. הוא ביצע בשבילו
שליחויות קטנות, הביא טפסים מן הדפוס, מסר המחאות לספקי הקמח
והירקות. הוא עשה זאת ברצון. בצהריים הכין ראג'יב מיוזמתו תה לעובדי
המשרד וכיבד את כולם בעוגיות שקנה. הוא הניח כוס אחת על שולחנו של
סנג'אי ולידה צלוחית של עוגיות. הפקיד הוותיק מילמל תודה ולא הרים את
עיניו.

30

בבוקר הלכתי לאשראם של אושו. שמעתי שיותר מכל אשראם אחר בהודו משמש המיתחם של אושו אבן שואבת לאלפי אנשים מן המערב. אושו, שנפטר לפני שנים אחדות, ידע לדבר אל ליבם בשפה שהם הבינו, על בעיות שהתמודדו איתן יום־יום, הבדידות, המירוץ המטורף אחר הקריירה, חיי הנישואין הכושלים. הסדנאות שהקים הטיפו לפתרונות פשוטים, קלים ליישום.

לא הצלחתי להיכנס מיד פנימה. תחילה חייבו אותי, כמו כל מבקר, לעבור בדיקת דם כדי לוודא שאין לי איידס. לפני שנים נודע האשראם כמקדש לאהבה חופשית, כמרכז לפעילות מינית נרחבת, עד שהפחד מהאיידס מחק את העיסוק במין.

תוצאות הבדיקה התקבלו מקץ שעתיים. הורשיתי להיכנס. קיבלתי תג זיהוי ועליו צילום דיוקן שלי.

שעה ארוכה שוטטתי באשראם. יותר מכל דבר אחר הוא נראה כמועדון חברתי יוקרתי, מטופח, נקי ונוח, עם גנים ופארקים מרהיבי עין מסביב ומערכת משרדים משוכללת רבת־מחשבים, מכשירי פקס וחיבורים לאינטרנט, שניתן לגלוש בו על פני אלפי עמודים העוסקים בתורתו של אושו ובתכניות הלימודים של סדנאות האשראם. זהו גם האשראם העשיר ביותר בהודו. ראג׳יב סיפר לי שלאושו היו תשעים ותשע מכוניות רולס רויס, באחת מהן היה נוסע יום־יום מרחק של מאה מטרים מביתו באשראם אל האוהל שבו נערכה המדיטציה ההמונית, התכשיטים שענד נאמדו במיליוני דולרים, ושוויו של המיתחם שהתרחב משנה לשנה נאמד בסכומי עתק. הכסף הגדול בא מהסדנאות. רק מיפגשי המדיטציה ההמוניים, כחצי תריסר בכל יום, ניתנו במחיר שווה לכל נפש.

האשראם של אושו ממוקם על שטח ענקי במרכז העיר. בתוך המיתחם הזה ניצבים ביתנים חדשים ואוהל לבן, אולי האוהל הגדול ביותר שראיתי מימי. מאות גברים ונשים משתתפים שם בלימודי מדיטציה ומיסטיקה. הם מהלכים בגלימות אדומות, פוסעים בצעדים מדודים, וארשת של שלווה נסוכה על פניהם.

בחנתי את הרשימה הארוכה של אפשרויות לימוד. היו שם סדנאות לאמנויות הלחימה ולאמנויות הריפוי, היו שם סדנאות למיסטיקה ולמדיטציה, לאהבה ולתודעה.

פגשתי ישראלי צעיר. ליתר ביטחון, דיברתי אנגלית כדי שלא יגלה את זהותי האמיתית. הוא הציג את עצמו כג׳יוואן פוג׳ה. ״זהו שמי החדש,״ אמר. בישראל קראו לו עמי מרום. הוא הסביר לי שכל מי שמבקש יכול לקבל שם חדש, וגם אני יכול אם ארצה. בכל מוצאי שבת, אמר לי, נערכת מסיבה של מקבלי השמות החדשים. כולם מתחבקים, שרים ורוקדים שם כמו במסיבת יום הולדת ענקית.

״למה רצית שם חדש?״

״תראה, שם המשפחה שלי היה פעם מירמן. רוב המשפחה של אבי ניספתה בשואה, הוא החליף את השם למרום כדי לשכוח את העבר, ולי נתנו את השם עמי, משום שאבא שלי חשב שזה מסמל את הצורך להיות עם חזק מול הגויים. אם הם רצו לשכוח את העבר, לא ברור לי איך לא חשבו שדווקא השם הזה מכיל בתוכו את זכרונות השואה ואת המלחמות. גם אני רציתי שם חדש, נקי, בלי כובד העבר. קיבלתי אותו כאן. עשרים ואחד חברי המועצה המנהלת את האשראם בוחרים את השמות החדשים. השם שנתנו לי הוא גיוואן פוג׳ה, ומשמעו: תפילה לחיים.״

הוא לקח אותי אל האוהל הלבן. מאות גברים ונשים בגלימות אדומות עשו שם מדיטציה דינמית, אחת מעשרות המדיטציות של אושו. הם ביצעו תרגילי נשימה מהירים, שרו, רקדו, צעקו, בעטו, קפצו מעלה ומטה וקראו את המנטרה ״הו״. אחר כך קפאו בתנועה שבה נקטעה התזזית וסיימו בריקוד עדין לצלילי מוסיקה שקטה.

בכל שעה נערכה באוהל הלבן מדיטציה מסוג אחר. השתתפתי במרביתן. זה לא היה קשה. הרעיון המרכזי הוא לעשות בעצם כל מה שמתחשק, ובלבד

שהראש יתנקה ממתח וממחשבות מעיקות. עשיתי מדיטציית קונדליני, שמבוססת על רעידות גוף, ריקוד, ולסיום — שכיבה ללא ניע על ריצפת השיש ברפיון מוחלט. עשיתי את המיסטיק רוז, שעיקרה פרקי צחוק ובכי וריקוד משוחרר, והתנסיתי במדיטציה שבה מדברים שטויות בכל שפה, בלי כל משמעות, מתוך כוונה מראש לא ליצור קשר ולהתרכז רק בהוצאת הפסולת מתוך המוח.

הימים חלפו. ראג׳יב היה לחלק מהנוף באשראם של כת השמים. העבודה היתה שיגרתית הרבה יותר משׁשיער תחילה. בסך הכול היה עליו לטפל בחשבונות של ספקים, מכתבים שנכתבו על־ידי אנשים שהתעניינו בסדנאות השונות ותיוק הכרטסת של התלמידים. סנג׳אי היה נעלם לעתים ליום, לעתים ליומיים. איש מן הפקידים האחרים לא ידע לאן. באחד הימים שבהם נעדר משך ראג׳יב פקס מן המכשיר שניצב על שולחנו של סנג׳אי. הוא הגיע מסוכנות נסיעות והכיל חשבון על נסיעות וטיסות של הנהלת הכת. ראג׳יב העתיק את הפרטים והביא אותם איתו כששב בערב הביתה.

זה היה חשבון טיסות שיגרתי. אחד הסעיפים התייחס לכרטיסי הטיסה של ראם סינג לישראל, תאריך חזרתו להודו היה בדיוק היום שבו מתה עופרה. אבל היתה שם עובדה נוספת שהקפיצה אותי ממקומי. התברר שבסוכנות הנסיעות הזו הוזמן עוד כרטיס טיסה אחד לישראל וחזרה להודו. תאריך הטיסה לישראל היה יומיים לפני האסון ברישפון, תאריך היציאה היה ביום שבו עזב ראם סינג. ראם סינג ובעל הכרטיס הנוסף המריאו באותו מטוס עצמו. כלומר, לא רק לראם סינג היה קשר למותה של עופרה. היה שם איש נוסף של כת השמים שנשלח כדי לסייע לו לבצע את הפשע.

שמו של האיש הזה הופיע בבירור בחשבון הטיסות.

זה היה סוואמי סנג׳אי.

בפעם הראשונה מאז נסעתי להודו חשתי שאני מחזיק בידי קצה חוט של ממש. נראה לי שסוף סוף עליתי על הדרך הנכונה. סנג׳אי היה המפתח. לא היה לי ספק שהוא יוכל להוביל אותנו אל ראם סינג ולשפוך אור על כל הפרשה.

החלטנו לפעול ללא חיפזון. כל צעד מעתה ואילך צריך היה להיות

מתוכנן בזהירות. ראג׳יב אמר שינסה להתיידד עם סנג׳אי ולרכוש את אמונו. ביקשתי ממנו שיעשה הכול כדי שלא לעורר חשד.

כשאין לך ברירה, אתה מסתגל לכול. אחרי ימים אחדים בפונה החום, האבק והזוהמה הטרידו אותי הרבה פחות. ראג׳יב ואני נכנסנו, בלית ברירה, לשיגרה מסוימת. היינו מנקים את הדירה השכורה כמיטב יכולתנו, הולכים לשוק, מבשלים לעצמנו כמעט את כל הארוחות. בשביל מישהו כמוני, שמימיו לא הכין אפילו חביתה, זה היה הישג עצום לבשל עוף ברוטב גרגרי קוריאנדר ומיץ קוקוס, מתכון מקומי מגואה שלמדתי מראג׳יב. למדתי ממנו להכין גם אורז בסמטי, שטעמו היה עדין ומורגש יותר משל כל אורז אחר, בישלתי אותו בירקות ובקטניות ולמדתי להכין מרק מליגואטני, שהוא מחית של עדשים בדרגות חריפות שונות.

טלוויזיה לא היתה לנו, ופעם או פעמיים הלכנו לראות סרט הודי בבית קולנוע מקומי. לא הבנתי מילה, אבל נהניתי לראות את הקהל יוצא מגדרו מהנאה, מצטרף לשירים המושמעים על הבד, צוחק בקטעים הקומיים ובוכה ברגעי הדרמה הבלתי נמנעים. ראג׳יב השתתף איתי פעמים אחדות במדיטציות ההמוניות באוהל הלבן באשראם של אושו. היו לנו שיחות ארוכות על מהות החיים, על ההבדל בין אורח החשיבה ההודי לאורח החשיבה המערבי. בהודו אתה לומד להתייחס לקריירה, לסמלי המעמד וללחץ החברתי כאל דברים חסרי משמעות. תחיה את הרגע, אמר לי ראג׳יב, הרגע הוא מה שחשוב. אתה עלול למות בכל יום, ואז מה? לשם מה הריצה המטורפת אחרי הרוח שאי־אפשר להשיגה?

חשבתי הרבה על הילדים שלי שנשארו בבית, התגעגעתי אליהם מאוד, ידעתי שגם הם מתגעגעים ודואגים, הצטערתי על הריחוק מהם, והדאגה שאני מסב לאמה של עופרה ולהורי. פעמים רבות חלמתי על המשפחה. לא פעם ראיתי בחלום גם את עופרה איתנו, לא רציתי שהחלום יגיע אל קיצו.

טילפנתי אל ענב ודרור ממשרד של שירותי טלפון. שמעתי שוב צלילים של שמחה וחרדה בקולם כשדיברו איתי. הם שאלו המון שאלות, איפה אני מסתתר, מה אני עושה, האם הצלחתי לגלות משהו. לא סיפרתי היכן אני

נמצא, אבל טרחתי שוב ושוב להרגיע אותם ולהדגיש כי כבר עלה בידי לאסוף מידע חשוב. הם שאלו מתי אשוב, ואני אמרתי שאשתדל לחזור הכי מהר שאפשר. קולם צרב אותי כברזל מלובן. כל כך רציתי לחזור ולהיות איתם, מעולם לא חשתי בחסרונם כפי שחשתי עתה. "רציתי שתדע," אמר לי דרור, "שעכשיו אני שוב מקבל ציונים מעולים במבחנים." הוא הניח את השפופרת, ואני עמדתי שם ללא ניע, במשרד הקטן שסיפק שירותי טלפון, כשהודים סקרניים מתגודדים סביבי ומביטים בי בסקרנות — ופשוט בכיתי כמו ילד קטן.

31

זה אמור היה להיות עוד יום שיגרתי אחד. אכלתי ארוחת צהריים בקפטריה
של האשראם. ישבתי לשולחן אחד עם גרמני כבן ארבעים, שניהל עסק
משפחתי משגשג בברלין והחליט לפתע שנמאס לו. לפני שנתיים ארז את
חפציו, נסע להודו, הסתובב באשראמים שונים ולבסוף מצא את עצמו
בפונה. הוא שכר דירה מול האשראם, מצא עבודה כזבן בחנות הספרים של
המקום, וזה עתה עבר כמה שעות של התנסות בסדנה של לידה מחדש. הוא
סיפר לי שהיתה לו ילדות מאושרת, הוא היה בן יחיד, והוריו הירבו לטייל
איתו ולהרעיף עליו אהבה. שניהם מתו בתאונת דרכים כשהיה בן תשע
עשרה, והשאירו אחריהם רכוש ורשת של חנויות מזון. חייו השתנו בבת אחת,
האחריות שהוטלה עליו היתה גדולה מנשוא, הוא עבד מבוקר עד ערב כמנהל
חנויות. היה לו הרבה כסף, אבל מעט מאוד אושר.

בהודו כבר ניסה כל דבר. הוא השתתף בסדנאות שבהם היו לפעמים יותר
ממאה אנשים, חלקם צוחק, חלקם בוכה, חלק עושה העוויות או רוקד והיה
שם אפילו מישהו שטיפס על צמרת עץ עירום כביום היוולדו. בחורף הוא
ניסה את יוגת החום של הדלאי לאמה מטיבט, שעמד עירום בשלג
בטמפרטורה שמתחת לאפס, אבל הצליח לדמיין שגופו לוהט מחום, והוא
באמת התחיל להזיע. הצלחתי להגיע למצב, אמר הגרמני, שבו הגוף מתפקד
בהתאם לדמיון שאתה מצליח להשליט עליו. עכשיו, באשראם של אושו, הוא
מנסה לחזור אל הילדות שלו כדי להשיל מעליו את הטראומות שהצטברו מאז
ולהתחיל מחדש.

"אתה מבין," הוא אמר שעה שלעס לאיטו טופו מאודה בסויה, "במשך
השנים אתה מתכסה בשריון עבה, קשה לך להבקיע אותו, אתה רוצה לשיר
ואתה לא יכול, אתה רוצה לרקוד וזה קשה לך, אתה רוצה להשתולל ואינך

248

יודע איך. בסדנת החזרה אל הילדות אומרים לי: תהיה שובב, תהיה טבעי כפי
שהיית לפני שהפסקת לגדול. בשמונה ימים אני אמור להסיר שם את
המסכות שמסתירות את האישיות שלי. זה קשה וזה כואב, אבל זה עובד.
אנחנו מתרגלים את הלידה מחדש בערך שעתיים ביום. בשעה הראשונה
אנחנו מתנהגים כמו ילדים, מנסים בדרך זו להיכנס אל הילדות. אנחנו שרים
וצועקים, קופצים ובוכים. שום דבר אינו אסור, פרט לפגיעה גופנית בחברים
שלך לקבוצה. בשעה השנייה אנחנו יושבים בשקט, לא מעלים שום נושא
לדיון, לא שואלים כלום ולא יודעים כלום, ממש כאילו היינו תינוקות..."

"ואיך אתה מרגיש עכשיו?"

"כמו מישהו שבאמת נולד מחדש."

הוא שאל מה בדיוק הביא אותי לשם, ועוד בטרם הספקתי להשיב ראיתי
את ראג'יב לידי. הוא היה נרגש.

"בוא," אמר, "עלינו ללכת."

הסתכלתי עליו בעיניים מופתעות. הוא היה אמור להיות בשעה הזאת
באשראם של כת השמים. זכרתי שקבענו להיפגש רק בערב. הקפטריה
הצפופה של אושו לא היתה בדיוק המקום לדון בו בנושאים שנוגעים רק
לשנינו. פשטתי את הגלימה האדומה והצטרפתי אליו.

הלכנו אל "בית המאפה הגרמני", מסעדה קטנה מחוץ לאשראם. הייתי
מתוח. ראג'יב לא היה עוזב את האשראם של כת השמים כדי להודיע לי
משהו, אלמלא היתה זו בשורה חשובה במיוחד.

ישבנו לשולחן צדדי. ללא כל הקדמות אמר ראג'יב:

"סנג'אי הזמין אותי אליו הביתה בשבת."

הופתעתי מאוד.

"זה לא הכל," אמר, "יש הפתעות נוספות."

הוא סיפר שבמהלך הימים שחלפו עשה מאמצים מיוחדים כדי להתיידד
עם הפקיד הוותיק. הוא שירת אותו נאמנה, הוא לא עזב את המשרד לפני
שסנג'אי סיים את עבודתו, הוא מילא כל בקשה וכל הוראה במסירות
ובדייקנות.

"הצלחתי לדובב אותו מדי פעם," אמר ראג'יב, "הבוקר הוא הטיל עלי
כמה משימות ואמר כי בשבוע הבא ייעדר מן המשרד ליומיים. רציתי לדעת

לאן הוא נוסע שוב. שאלתי אם הוא עומד לצאת לחופשה, והוא אמר לי שהוא נוסע לווראנאסי. העזתי ושאלתי לסיבת הנסיעה, והוא פשוט אמר: אני מעביר לשם כסף. פתאום עבר לידינו טאמאל מהאנטה. הוא הביט בסנג'אי ובי במבט קשה. אני לא בטוח שהוא שמח לראות את שנינו מנהלים שיחה."

"הוא העיר משהו?"

"לא, הוא הסתפק במבט ארוך אחד ועזב את החדר."

"סנג'אי נבהל ממנו?"

"לא יודע. לסנג'אי יש רק הבעת פנים אחת שלא משתנה אף פעם. הוא נראה תמיד קפוא ואדיש."

"יש לך מושג על איזה כסף הוא דיבר?"

"אין לי."

"איך קרה שהוא הזמין אותך אליו הביתה?"

"אני לא בדיוק מבין. זה קרה לפני שעה בערך, הבאתי לו לארוחת צהריים עוף ואורז שבישלתי אתמול. אמרתי שבישלתי את זה במיוחד בשבילו. הרגשתי שזה נגע לליבו. הוא אכל בתיאבון, אמר שנהנה מאוד, והציע לי לשתות איתו תה בשבת אחר הצהרים אצלו בבית. היית מאמין?"

ביתו של סנג'אי שכן בשכונה קטנה בדרום פונה. ליוויתי לשם את ראג'יב שהביא איתו סיר גדוש במאכל שבישל. הוא התדפק על הדלת שעה ארוכה, אך איש לא השיב. כל נסיונותיו לברר אצל השכנים היכן נמצא סנג'אי, עלו בתוהו. הסתובבנו מעט בשכונה וחזרנו אל הבית. ראג'יב התדפק שוב על הדלת. לשווא.

דחף מוזר הניע אותו לנסות את ידית הדלת. היא נעה בחריקה, והדלת נפתחה. ראגיב ביקש שאכנס איתו פנימה. החדר שנכנסנו אליו בצעדים מהוססים היה ריק מאדם. היו שם כמה רהיטי עץ פשוטים, קירות עירומים מתמונות, שטיח ישן. צחנה עמדה בחדר. הכרתי היטב את הריח, אבל קיוויתי שאני טועה.

לא טעיתי.

דלת פנימית הובילה אל החדר הסמוך. זה היה חדר קטן ובו מיטה

שתפסה את רוב השטח. על המיטה היה כיסוי צבעוני, ועליו שכב אדם מת. נראה היה שנפח את נשמתו כיממה אחת קודם לכן. הצחנה עלתה מן הגווייה.

"זה הוא?" שאלתי.

ראג'יב הביט בגופה בעיניים פעורות לרווחה, וזעזוע עמוק ניכר על פניו. הסתכלתי בגופה. לא ראיתי סימני אלימות, לא דקירות סכין או פתחי חדירה של קליעי אקדח, לא כתמי דם.

מעבר לצער על מותו של יצור אנוש חשתי אכזבה גדולה. היינו קרובים כל כך אל פתרון התעלומה, אל ההוכחות שחיפשתי בנרות במשך ימים ושבועות קשים בהודו, והנה התמוטט לשברי שברים כל הבניין שבניתי. עמדתי ליד מיטתו של המת כאילו חיכיתי שיתברר כי זו טעות, כאילו בעוד דקות אחדות יפקח סנג'אי את עיניו וידבר איתנו.

ראג'יב התאושש לפני שהתאוששתי אני. הוא זירז אותי לצאת משם. הדבר האחרון שהיינו צריכים להיתקל בו היתה חבורה של שוטרים, שישאלו אותנו שאלות שלא נרצה להשיב עליהן. פרט לכך, ממילא לא היה לאל ידינו לעשות דבר כדי להחזיר לאיש את חייו. סגרנו את הדלת מאחורינו והזדרזנו לעזוב את השכונה.

היינו סקרנים לדעת מה קרה לסנג'אי. האפשרות שמותו נגרם מסיבה שקשורה בכת השמים היתה סבירה כמו כל אפשרות אחרת. האם פקד טאמאל לחסל אותו ואם כן, מדוע? הרגשנו שיש לא מעט דברים נסתרים שמן הראוי שנדע אותם.

למחרת נסעתי עם ראג'יב להלוויה של סנג'אי. נהג הריקשה הקשיש נתגלה, על אף גילו, כבעל מרץ מפתיע כאשר תימרן את הרכב התלת־אופנועי המוזר בתושייה ובחוצפה לאורך רחובותיה הסואנים של פונה. לבסוף עצרנו ליד משרפת גופות על גדות הנהר.

מעט מאוד אנשים התאספו בפתח הבניין האפור והמתינו להבאת הגופה אל המשרפה. שאלתי את ראג'יב אם הוא מזהה ביניהם מישהו מאנשי האשראם. הוא השיב בשלילה. עמדנו וחיכינו. כמה מן האבלים העיפו בנו מדי פעם מבטים של שאלה.

לפתע עצרה בחזית הבניין מרצדס כסופה. נהג חובש כובע מצחייה שחור הזדרז לצאת ולפתוח את דלתה האחורית של המכונית. אשה בסארי מהודר עשוי משי צהוב שלחה רגל ארוכה החוצה, יצאה ופרשה מעל לראשה שמשייה כתומה. היא היתה כבת שלושים וחמש, פניה היו חיוורים ומבעם עצוב, עיניה השחורות היו כבויות. היא צעדה לאיטה בעקבות האבלים אל תוך המשרפה, מקפידה שלא להתקרב אליהם יתר על המידה. כשהגופה הוכנסה אל תוך התנור והדלת הוגפה, היא סבה על עקבותיה ונבלעה בתוך המרצדס שנעלמה בענן אבק.

בתום הטקס ניגש ראג'יב אל המשפחה האבלה. הוא הציג את עצמו, אמר שעבד זמן מה עם המנוח והביע תנחומים. גבר זקוף ונאה כבן ארבעים אמר שהוא בנו של סנג'אי, והזמין אותנו לסעודה המסורתית שהמשפחה עמדה לקיים במסעדה סמוכה. ראג'יב אמר לי שאצל ההינדים אין נוהגים לבשל בבית בשלושה עשר ימי האבל הראשונים.

הלכנו למסעדה פשוטה. על השולחן הוכנו מבעוד מועד צלחות גדושות מאכלים, צ'אפאטי, סאמוסה למיניהם, אורז ביראני, דגים בקארי. בנו של סנג'אי שאל אם גם אני עובד באשראם של כת השמים. אמרתי שאני לומד באשראם של אושו.

התיישבנו ליד השולחנות העמוסים ואכלנו בדממה. שעה קלה לאחר מכן פנה בנו של סנג'אי אל ראג'יב וביקש ממנו לספר על הקשר שלו עם אביו. ראג'יב סיפר על עבודתם המשותפת.

"הערכתי מאוד את אביך," אמר, "ידוע לך ממה הוא מת?"

קמטי הצער על פניו של האיש העמיקו.

"המשטרה חושבת שהוא נפטר מהתקף לב."

"לא ידעתי שאביך היה חולה לב."

"גם אני לא ידעתי. אבא לא התלונן על כך מעולם."

"יכול גם להיות שהוא מת מסיבה אחרת?"

הבן נעץ בראג'יב מבט מופתע.

"למה אתה מתכוון?" שאל.

ראג'יב חש לא בנוח, הוא רצה לשאול אם היו לסנג'אי אויבים, אם ייתכן שנרצח, אבל הוא התקשה להוציא את השאלות האלה מפיו. לאחר היסוס

קל ניסה את הדרך העקיפה:

"האם עשו לו נתיחה שלאחר המוות?"

הבן אמר שהשוטרים לא טרחו לבקש ניתוח כזה. הנפטר היה איש זקן, שום דבר לא נשדד בדירתו, לא היתה לכאורה כל סיבה לבצע ניתוח יקר ומיותר כדי לברר את נסיבות מותו.

"כל מה שהיה איכפת לשוטרים הוא שהתיק ייסגר," הוסיף, "אין להם סבלנות לטפל בעניין שהוא כל כך חסר ערך מבחינתם."

"יכול להיות שהיו לאביך סודות שאנשים חששו שהוא עלול לגלות אותם?" שאלתי.

"אינני יודע," השיב הבן בקוצר רוח. ניכר היה שהוא מבקש לסיים את השיחה.

בעל המסעדה ואשתו הגישו נתחי עוף בתערובת תבלינים חריפה ומיצי פירות.

"מיום שאני נמצא באשראם," אמר ראג'יב, "אביך היה נעלם באופן מסתורי מדי פעם... האם אתה יודע לאן נסע?"

האיש אכל מעט ללא תיאבון.

"אבא לא שיתף אותי במה שעובר עליו. אני רק יודע שהוא נסע הרבה פעמים צפונה, לווראנאסי, עם הרבה כסף. אני לא יודע מה הוא עשה שם. הוא לא רצה בשום אופן לדבר על זה. אני רק יודע שלפעמים היה טאמאל מתלווה אליו, לפעמים היה טאמאל נוסע לשם לבדו."

"הכרת מישהו בשם ראם סינג?"

"בוודאי. הוא היה ידיד טוב של אבא, למרות הפרשי הגילים ביניהם. סינג היה מורה רוחני וכמה פעמים אבא והוא נסעו לשליחויות של כת השמים בחו"ל."

"הם היו גם בישראל?" שאלתי.

"אני חושב שכן."

הצטערתי עד כאב כשחשבתי כמה קרובים היינו אל האיש שיכול היה לזרות אור על נסיבות הפשע שביצע ראם סינג, וכמה רחוקים אנחנו עכשיו מן האמת.

אכלנו בשתיקה. אחר כך אמר ראג'יב:

"שמתי לב שאיש מאנשי האשראם, מנהלים, מורים ופקידים, לא הגיע להלוויה. יש לך מושג למה?"

הבן לגם מן התה. "הם דווקא היו," אמר, "זמן קצר לפני שבאתם הם הגיעו להביע את השתתפותם בצער המשפחה, והלכו אחר כך."

היה חסר לנו עדיין חומר רב, רצינו לדעת מפי בנו של סנג'אי ככל האפשר יותר, אבל זה לא היה המקום ולא הזמן. הוא נכנס לשיחה אין־סופית עם קרובי משפחה ולא נותר לנו אלא להיפרד ממנו וללכת משם.

לא הצלחנו לקבל תשובות על שאלות רבות שהיו לנו, אבל זכינו ללא ספק בכמה פיסות מידע מעניינות. ידענו עתה שסנג'אי היה ידיד קרוב לראם סינג, ידענו גם שנהג לנסוע לווראנאסי, העיר הקדושה על הגאנגס. מה משמעות העובדות שהוא העביר לשם כסף? האם, בניגוד למה שחשבנו עד כה, וראנאסי ולא פונה היא מרכז הפעילות הפיננסית והרוחנית של הכת? ומה היה הקשר של סנג'אי עם ראם סינג? האם סינג מסתתר בווראנאסי?

בימים הבאים אסף ראג'יב בקדחתנות כל פיסת מידע שיכלה לעזור. הוא גילה עובדה שחיזקה את ההשערה שלי שווראנאסי ממלאת תפקיד חשוב במערכת הפעילויות של כת השמים. ראג'יב מצא, שאנשים הלומדים באשראמים של גואה ופונה נלקחים בתום לימודיהם ברכבת לווראנאסי, לטקסים של מדיטציית מוות, מול מדורות הקבורה על נהר הגאנגס. הוא לא הצליח לברר כמה מהם מאבדים עצמם לדעת אחרי הטקסים האלה, אבל לשנינו היה ברור שבעניין וראנאסי רב הסתום על הניגלה.

באחד הערבים, במקלחות ההמוניות באשראם של אושו, קירצפתי את גופי בחברת גברים צעירים וקשישים, לבני עור וכהי עור, שהתכוננו לאירוע באוהל הלבן. לבשתי, כמו כולם, כותונת לבנה, כמקובל במדיטציה המרכזית של הערב, ונכנסתי לאוהל לאחר שחלצתי את נעלי בפתח. שלושת אלפים זוגות נעליים הצטברו שם במהלך שעה קלה, ובעליהם תפסו את מקומם על המחצלות שהיו פרושות באוהל. איש לא דיבר בקול רם. שמעתי רק קולות לוחשים, כמו איוושת רוח קלילה בצמרות עצים. מאי שם בקעה מוסיקה הודית חרישית. אחר כך, על מסך ענקי, הוקרנה דרשה של הגורו בזכות

המדיטציה. כשהסתיים הסרט שקע הקהל כולו במחצית שעה של מדיטציה. דממה מוחלטת שררה בתוך האוהל, עד שגברה המוסיקה. זה היה האות להתרומם. אנשים החלו לרקוד לקצב הצלילים, תחילה לאט ובאיפוק ואט אט בקצב מהיר ובשיחרור מוחלט. הקהל כולו, כמו גלים גואים ושוככים, החל להיסחף אל תוך מערבולת של התפתלויות ועוויתות גוף, שהשכיחו כל דבר אחר. ראיתי הרבה אנשים מאושרים בערב הזה. רק אני הייתי לחוץ כבתוך מכבש כבד. הפעם לא הועילה לי המדיטציה, התקשיתי להשתחרר מן המחשבות שהתרוצצו במוחי.

ראג׳יב הצטרף אלי כאשר הכול כבר הסתיים. הוא לא הביא איתו מידע חדש, אבל היתה לו הפתעה בכל זאת. הוא לא היה לבד. היתה איתו נערה נאה. הוא חייך במבוכה.

"תכיר," אמר, "זו רדהא."

רדהא היתה צעירה הודית נאה וקטנת קומה, במחצית שנות העשרים לחייה. שערה השחור כפחם, פזור ומרהיב, גלש עד מותניה. ראג׳יב הכיר אותה באשראם של כת השמים. היא נרשמה שם לסדנת "הגשר אל האור".

רדהא היתה לבושה בחליפה בצבע יין, לא בסארי מסורתי. מעט נשים בהודו העזו להתלבש בסגנון מערבי מובהק, אבל מספרן הלך וגדל. היא היתה נשית מאוד, עיניה השחורות בלטו מתוך עורה השחום כשתי אבני חן נוצצות באפילה. כשהלכה, דומה היה שהיא מחליקה על פני הקרקע, כאילו ריחפה מעליה. היה לה קול חרישי ונעים, והיא היתה בת שיחה מרתקת.

ישבנו בקפטריה ושתינו קפה איטלקי מעולה. רדהא סיפרה שנולדה בפונה להורים בני המעמד הבינוני. בגיל תשע עשרה נרשמה ללימודי איורוודה באוניברסיטת פונה, וכעבור חמש שנים, כשסיימה את לימודיה, הוסמכה לטפל בחולים. לא שמעתי מעולם על שיטת הריפוי הזאת.

היא הסבירה לי שאיורוודה פירושה "מדע החיים ואריכות הימים". מקורה בכתבי הקודש העתיקים של הודו שנכתבו בשפת הסנסקריט, ובמשך אלפי שנים היא היתה שיטת הריפוי המקובלת ביותר בחלק זה של העולם. בשנים האחרונות יותר ויותר רופאים מערביים החלו להשתמש בה.

"הרפואה המקובלת, שמתמקדת רק באבחון המחלה ובטיפול הרפואי בה," אמרה רדהא, "מקדישה מעט מאוד תשומת לב לחולה עצמו. האיורוודה

מטפלת בגוף ובנפש כאחד.״ על־פי התורה הזו, מיבנה הגוף והנפש נקבע על־ידי גנים שעוברים מהאם לתינוק עוד בעת ההתעברות. הגנים האלה מתחלקים לשלוש קבוצות עיקריות. הרופא הפועל על־פי שיטה זו מאבחן תחילה לאיזו קבוצה שייך המטופל שלו. שלוש הקבוצות הן וטה, פיטה וקאפה. היא נעצה בי מבט בוחן ואמרה:

״אתה נראה לי שייך לבני קבוצת פיטה. יש לך עור עדין, שיער שחור נוטה לאפור ותיאבון טוב.״ לאחר שמישׁשה בשלוש אצבעות את שורש כף ידי, הוסיפה: ״מי שלמד איורוודה יודע לאבחן גם על־פי הדופק לאיזו קבוצה שייך המטופל. הדופק שלך יציב, חזק, קופץ כמו צפרדע. אתה פיטה. אין ספק.״

לאחר שהרופא מאבחן לאיזה סוג משתייך החולה, הוא ניגש לאיתור הבעיה. המחלות נובעות בעיקר מחוסר איזון בין הנפש לבין הגוף. כדי לטפל בבעיה יש למצוא את האיזון הנכון, ואותו אפשר להשיג בדרכים שונות, כמו דיאטה, מדיטציה, תרגילי התעמלות, אמבטיות חמות, מנוחה, תמציות מרפא ועוד.

שאלתי אם זה באמת עוזר. ראג׳יב הביט בי במבט נוזף, ורדהא חייכה כשהבחינה בכך.

״זה עוזר יותר מכל שיטה אחרת,״ אמרה, ״הספקתי לטפל בשיטה הזאת בחולים, והתוצאות פשוט מדהימות.״ היא סיפרה לי על חולה שלה שטיפלה בו בעיסוי שמנים ודיאטה צמחונית כדי לאזן את פעולת גופו. ״היה לו כולסטרול שהמריא לשיאים מסוכנים,״ אמרה, ״ושום טיפול שנתנו לו הרופאים הקונבנציונליים לא הועיל.״ אחרי שעיסתה אותו בשיטת השירודהארה, כלומר הזלפה של שמן שומשום חם על המצח במשך יותר משעה בכל יום, שבוע ימים, פחת אחוז הכולסטרול בדמו במידה ניכרת.

היא הוסיפה לספר עד שעה מאוחרת. ראג׳יב ואני הקשבנו בעניין רב. הוא נראה לי משולהב ומאושר ואני שמחתי מאוד על הבחירה שלו.

32

זה התחיל כמעט בלי משים, אבל עד מהרה נהפך העניין לכדור שלג שגדל במהירות וצבר תאוצה. הכול קרה אחרי שנרשמתי לסדנה לאהבה ולמודעות באשראם של אושו. נרשמתי משום שמרבית האנשים שפגשתי דיברו בשיבחה. הם אמרו שהסדנה מיועדת לכל מי שרוצה להבין מה פגום בחיי האהבה שלו.

היו בסדנה כשני תריסר גברים ונשים, צעירים ומבוגרים, ששילמו לא מעט תמורת ההשתתפות בה. השמועה סיפרה, שבעבר, לפני עידן האיידס, היו מקיימים בסדנאות האלה יחסי מין כחלק מתהליך ההתקרבות בין המשתתפים. עשו את זה גברים עם נשים, נשים עם נשים, גברים עם גברים. אבל כשהחלה להתפשט מגפת האיידס, הכול נגמר.

אנחנו הסתפקנו בעיקר בשיחות על מין, לא במגעים מיניים מלאים. מורה צעירה הסבירה בקול רך כמה חשוב הקשר בין בני הזוג, ועם זאת התנגדה בתוקף למוסד הנישואין. אושו עצמו היה מתנגד מושבע לנישואין. הוא טען שזהו מוסד לא טבעי שהומצא על־ידי הכנסייה והפוליטיקאים כדי לדכא את בני האדם, הוא אמר שקשר הנישואין מוליד רעות חולות, כמו קינאה ושיעבוד. עובדה שהוא עצמו, מי שהיה מופת לחיים נכונים בעיני רבבות מאמינים, לא היה נשוי מעולם.

דיברנו הרבה על קשרי אהבה, תירגלנו חיבוקים וליטופים, המטרה היתה ללמד אותנו להתנסות בכל קשר שמפעים את הלב ולנתק אותו כשאנחנו מוצאים קשר חדש, מספק יותר. אחרי המיפגש השלישי או הרביעי יצאה המורה מן הכיתה. היה לפנינו עוד זמן רב עד המדיטציה ההמונית באוהל הלבן, ולאיש מאיתנו לא היה חשק לקום וללכת, להתנתק מן האווירה שנוצרה. היתה דממה. חלק מן האנשים החזיקו ידיים. צעיר וצעירה החליפו

נשיקות עדינות על הלחי, המצח, השפתיים.

היתה שם אשה כבת שישים משטוקהולם, בעלת שיער שהחל להאפיר. היא ישבה כמו כולנו על המחצלת בחדר ולפתע החלה לדבר. היא דיברה על חייה, על שנים ארוכות של בדידות, של הסתגרות בעולם אקדמי — היא היתה מרצה בחוג לכימיה באוניברסיטה — ועל ניסיונות לקשר שלא הצליחו. פעמיים היתה נשואה, יש לה שני ילדים שבגרו ועזבו את הבית, והיא לא הבינה מדוע לא הצליחה לשמור על נישואיה, מדוע נשארה לבד דווקא בפרק החיים, שבו היתה זקוקה כל כך למישהו שיאהב אותה ויהיה לצידה בטוב וברע. הדברים שאמרה נותרו תלויים בחלל, כמו ערפל כבד ומעיק. כל האנשים נשאו אליה מבטים של השתתפות והזדהות.

לפתע הרגשתי גם אני צורך עז לדבר, לפרוק בדרך זו חלק מן המועקה שלי. מעולם לא עשיתי זאת. תמיד הייתי נסגר בפני אחרים, נאטם בעולמי שלי. איש לא הצליח לפענח מעולם את רגשותי האמיתיים. הייתי חביב, לפעמים אפילו חביב מאוד, ידעתי להתנהג בכל מקום בדיוק כפי שציפו ממני. אף אחד, גם הקרובים לי ביותר, לא יכול היה לדעת בבירור על־פי מראה פני או על־פי התנהגותי אם אני חש באמת צער, שימחה או אהבה. היה לי נוח כך, הגעתי למסקנה שזאת הדרך המתאימה לי ביותר. מותה של עופרה זיעזע בתוכי מרכיבי אופי לא מעטים, בעיקר את אלה שעסקו בהכחשת הרגשות האמיתיים שלי. כאן, בפונה, התפרץ הכול החוצה. ידעתי שהקהל הזה שישב סביבי יבין אותי. כולנו באנו מאותו מקום, מן החור השחור שגזל מאיתנו את האהבה, כולנו רצינו למצוא אותה שוב. "אני איבדתי את אשתי, משום שלא ידעתי לאהוב אותה," אמרתי להם.

התחלתי לספר לאט, כמעט בלחש, כמו זרזיף של מים שמגיח מתוך סדק בסכר העומד להתבקע. סיפרתי להם על עופרה, על היום שבו נפגשנו במשרד הפרסום שבו עבדה, על ירח הדבש שלנו, על הילדים שהבאנו לעולם והקריירות שעשינו. סיפרתי על ההתרחקות שלי ממנה במהלך השנים, על החיפוש אחר התרגשויות חדשות, על נשים אחרות שכל אחת היתה עולם בפני עצמו של חושים והנאות, על האשליה שכל זה יוכל להימשך לנצח, ושהמחיר, בעצם, אינו חשוב. סיפרתי על היום שבו הפסיקה עופרה לעבוד, על הדיכאון, על עצימת העיניים שלי, על הבריחה מהתמודדות עם בעיותיה

של אשתי. אמרתי: "אני לא הבנתי שאהבתנו היא הנכס היקר ביותר שהיה לשנינו, אני לא השקיתי את הפרח הזה, חיפשתי פרחים אחרים, כאשר בגני שלי היה היפה מכולם." לא אמרתי דבר על כת השמים, אבל סיפרתי שעופרה נטלה את חייה במו ידיה, ואני לא השכלתי למנוע זאת, אמרתי שאילו יכולתי להפוך את הגלגל על פיו הייתי נוהג אחרת, הייתי נעזר בכל מה שלמדתי באיחור כה רב.

רק עכשיו הבנתי כמה היו חסרים לי הכלים הנפשיים, שבאמצעותם יכול הייתי לראות את חשיבותה של הזוגיות. מותה של עופרה גימד את המירוץ המטופש שלי אחרי גירויים זמניים והעצים את חשיבות הקשר היציב, המפרה, הבונה. רק בבדידותי הבנתי כמה חשובה היתה לי בחייה, היא היתה הבית, תבנית היסוד שעליה יכולתי לסמוך ועליה נבניתי. בלעדיה הרגשתי מפורק לחלקי חלקים, בלי יכולת לאחותם. מהחיבור שבינינו שאבתי את הכוח, שלמרבה האירוניה היה מופנה לעתים קרובות נגדה. כעת הייתי כמו סירת מיפרש שנתקעה לבלי ניע בלב ים לאחר שהרוח נעלמה. הבנתי כמה גדול העוול שעשיתי לה, כמה פגעתי בה ובילדים.

בעצם סיפרתי את כל אלה לעצמי יותר מאשר לקהל שישב סביבי ולא גרע עיניו ממני. ככל שקלח הסיפור, הרגשתי שאני מסיר מעלי עוד ועוד חלקים מאבן הריחיים כבדת המשקל שרבצה שם. נשמתי לרווחה כשסיימתי.

האשה השוודית קמה ממקומה, ניגשה אלי ואצבעותיה הארוכות ליטפו את ראשי. כל האחרים קמו בעקבותיה, קבוצת אנשים נרגשת עד דמעות. הם הקיפו אותי במעגל ונגעו בי, חלקם ליטפו, אחרים פשוט החזיקו בידי. צעירה אחת נשקה על שפתי. איש מהם לא נזקק לומר דבר. הכול היה ברור וגלוי, הפצעים שטרם הגלידו, הכאב והצער.

כשיצאתי משם, צבעי הדשא והפרחים בחצר המטופחת של האשראם היו זוהרים מתמיד, והאנשים שניקרו בדרכי זרמו איתי, לצידי, תומכים ואינם מרפים. ישבתי בצילו של עץ. קרני השמש הארגמנית של בין הערביים צבעו הכול בצבעים מרהיבים. עצמתי עיניים ושקעתי אל תוך מדיטציה שהרגיעה אותי. שמעתי קולות מדברים בלחש, כמו לא רצו להפריע, ואחר כך שב השקט. כשפקחתי את עיני ראיתי מולי גבר ואשה, יושבים בשיכול רגלים

ומצפים שאסיים. הם השתתפו איתי בסדנה. שניהם היו כבני חמישים, מטופחים, נאים, שזופים מאוד. זכרתי שהציגו את עצמם בפתיחת הלימודים כצרפתים שמתגוררים בעיר קטנה ליד פאריז. האשה אמרה שהם באו לסדנה כדי לפתור אותה בעיה עצמה שדיברתי עליה, הם הבינו שמה שקורה להם הוא תהליך מזיק, על כן ביקשו להתקרב זה לזה, לפני שיהיה מאוחר מדי. היו בפיהם שבחים רבים לדרך שבה מנוהל האשראם, לתשומת הלב המוקדשת שם לערך אהבה, אבל רק מה שאמרתי אני המחיש את הבעיה שלהם, כאילו דיברתי עליהם. הם התנגדו למה שאמר אושו בעניין הנישואין. הם חשבו שהוא טועה, שהוא אומר את הדברים מנקודת ראותו של מי שלא נישא מעולם, הם דיברו על האנוכיות שבגישה שלו.

האשה אמרה לי שהם הגיעו לפונה בחבורה של תריסר זוגות, שהתפזרו בסדנאות השונות. כל בני הקבוצה היו בגיל כמעט זהה, כולם סבלו ממערכות יחסים שקרסו אל תוך שיגרה אפורה. האשה ובעלה חשבו שכל חבריהם ישמחו לשמוע את מה שיש לי לומר, ואם אשיב בחיוב, היא תדאג לכך שיימצא מקום כלשהו שבו נוכל להתכנס. לא חשבתי הרבה לפני שהסכמתי. האפשרות להשפיע באורח חיובי, לפני שיהיה מאוחר מדי, על אנשים שנקלעו לקשיים שאני חוויתי, נראתה לי כמעט כשליחות.

"היהלום הכחול" ניצב מול האשראם של אושו, במרחק חציית כביש. זהו מלונם האהוב של תיירים אמידים מן המערב, שמגיעים לפונה כדי לחוות חוויה רוחנית אחת לשנה או אחת לחיים. הקבוצה הצרפתית שהתאכסנה שם הצליחה לקבל אולם קטן שבו עמדתי לדבר בפניהם. הגעתי לשם בלילה, בתום ההתכנסות באוהל הלבן. כשנכנסתי לאולם, הוא היה, לתדהמתי, מלא מפה לפה. ציפיתי לפגוש כתריסר זוגות, אבל היו שם כמה עשרות. אמרו לי שרבים מדיירי המלון גילו עניין רב באירוע. חלקם נשאר בחוץ, כי לא היה עוד מקום לשבת. נכנסתי פנימה, לבוש עדיין בגלימה הלבנה שבה השתתפתי במדיטציה ההמונית, ומיד נפלה דממה באולם. אנשים הביטו בי, בחנו אותי, עיניהם אמרו ציפייה.

לא הייתי נבוך. אפילו חשתי בנוח, כאילו זו היתה עוד אחת מן ההופעות שלי בפני שופט וקהל במשפט חשוב. הרגשתי שהדברים שאומר להם יהיו אף

רהוטים יותר, מלוטשים יותר מאלה שאמרתי למשתתפי הסדנה. סיפרתי את סיפור חיי, אף שלא סיפרתי הכול. פחדתי לחשוף את זהותי, חששתי שמישהו מכת השמים יזדמן למקום ויגלה מי אני. לקהל עצמו לא היה חשוב אם אני ישראלי, צרפתי או בריטי. הסיפור שלי הזכיר כמעט לכולם את מצבם. דיברתי על המלחמה המתמדת שעל כולנו להילחם כדי לשמר את מה שחשוב באמת, את הקשר הזוגי. תיארתי את הלחץ שהאדם המודרני נתון בו ללא הרף, את המירוץ המפרך אחרי ההצלחה, הכסף, הסקס, ההתרגשות, סמלי המעמד.

"אנחנו," אמרתי, "רצים מבוקר עד ערב אחרי הרוח שבורחת מאיתנו, אנחנו משלים את עצמנו להאמין שככל שנרוץ יותר, נספיק יותר ונצבור יותר – יהיה האושר שלנו שלם יותר, אבל זאת שטות מאין כמוה. האושר הגדול באמת טמון בנו, בעצמנו, בקשר שלנו עם האנשים היחידים שרואים אותנו לא דרך מסננת של אינטרסים, האנשים היחידים שאוהבים אותנו באמת ובתמים, בני הזוג שלנו. אנחנו מעמידים פנים ללא הרף, במשרד, ביחסים עם לקוחות, אפילו ביחסים עם חברים. רק בבית אנחנו יכולים להסיר את מסווה השקר, להיות מה שאנחנו. אבל רבים, רבים מדי מבינינו מתייחסים לנכס היקר הזה כאל מובן מאליו, כאל דבר שיהיה שם תמיד כשנרצה, דבר שנוכל תמיד לחזור אליו אחרי ההרפתקאות המתישות שלנו, אחרי המירוץ המפרך שלנו אחרי כיבושים חסרי ערך. שנים רבות בגדתי באשתי. עשיתי זאת גם ביום הנישואין שלנו. רק כשאיבדתי אותה הבנתי מה החמצתי, מה הפסדתי. הזהרתי שאם לא נטפח את הקשר שלנו עם האוהבים אותנו, נמצא יום אחד שהקשר הזה נפרם ואיננו עוד, שגם בן הזוג השתנה.

דיברתי ללא הרף, כאחוז אמוק. היו אלה דברים שהדחקתי במשך שנים, והם יצאו מליבי כווידוי נרגש, כמהלך של היטהרות. ההכרה בטעות, הרגשתי, היתה מבחינתי הצעד המכריע בדרך אל האמת. ביקשתי מכל אחד בקהל לעצור לרגע ולהתחיל להכיר בטעויות שלו. שלוש נשים פרצו בבכי. גברים חיבקו באלם את בנות הזוג שלהן. היתה לי לפתע הרגשה שכמותה לא ידעתי מימי, הייתי מטיף שמחזיר את האהבה אל המסגרת המשפחתית, בעיניהם הייתי הגורו של הזוגיות הנכונה.

זו היתה חוויה מרתקת. מצאתי את עצמי נהנה מן ההרצאה ומהתגובות

החמות, ומהקהל שאימץ אותי אל חיקו. אבל משך כל הזמן הזה, כמו פצע שאינו מצליח להירפא, שיסע אותי כאב געגועי לעופרה ולילדים. לא ראיתי את עצמי נשאר בהודו כמטיף, רציתי לסיים את השליחות שלי ולשוב הביתה מהר ככל האפשר.

ראג׳יב עשה הכול כדי שלא ארים ידיים. הוא חיפש ללא הרף מידע חדש, והוא היה מאושר כשמצא אותו. ערב אחד חזר הביתה נרגש מתמיד.

״שמע מה קרה לי אחר הצהריים,״ סיפר, ״עשיתי כמה שליחויות בעיר. חזרתי אל האשראם בדיוק כשמרצדס חדשה נכנסה לשם. שמעתי את המנוע משתתק. הנהג יצא החוצה ופתח את הדלת, ואז היא יצאה משם...״

״היא?״

״היא, האשה בסארי הצהוב.״

״האשה מן ההלוויה של סנג׳אי?״

זה התחיל להיות מעניין.

״היא בעצמה. הלכתי אחריה כשנכנסה לבניין. ראיתי אותה ניגשת לחדרו של מהאנטה, היא לא דפקה על הדלת, נכנסה וסגרה אותה מאחוריה.״

״ואז?״

״אילו הייתי מתעכב שם, זה היה מעורר שאלות. פחדתי שמישהו ישים לב שאני עוקב אחריה. הלכתי בחזרה למשרד שלי. כולם עדיין עבדו שם. התיישבתי ליד השולחן. כמה דקות אחר כך נכנס לשם מהאנטה. לצידו היתה האשה. הוא פנה לאיש, שקיבל את תפקידו של סנג׳אי, ואמר לו כמה מילים. הפקיד פתח את הכספת והוציא חבילות אחדות של שטרות. מהאנטה ארז אותם בשקית ומסר אותם לידי האשה, והיא תחבה את הכסף לתוך הארנק שלה.״

״סיפור מרתק,״ אמרתי. ביקשתי שיחזור שוב על הפרטים, הפעם בקצב איטי יותר. אחר כך בדקנו יחד את העובדות. האשה המסתורית נכחה בהלוויה של סנג׳אי, סימן מובהק לכך שהיה לה קשר איתו. אחרי כמה ימים היא באה למשרד של האשראם כדי לקבל שם כסף. ראג׳יב לא ראה אותה שם קודם לכן, כלומר היה סביר שהיא לא נמנית עם ספקי השירותים הקבועים של הכת. ברור עם זאת שמשלמים לה כסף תמורת שירות כלשהו.

לעובדה שמהאנטה בעצמו מטפל בה יש ודאי משמעות מיוחדת. הייתי נותן הרבה כדי לדעת מי היא, מה בדיוק היא יודעת על סנג׳אי, מדוע כת השמים משלמת לה כסף.

הצעות להרצאות נוספות זרמו אלי, בינתיים, בזו אחר זו. נעניתי לכולן. הופעתי על גגות בתים בפני קהל שישב על מחצלות, הופעתי בחצרות של וילות ובאולמות של בתי מלון. בכל הופעה היה קהל רב. ראג׳יב, שהגיב על ההתפתחות הבלתי צפויה כאילו זה היה הדבר הטבעי ביותר בעולם, היה בטוח שזכיתי להארה. בהודו משוטטים כמה מאות, ואולי אלפי אנשים, שיצאו להתבודד בהרים או במדבריות למשך ימים ושבועות, וזכו שם להארה. במילים אחרות, מי שהצליח במהלך תקופת ההתבודדות שלו להגיע למעלה העליונה של תודעתו, לחדור עד עמקי נפשו ולהבין את פשר האמת הצרופה, יכול לחזור אל בין הבריות כמורה מואר ולהורות את הדרך הנכונה לחסידים שיתקבצו סביבו. ראג׳יב אמר לי שאין לו ספק שהיתה לי חוויה דומה.

״המכה הנוראה שספגת במותה של עופרה ותלאות הכלא בגואה,״ אמר, ״חסכו לך ימים של התבודדות בהרים. הן הבהירו לך בבת אחת מהי האמת, בזכותה הבנת לראשונה את המהות האמיתית של הקיום האנושי.״

ההרצאות שלי, או הדרשות כפי שכונו שם, משכו אליהן עוד ועוד אנשים, צעירים ומבוגרים, הרבה נשים רווקות, זוגות נשואים ולא נשואים. גם ראג׳יב ורדהא נכחו שם לא פעם. משום מה לא חששתי עוד שמישהו יזהה אותי. חומת האהבה וההערכה שהקיפה אותי נסכה בי ביטחון ואמונה ששום דבר לא יפגע בי.

היה ביקוש עצום לא רק לדרשות שלי, אלא לדרשות מסוגים שונים. אנשים באו אל האשראם של אושו, כמו לאשראמים אחרים ברחבי הודו, כדי להימלט מן הלחץ של כרכי המערב, כדי להפסיק, ולו רק לזמן מה, את מירוץ המכשולים המתיש של החיים המודרניים. אבל בעיקר הם באו כדי לקבל עצה, לזכות במנטרת הקסם שתזרים את חייהם אל האפיק הנכון. הם בילו ימים ושבועות באשראמים שונים, שתקו מול קירות טחובים ולמדו לטהר את מוחם ונפשם מן הפסולת שהצטברה בהם; הם למדו לרפא את גופם בשיטות שהמערב החל רק עתה לנסותן, הם רצו להשתנות לטובה. היו כאלה שבאו

לשם לשבוע, היו שבאו לכמה חודשים, והיו שלא חזרו עוד הביתה לעולם.

הרציתי לפני כולם. הייתי כמעט היחיד שדיבר על זוגיות, לא על מדיטציה והרפיית מתחים, וזה מה שעורר תשומת לב גדולה במיוחד. דיברתי הרבה על התאמה בנפש ובגוף בין בני זוג, דיברתי על הצורך בהבנה הדדית, על ויתור ופשרה כדרך לחיי אהבה מאושרים, דיברתי על ילדים מאושרים, אמרתי שיחסי אהבה אמיתיים בין ההורים מבטיחים עיצוב אופי הרבה יותר שלם של ילדיהם. חזרתי וסיפרתי שוב ושוב את סיפור חיי, היכיתי על חטא ועודדתי אנשים לדבר על בעיותיהם לפני כל הקהל. גברים ונשים סיפרו על דברים שהכרתי היטב, על ריחוק וניכור, על אהבה שהפכה לשינאה, על הסבל שנגרם כתוצאה מכך לילדים. הקהל היה תמיד חם ואוהד, מוכן לאמץ בחום כל מי שהיה זקוק לכך.

אשה צעירה שהמתינה בצד ניגשה אלי בתום אחת ההרצאות. היא היתה נאה מאוד, בהירת שיער וארוכת רגליים.

"אוכל לשאול אותך שאלה אישית?" שאלה באנגלית. השבתי בחיוב.

"יש לך עכשיו בת זוג?" שאלה.

"לא," השבתי בשלילה. היא אמרה שלא החמיצה כמעט שום הרצאה שנתתי והתרשמה שאני בן הזוג שעשוי להתאים לה בדיוק. הודיתי לה על המחמאה, אבל אמרתי שעדיין אינני רואה את עצמי נתון בתוך קשר חדש. היא נתנה לי את מספר הטלפון שלה. "תודיע לי כשתתפנה, טוב?" שאלה. היה לה חיוך ידידותי ועיניים מאירות. זו היתה הזדמנות שגברים רבים לא היו מחמיצים אותה. בי היא לא עוררה שום התרגשות, שום סקרנות, שום משיכה מינית.

את אחת ההרצאות שלי קיימתי על גג ביתו של מהראדג'ה שירד מנכסיו, באיזור הווילות במעלה רחוב מנגלדאסה. הבית היה גדול ומוזנח. חלק מחדריו שימש עתה אכסניה בתשלום למבקרי האשראמים, ליד השער ניצבו שני תותחי שדה ישנים, ובעלת הבית, אלמנתו של המהראדג'ה, אמרה שהיא עדיין זוכרת כאשר השתמשו בהם לירי חגיגי באירועים מיוחדים. היא היתה אשה קשישה, קטנה וחביבה, שהציעה לי להפוך חלק מביתה לאשראם הפרטי שלי. אחרי שהאזינה לאחת ההרצאות שלי, היתה בטוחה שאוכל לקיים במקום סדנאות שימשכו קהל רב. ההצעה שלה היתה קוסמת מאוד,

אבל דחיתי אותה בנימוס. היו לי דברים חשובים יותר, שהייתי חייב לעשות. טילפנתי הביתה כדי לשמוע מה שלום כולם. אמה של עופרה נשמעה מתוחה.

"כולנו מעדיפים שתחזור כבר," אמרה בקול דואג, "בוא הביתה, מיקי, עשית מה שיכולת, עופרה לא היתה יכולה לצפות ליותר מזה."

קולי נשנק כשהבטחתי לה שאעשה הכול כדי לשוב הביתה בהקדם.

האשה המסתורית בסארי הצהוב הוסיפה להעסיק אותנו. דיברנו עליה רבות. שקלנו אפשרויות שונות לחשוף את זהותה ודחינו אותן אחת לאחת. חשבנו תחילה לפנות למשרד חקירות מקומי, אבל פחדנו שזה עלול לדלוף החוצה, אל העיתונות או אפילו אל כת השמים. שקלנו אפשרות לבדוק במשרדי הרישוי המקומיים את זהותם של בעלי כל המרצדסים בעיר. בכל פונה, נראה לנו, יש רק מעט מאוד מכוניות כאלה, ועל כן הרשימה לא תהיה ארוכה מדי. אבל גם ההצעה הזאת ירדה מהפרק, מאותה סיבה עצמה. מישהו עלול היה לשאול שאלות על הבדיקה, מישהו עלול היה לספר על זה לאחרים. זה היה מסוכן מדי.

רדהא נהגה להגיע אלינו בכל ערב. הקשר שלה עם ראג'יב התהדק, שניהם היו מאוהבים והירבו להיות יחד. ראג'יב ביקש את רשותי לגלות לרדהא את סיפור המסע בעקבות ראם סינג. הוא היה בטוח שאפשר לסמוך עליה. גם עלי היא עשתה רושם אמין. היא שמעה את הסיפור בעיניים פעורות מתמהון, היא כעסה על כת השמים וריחמה עלי ועל שני הילדים. היא חששה לשלומי ולשלומו של ראג'יב.

"אני סבורה," אמרה לי, "שעליך לפנות מיד אל המשטרה והעיתונות ולספר על החשדות שלך. אני מאמינה שהחקירה שתיפתח והפרסום בכלי התקשורת ייתנו לכת השמים מכה אנושה." היה לה קשה להאמין שיש סיכוי סביר שהמשטרה, לא זו בלבד שלא תרצה להאזין לי, אלא גם תשליך אותי למעצר בגלל הבריחה מגואה. חוץ מזה, אמרתי, לא היו לנו עדיין כל הוכחות של ממש כדי לבסס את החשדות שלי כלפי סינג וכת השמים.

ערב אחד, בדירה שלנו, על קנקן של תה אסאם כהה, כמעט שחור,

דיברנו שוב על תעלומת האשה מן ההלוויה של סנג'אי. רדהא אמרה שהיא לא מבינה מה הבעיה. היה לנו מדריך טיולים של הודו. היא פתחה את הספר בפרק שהתייחס לפונה, בעמוד שבו הודפסה מפת העיר. היא הכירה כל שכונה, כל רחוב, כל כיכר.

"תראו," היא הצביעה על המפה, "בכל פונה, אם מנפים את כל שכונות העוני והאזורים המסחריים, יש רק אזור אחד שבו עשויים להתגורר אנשים עשירים שיכולים להרשות לעצמם להחזיק מרצדס. מדובר בשכונה קטנה יחסית, כמה רחובות מצטלבים, פארק גדול ובתוכו חווילות שמשתרעות על פני עשרות דונמים כל אחת. פשוט צריך ללכת לשם ולחפש את המרצדס. זה הרבה יותר פשוט מכל תכנית אחרת שחשבתם עליה."

זה נראה באמת פשוט, ומה שחשוב עוד יותר: זה לא היה מסוכן. אמרתי לרדהא ולראג'יב שאני מתנדב לבצע את המשימה, ולמחרת בבוקר יצאתי לסרוק את קוראגון־פארק, שכונת היוקרה של העיר.

צעדתי בשלווה, בקצב של טיול, בין שורות הדקלים שתחמו את כבישי השכונה, הצצתי אל חצרות הבתים, ראיתי פה ושם מכוניות מפוארות נכנסות ויוצאות בשער, אבל לא ראיתי אפילו מרצדס אחת. דלתות המוסכים במרבית הבתים שעל פניהם עברתי היו מוגפות. בשעריהם של כל הבתים עמדו שומרים במדים, חלקם מזוינים באקדחים, חלקם מחזיקים ברצועותיהם של כלבי שמירה. ניגשתי אל שומר שישב על כיסא והשתעשע באלת עץ נוקשה. סיפרתי לו שהגעתי לשכונה בעקבות מודעה על מכירת מרדצס ושכחתי את הכתובת, שאלתי אולי הוא יודע היכן מצויה מכונית כזאת. הוא שיפשף בידו את זיפי זקנו בתנועה מהורהרת.

"יש כאן כמה מכוניות כאלה," אמר, "ידוע לך באיזה צבע המכונית?"

"צבע כסף," אמרתי בתיקווה.

"נסה במספר 68," הציע, "זה במורד הרחוב. בית גדול, לבן, שתי קומות. יש להם מרצדס כסופה ונהג."

33

הבית מספר 68 בקוראגון־פארק היה וילה מפוארת, מוקפת חומה של אבני
סלע מסותתות. מבעד לסורגים של שער הברזל ניתן היה לראות בניין
דו־קומתי לבן, גינה מטופחת וקצה של בריכת שחייה. מי שהקים את הבית
הזה והתגורר בו חייב היה להיות איש עשיר. עשיר מאוד.

שומר מזוין במדי חאקי ישב בעברו הפנימי של השער והביט אל הרחוב.
על חומת האבן הסמוכה התנוסס שלט נחושת ממורק ועליו מילה אחת: סינג.
הייתי צריך לשפשף את עיני כדי להאמין שאני רואה היטב. השלט עורר בי
תדהמה וגרם לי סיפוק בעת ובעונה אחת. הרגשתי שהתקרבתי סוף סוף אל
המטרה. זה היה המקום שבו התגורר האיש שסיכנתי את חיי כדי לתפוס
אותו. כאן, כמטחווי השלכת אבן, נמצא האיש שלקח ממני את אשתי.

אני זוכר שעמדתי שם כאילו נטעו אותי במקומי. בהיתי בבית ללא הרף,
מנסה לראות את דמותו של ראם סינג מגיחה מן הפתח. ידעתי שלא אשלוט
בעצמי אם אראה אותו. שמחתי שלא היה לי אקדח. הייתי עלול בנקל ללחוץ
על ההדק למראהו.

חלף זמן עד שנרגעתי מעט. ניסיתי לחשוב בהיגיון. חשבתי לפתע שבעצם
כלל לא בטוח שאמצא שם את ראם סינג. בית אחד נמצא בבעלותו בגואה,
בית שני בפונה. לאיש היה כסף, והוא ודאי רכש לעצמו בתים במקומות
נוספים. הסיכוי שהוא מסתתר דווקא בבית הזה היה טוב כמו הסיכוי למצוא
אותו בכל בתיו האחרים, או כמו לא למצוא אותו כלל.

הפרט המעניין בסיפור היתה זהותה של האשה שגרה בבית. הייתי מוכן
להמר על כך שהיא פילגשו. אם צדקתי, ראם סינג אולי נמצא בסביבה, או
עשוי להגיע לביקור. מכל הבחינות, זה היה נושא שראוי לחקירה יסודית.

הסתתרתי בין עצי הפארק מול הבית. לפתע ראיתי את השומר קם

ממקומו ופותח את השער. המרצדס הכסופה גלשה אט אט לעבר הפתח שנפתח אל הרחוב. השומר הצדיע, והיושב ליד ההגה החזיר לו הצדעה. במושב האחורי ישבה האשה שהכרתי.

לא חשבתי שיש לי מה לעשות שם עוד. הלכתי לאחד ממשרדי הטלפונים הציבוריים. חייגתי למודיעין וקיבלתי את המספר שביקשתי. חייגתי לבית בקוראגון־פארק 68. אמרתי לאשה שהשיבה לי שאני מדבר מחברת שליחויות, ויש לי מעטפה לראם סינג. היא דיברה אנגלית מגומגמת שבקושי פיענחתי. הבנתי שראם סינג לא נמצא שם, היא לא ידעה היכן הוא, אבל אמרה שהיא לא חושבת שהוא ישוב בקרוב. שאלתי אם יימצא מישהו בבית שיוכל לקבל את המעטפה בעבורו. היא השיבה בחיוב.

"בעלת הבית תהיה כאן בעוד שעה או שעתיים, תוכלו למסור לה את המעטפה."

שאלתי מה שמה של בעלת הבית, והיא אמרה ששמה נהריקה סינג.

"יש לה קשר לראם סינג?"

"הו, בוודאי. גברת סינג היא אשתו."

התגובה הראשונה שלי היתה תחושה של זעם. כעסתי על ראם סינג שחיזר אחרי אשתי בעוד אשתו ממתינה לשובו בבית בפונה. חשבתי שהיה זה מעשה בלתי הוגן. אבל פתאום עלה בדעתי שאני האדם האחרון בעולם שיוכל לבוא בטענות אל מי שנואף מאחורי גבה של אשתו. ניערתי מעלי את המחשבה הזאת מהר ככל האפשר.

ידעתי שנהריקה סינג היא אוצר בלום של מידע. אם רק תרצה, תוכל להשיב על שאלות רבות. היא אמורה לדעת על מקום הימצאו של בעלה, על המנגנון של כת השמים, על מעלליהם של מנהלי הרשת, על נסיבות מותו של סנג'אי ועל מקום הימצאו של הכסף הרב. היא יכלה להיות לעזר, אבל לא היה ברור כלל שתסכים לשתף פעולה. אחרי ככלות הכול, איזו סיבה יש לאשתו של ראם סינג לפתוח את פיה? איזו סיבה יש לה להסגיר את בעלה?

למרות כל אלה ידעתי שאני חייב להגיע אליה. הייתי חייב לנסות, גם אם לא אצליח. החלטתי לפעול הפעם לבד, לא לסכן את ראג'יב. פחדתי שמא נהריקה תזכור אותו מביקורה באשראם ותסגיר אותו לידי טאמאל מהאנטה.

שעות אחדות לאחר מכן, כאשר הנחתי שהיא כבר נמצאת בבית, טילפנתי
אליה שוב. ידעתי שכרוכה בביקור בביתה סכנה לא מבוטלת בשבילי, אבל
הייתי נחוש שלא לוותר על הפגישה הזאת.

הטלפון צילצל. ענתה לי מישהי שהזדהתה כמנהלת המשק. אמרתי שאני
עורך דין שמבקש לשוחח עם בעלת הבית. האשה אמרה שהגברת עדיין לא
שבה. היא שאלה אם הייתי רוצה להשאיר הודעה. לא רציתי.

הלכתי ל"בית המאפה הגרמני" מול האשראם של אושו, והעברתי את
הזמן בשתיית מיץ פאפאיה. זוג נאה, שניהם כבני ארבעים, ניגשו אלי
והתנצלו על שהם מטרידים אותי. הם סיפרו שהיו בהרצאה שלי והדברים
שאמרתי חדרו אל ליבם ועוררו אותם למחשבה. שניהם הגיעו לפונה מלונדון
בניסיון אחרון להציל את חיי הנישואין שלהם. הם נרשמו לסדנאות באשראם
של אושו ובתוך כך הלכו לשמוע שתי הרצאות שלי. ראיתי את ידיהם שלובות
זו בזו ועיניהם ברקו כשאמרה לי האשה: "חזרנו להיות יחד, בנפש ובגוף. לא
נשכח לך את זה." אנשים אחרים ניגשו אלי ללא הרף, חלקם שמעו את
הרצאותי וביקשו לספר לי את רשמיהם, חלקם רצו לדעת מתי אני מופיע
שוב. שמעתי את הדברים, השבתי בנימוס, אבל חשבתי על נהריקה סינג.
הסתכלתי ללא הרף בשעוני. קיוויתי שהזמן יעבור מהר יותר, והיא תהיה
בבית.

טילפנתי שוב אחרי שעה. מנהלת המשק השאירה אותי על הקו זמן מה.
אחר כך שמעתי קול נשי רך.

"נהריקה מדברת," היא אמרה.

אמרתי שאני עורך דין וברצוני להיפגש עם בעלה. היא אמרה שהוא איננו
בבית ולא ברור לה אם יגיע בקרוב.

"אם כך, האם אוכל לשוחח איתך?"

"באיזה עניין?" שאלה.

"בעניין בעלך."

"אני לא בטוחה שהייתי רוצה לדבר איתך עליו," קולה היה יבש וצונן.

"אנא," אמרתי, "עשיתי דרך ארוכה כדי למצוא אותו. זה חשוב לי
מאוד."

היא שאלה מי אני. הרגשתי שהפעם לא אוכל להעמיד פנים. לא היה כל

269

סיכוי שתסכים לדבר עם פרקליט כלשהו על בעלה. היה אולי סיכוי כלשהו שאוכל לשכנע אותה לדבר איתי, כבעלה של האשה שראם סינג גרם למותה. היה בכך סיכון גדול. היא היתה מקורבת לכת השמים, היא יכלה לדווח להם עלי. אבל לא היתה לי ברירה. היא היתה יכולה לסייע לי יותר מרבים אחרים.

גיליתי לה את שמי. "בעלך גרם למותה של אשתי," אמרתי.

היא לא טרקה את הטלפון.

לא שמעתי מילה מעברו השני של הקו. היא המתינה שאמשיך.

"הוא גרם לה להתאבד," אמרתי, "היא השאירה אחריה שני ילדים."

"אני מצטערת," אמרה לבסוף. דימיתי לשמוע בקולה נימה של צער אמיתי. ציפיתי שהצלחתי לרכך אותה קצת, שאולי עכשיו היא תהיה נכונה יותר לקבל את פני בביתה.

"האם תוכלי, בבקשה, להקדיש לי מעט מזמנך?" ניסיתי שוב.

"מה זה ייתן לך?"

"אני מקווה שיהיו לך תשובות לכמה שאלות שאינן מרפות ממני מאז האסון."

"אני לא מעורבת בעניין הזה, אני לא יודעת דבר על כך," מיהרה לומר.

"בכל זאת..." לא רציתי להרפות מן האשליה שהיא תוכל לעזור לי. "עליך לפנות לראם סינג," אמרה.

"אני לא מצליח למצוא אותו... לכן חשוב לי לפגוש אותך. חשוב לי מאוד לחזור הביתה, להיות מסוגל להסתכל בעיני ילדי אחרי שעשיתי הכול כדי להבין..."

היתה עוד דקה של היסוס.

"אין לי זמן רב..." אמרה.

"אני לא אגזול יותר ממה שיש לך."

"מתי אתה יכול לבוא?"

"מתי שיהיה לך נוח."

"תוכל לבוא עכשיו?"

השבתי שאהיה שם בתוך דקות אחדות.

270

השומר בחן אותי בתשומת לב רבה. התפללתי שלא שם לב אלי כשהייתי שם רק שעות אחדות קודם לכן, מסתתר בין העצים, משקיף לעבר הבית. הבעת פניו לא העידה שהוא מזהה אותי. לאחר שטילפן ובירר, הניח לי להיכנס וליווה אותי אל הבית. משרת בעל פנים אטומים פתח לפני את הדלת. נכנסתי אל אולם מרהיב ביופיו, שהכיל רהיטי עץ עתיקים, פסלים ויצירות אמנות. זר פרחים ענקי היה נתון באגרטל סיני עתיק במרכז האולם. משם הוביל אותי המשרת אל חדר קטן יותר, הורה לי לשבת על כורסה מצופה עור לבן ואמר: "הגברת סינג תיכנס מיד."

חיכיתי כמה דקות ואז היא נכנסה, בסארי משי ורוד יפהפה, אשה גבוהה, עם אותם פנים עצובים שראיתי בהלוויה. היא בחנה אותי ללא חיוך בעיניים שחורות, תחת גבות עשויות בקפדנות. אחר כך קרבה אלי. הסארי הוורוד נע כגלים ונרגע כאשר התיישבה בכורסה מולי.

"אני מצטערת בעניין אשתך," אמרה. היה לה קול נעים ונמוך. היא לא היתה יפה, אבל היתה בה נשיות כובשת, שריתקה אליה מיד תשומת לב. תנועותיה היו רכות ואציליות.

סיפרתי לה על הפגישה הראשונה שלי עם בעלה, בתא המעצר של משטרת נמל התעופה, על הדרך שבה טיפל באשתי, על ההיסחפות שלה אחריו, על ההתאבדות בצריף העץ, על שני הילדים שהשאירה עופרה אחריה. היא האזינה בעניין, אבל לא הגיבה. שאלתי אותה מה הניע את ראם סינג להגיע דווקא לתל אביב.

"הוא נסע לכל מיני מקומות בעולם," אמרה לאט, עיניה הישירו אלי את מבטן, "תל אביב היתה עוד מקום אחד בשבילו."

"הוא היה גם בארצות הברית," אמרתי, "בלוס אנג'לס. הוא היה בלונדון."

"אולי," השיבה. שום שריר לא זע בפניה. היתה לי הרגשה ברורה שהיא יודעת הרבה יותר משהיתה מוכנה לספר.

"אני מתאר לעצמי," אמרתי, "שהוא לא נסע לכל המקומות האלה על דעת עצמו. אני רוצה לדעת מי שלח אותו לשם, אני רוצה לדעת מי אחראי מלבדו למותה של אשתי."

"בשביל זה באת להודו?" שאלה.

"כן, בשביל זה אני כאן."

היא קמה ממקומה ונעה חרש לעבר החלון. עיניה בהו בעצי הדקל שצמחו בגינה. גשם עז החל לרדת. הוא ניתך ארצה בקילוחים עזים, הוא היה צהוב מאבק.

"אני לא יכולה לעזור לך," היא סבבה אלי בתנועה פתאומית, "אין לי מושג מה עשה בעלי, אין לי מושג אם עשה זאת לבד או עם שותפים, בשליחות עצמו או בשליחות אחרים."

"אבל את אשתו," לחצתי, "את חייבת לדעת, לפחות חלק מן הדברים." היא שבה ונשאה עיניה ממני.

"אני לא אשתו," אמרה, "התגרשנו לפני יותר משנתיים."

לא הייתי מוכן לזה. המחשבה הראשונה שעלתה על דעתי היתה: אם הם התגרשו, מדוע הכת ממשיכה לשלם לה כסף? לא היה לי ספק עכשיו, שהיא יודעת משהו שכת השמים אינה רוצה שתגלה, משהו שבגללו משלם לה מהאנטה כסף.

"אם הוא התגרש ממך," אמרתי, "למה יש לך קשר הדוק כל כך עם כת השמים?"

"איך אתה יודע שיש לי קשר איתם?" שאלה בלי להניד עפעף.

לא היה לי מה להפסיד.

"אני יודע שאת מבקרת שם מדי פעם. הכרת היטב את סנג'אי, את מכירה את טאמאל מהאנטה, את מקבלת ממנו כסף. האם הוא משלם לך כדי שתשתקי ולא תגלי את האמת על מה שנעשה שם?"

"איך אתה מעז?" עיניה ברקו בכעס.

"רציתי רק לשמוע כן או לא," אמרתי בקור רוח.

"לא הייתי צריכה לתת לך להיכנס לכאן," קראה. הרגשתי שהיא עומדת לאבד שליטה. קיוויתי שבלהט כעסה תפלוט דברים שקודם לכן לא רצתה לומר. הוספתי ללחוץ עליה:

"את לא עונה לי, כי את יודעת שאני יודע את האמת. אני יודע שאת עוזרת למהאנטה לטשטש את הפשעים שנעשים באשראמים שלו, את מחפה עליו, את יודעת שהוא רצח את סנג'אי..."

היא קרסה אל תוך הכורסה והתקפלה כבלון שאיבד את האוויר שהיה

272

בתוכו. פניה היו חיוורים כסיד.

"אף אחד לא רצח את סנג'אי," לחשה, "הוא מת מוות טבעי."

"מה הקשר שלך איתו?"

"הכרתי אותו שנים רבות, הוא היה אחד מעמודי התווך של כת השמים."

המרתי על ההנחה, שהוא חוסל על ידי הכת.

"למה אינך מאמינה שטאמאל מהאנטה היה מסוגל לרצוח אותו?"

"כי מהאנטה הוא לא רוצח," אמרה חרש.

"למה את מחפה עליו?" דרשתי לדעת.

"טאמאל מהאנטה," לחשה, "הוא אבא שלי, והוא לא עשה שום דבר רע לאיש..."

היא קמה ממקומה.

"לך מכאן," אמרה. קולה, משום מה, היה עתה רך יותר, "לעולם לא תצליח להגיע אל ראם סינג. הודו איננה מקום בשבילך. אתה לא מבין את כללי החיים כאן, אתה לא יכול להבין את אורח המחשבה. שמע לעצתי, חזור הביתה, מהר. הילדים שלך איבדו את אמא שלהם, הם זקוקים לאב."

היא הרימה את שפופרת הטלפון וזרקה כמה מילים. הדלת נפתחה כמעט מיד, והמשרת עמד בה, ממתין להוראות.

"בבקשה, אדוני," אמר, ובתנועה נחרצת הראה לי בידו על הדלת. קמתי ממקומי. הרגשתי מותש ונואש. שוב נשמט מידי קצה חוט שאמור היה להוביל אותי אל המטרה, שוב עמדתי בפני שוקת שבורה.

המשרת הוביל אותי מן הבית החוצה והמתין עד שהשומר פתח לפני את השער. באותו רגע עצרה ליד הפתח ביואיק שחורה, חדשה. עיניו של היושב ליד ההגה ננעצו בי ולא הירפו. לא זכרתי שראיתיו אי פעם. הגברתי את מהירות צעדי. חיפשתי בקדחתנות ריקשה שתיקח אותי מן המקום הזה. מזווית עיני ראיתי את נהג הביואיק קורא אליו את השומר ומסתודד איתו. שניהם הביטו בי. אחר כך נכנסה המכונית בשער ונבלעה בתוך החומה שהקיפה את הבית.

סדנת "הגשר אל האור" קרבה במהירות אל שלביה האחרונים. הקשר בין רמאיאן, המורה הרוחני, ותלמידיו היה עתה הדוק מתמיד. היו תלמידים

שכבר החליטו לנסוע לווראנאסי, היו כאלה שעדיין לא הגיעו לכלל החלטה. מי שלא החליט עבר סידרה של פגישות כדי לעמוד על תכניותיו לעתיד. ראג׳יב נקרא גם הוא לראיון אישי בלשכת המורה הרוחני. השיחה החלה במחמאות שהמורה נתן לו על עבודת ההתנדבות שלו, אחר כך היפנה אליו שאלות על ההתרשמות שלו מהלימודים ומהתלמידים, הוא שאל אם הציפיות שהיו לו מהסדנה נענו במלואן או בחלקן. ראג׳יב לא חסך בשבחים, אבל רמאיאן רצה לדעת בסופו של דבר, אם הוא מצטרף לנוסעים לווראנאסי או לא.

״אמרתי,״ סיפר ראג׳יב, ״שקרוב לוודאי שאסע איתם. רמאיאן זכר שסיפרתי להם שאין לי קרובי משפחה וגישש בזהירות סביב השאלה, כמה כסף יש לי ומה אעשה בו אם אחליט לעבור מן העולם הזה. אמרתי שלא חשבתי על זה, ואז הוא דיבר על הצרכים הדחופים של האשראם, על ההוצאות הגדולות הנדרשות להחזקתו ועל החשיבות הנודעת לעצם קיומו וללימוד תורתה של הכת. אמרתי לו שאם אחליט לנסוע לווראנאסי, אחשוב על הכול. הוא הגיש לי ניירות לחתימה. היה כתוב שם שאני פוטר את מארגני הסדנה מאחריות לתוצאותיה, ושאני מצהיר שבריאותי הנפשית תקינה ודעתי צלולה... חתמתי.״

״חתמת?״ נדהמתי.

ראג׳יב משך בכתפיו.

״לא היתה לי ברירה אחרת,״ אמר, ״זו הדרך היחידה להגיע איתם לווראנאסי. אני חייב לדעת מה קורה שם.״

הוא ראה את הבעת החרדה על פני.

״אל תדאג,״ אמר, ״לא יקרה לי כלום. ממילא אין לי שום כוונה להתאבד, ממילא אין לי שום כוונה לוותר אפילו על רופיה אחת שלי לטובת מהאנטה והאנשים שלו.״

ההכנות לנסיעה היו קדחתניות. רדהא לא אמרה דבר כאשר הודיע ראג׳יב כי החליט לנסוע לווראנאסי עם הקבוצה של רמאיאן, אבל קמטי דאגה חרצו את פניה. יומיים לפני הנסיעה, חיכינו לראג׳יב בדירה. רדהא הכינה כמה תבשילים שאהב. חיכינו בסבלנות, אבל השעות נקפו והוא לא הגיע. היא

היתה מבוהלת, ואני ניסיתי להסתיר את החששות שלי. התאמצתי להעמיד פנים כאילו האיחור הזה איננו יוצא דופן, אבל לא הצלחתי להפיג את דאגתה.

"משהו קרה לו," אמרה בקול רועד, "אני בטוחה שמשהו רע קרה לו. אף פעם הוא לא איחר כל כך." אמרתי לה שייתכן שהוא עסוק בהעברת ענייניו לפקיד אחר, משום שבעוד יומיים הוא אמור לנסוע לווראנאסי עם הסדנה. היא שמעה את דברי ולא הגיבה. הפחד התיש אותה.

הלילה היה שקט, שקט מדי לטעמי. מן הדירות הסמוכות לא נשמע הגה. ברחוב חלפה מכונית בודדת. חידדתי את אוזני כדי לשמוע את צעדיו של ראג'יב במדרגות העולות אל הדירה, אבל שום דבר לא הפר את השקט.

רדהא קמה מן המיטה והתיישבה עליה לסירוגין, היא הלכה אל החלון והביטה ברחוב, היא אמרה שאנחנו חייבים לעשות הכול כדי לאתר את ראג'יב. זה היה מובן מאליו, אבל לא ידענו היכן להתחיל. היא הציעה שנפנה למשטרה או לבית החולים.

לפתע נשמעה שריטה קלה על הדלת. השתתקנו בבת אחת. נשמעה שריטה נוספת, כאילו חתול חידד את ציפורניו במשטח העץ, כשהוא מתחנן שנכניס אותו פנימה. פתחתי את הדלת. מישהו היה שרוע שם, ידו מושטת לעבר הפתח. זה היה ראג'יב.

הוא היה מגואל בדם מכף רגלו ועד לראשו, בגדיו היו קרועים. נשאתי אותו אל החדר והנחתי אותו במיטתו. עיניו היו עצומות. דמו קלח ללא הרף, נספג בבגדיו ובמצעי המיטה.

"הוא לא יכול להישאר פה," אמרתי, "גם אנחנו לא. מי שניסה לחסל אותו ולא הצליח, עלול לבוא לכאן כדי לסיים את המלאכה."

רצתי אל דירתו של בעל הבית בקומה שמעלי, הערתי אותו משנתו וביקשתי שיסיע אותנו לבית החולים. הוא התלבש במהירות, ויחד העברנו את ראג'יב אל המכונית.

ראג'יב הובהל לחדר המיון בבית החולים העירוני. הוא היה חסר הכרה, וצוות של רופאים התפנה לטפל בו מיד. עמדנו שם, רדהא ואני, ליד מיטתו ועקבנו בדריכות ובדאגה אחרי המתרחש. היו לו שטפי דם פנימיים, קרע בטחול

וכתם לא ברור בריאה, היו לו גם שברים בגפיים. הוא איבד דם רב, והבעת פניהם של הרופאים העידה שמצבו קשה. אחד מהם שאל אותנו אם ידוע לנו מה קרה. אמרנו שאין לנו שום מושג. סיפרנו שהוא הגיע הביתה פצוע ושותת דם, ויותר מזה אין אנו יודעים.

ראג׳יב נלקח לחדר הניתוחים ושהה שם כשלוש שעות. אחר כך העבירו אותו למחלקה לטיפול נמרץ. ישבנו בפתח המחלקה עם עשרות הודים, שהמתינו דוממים לחדשות על מצבם של קרוביהם. היה חם ולח.

עברנו לילה מתוח. התפללנו שראג׳יב יתאושש במהירות וששום נזק בלתי הפיך לא ייגרם לגופו. היינו צמאים, אבל לא היתה כל אפשרות לקנות משקה קר. רדהא שתתה מים מהברז, אני לא העזתי. הזמן חלף לאט מדי.

הבוקר עלה בדיוק כאשר איבדתי תיקווה שיגיע אי פעם. ראג׳יב עדיין היה מחובר למכונת הנשמה, אבל מצבו התייצב. שטפי הדם פסקו מאז הניתוח, ליבו ולחץ הדם שלו היו תקינים. השתוקקנו לשוחח איתו, להבין מה קרה, אבל לא היתה כל אפשרות, לפחות בשלב זה, להתקרב אליו.

שני שוטרים הגיעו בעקבות הודעה שנמסרה להם על־ידי בית החולים. הם היו עייפים ואדישים, ונראה לי שנשמו לרווחה כשהתברר להם שאי־אפשר לגבות מן הפצוע עדות על נסיבות המקרה. איש מהם לא העיף לעברי מבט נוסף, איש מהם לא העלה על דעתו שאחד האסירים המבוקשים ביותר בהודו יושב שם, על ספסל העץ, במרחק הושטת יד אחת. איזו החמצה, חשבתי. אילו היו מתבוננים בי בתשומת לב גדולה יותר, היו עשויים לזכות בנקל בפרס שהוקצב על ראשי.

שעה קלה אחרי שהלכו יצא הרופא ובישר לנו שראג׳יב עדיין חסר הכרה ולא ברור מתי יתאושש. הוא הציע שנחזור הביתה. החלטנו להישאר. הכרחתי את רדהא לשתות ולאכול משהו במזנון של בית החולים שנפתח זה עתה. היא הזמינה מים רותחים, טבלה בהם צרור עלי מרווה טריים, שהוציאה מצנצנת שהיתה בתוך ארנקה, ונתנה לי לטעום. ניחוח הצמחים היה משכר, ולתה היה טעם מיוחד במינו. הזמנתי גם אני כוס של מים רותחים וטבלתי בהם את העלים שרדהא נתנה לי. היא שתתה מעט והחיוורון נמוג אט אט מפניה. רק עכשיו הרגשנו שאנחנו מסוגלים לדבר על מה שקרה. היה ברור לנו שראג׳יב לא הותקף באופן מקרי על־ידי פושעים

שביקשו לשדוד אותו.

"משהו קרה באשראם," אמרה רדהא. עיניה היו אדומות ופניה חיוורים,
"קרה שם משהו שאנחנו עדיין לא יודעים, משהו שראג'יב היה מעורב בו,
משהו שעירער את האמון שלהם בו."

היא הוציאה את המילים מפי. הערכת המצב שלי היתה זהה לשלה.

בקול חרישי, שנועד לאוזני בלבד, אמרה שתחילה תמכה בדרך שבה
הלכנו, ראג'יב ואני, לקראת המטרה שהצבנו לעצמנו. עכשיו היא לא היתה
בטוחה שנהגנו בתבונה. היא אמרה שהיתה שמחה אילו חדלנו לחטט
בענייניה של כת השמים. היו לי ייסורי מצפון קשים על שהנחתי לראג'יב
להצטרף אל האשראם במקומי.

"אני אוהבת את ראג'יב," אמרה, "ואני מחבבת גם אותך מאוד. אבל אין
לי ספק שאם תמשיכו בדרך שבה אתם הולכים זה לא ייגמר טוב." אמרתי
שאני מבין לליבה, אמרתי שאני מרגיש אחריות כבדה למה שאירע לראג'יב
ושאעשה כל מאמץ כדי לשכנע אותו לשוב הביתה. אבל אני לא אוכל לפרוש,
לא עכשיו, לא אחרי שהגעתי לשלב הזה.

"אני חייב להשלים את המלאכה," אמרתי בביטחון, אף שלא היה לי מושג
קלוש איך אוכל לעשות זאת ללא עזרתו של ראג'יב.

34

ראג׳יב הועבר למחלקה הפנימית בשעות הערב. הוא היה תשוש וכואב. עמדנו ליד מיטתו וציפינו שיפקח את עיניו. רדהא דיברה אליו ללא הרף בקולה המלטף, אצבעותיה ריפרפו במגע קל על שיער ראשו, על עיניו. פעמים אחדות ניסה להניע את שפתיו, אבל שום הגה לא יצא מפיו. עצרנו כל רופא שחלף ליד המיטה, ביקשנו שוב ושוב חוות דעת, ציפינו שיעודדו אותנו, אבל לא שמענו הרבה מילות עידוד. איש מן הרופאים לא רצה להסתכן בהערכה שעלולה להתבדות.

עברנו שעות של מתח, של טלטלה בין תיקווה לייאוש. כל שרציתי היה שראג׳יב יחלים ויחזור הביתה בשלום, הרגשתי את כל כובד האחריות מונח על כתפי, אלמלא אני, ראג׳יב היה עתה בריא ושלם, נוהג מן הסתם את ה"אמבסדור" שלו בכבישי גואה ומתפרנס בכבוד. בגללי הוא סיכן את חייו. לא יכולתי לחשוב על גילוי מופלא יותר של הקרבה.

החלמתו של ראג׳יב היתה בגדר נס, אם כי רדהא חשבה ששום נס לא היה כאן. היא טיפלה בראג׳יב בשיטות הריפוי שלה ולא הופתעה כאשר סמוך לחצות, יותר מיממה מאז הובא לבית החולים ללא הכרה, הוא פקח את עיניו והביט בנו באלם, מנסה להבין היכן הוא נמצא, מנסה להיזכר למה הובא לכאן. במיטות שלידו שכבו חולים שנאנקו, התייפחו, קראו לאחות. דקות אחדות לאחר שעיניו נפקחו, היתה הפסקת חשמל, ובית החולים שקע בעלטה כבדה. אנשים שכבר הורגלו לתקלות הללו הדליקו נרות שהיו מוכנים מבעוד מועד. מישהו נתן גם לנו נר אחד. רדהא החזיקה אותו ביד, סמוך לראשו של ראג׳יב. הלהבה ריצדה והטילה צללים על הקיר ועל פניו של הפצוע. שמענו אותו ממלמל משהו. עצרנו את נשימותינו וקירבנו את

ראשינו אליו.

"אני ... אני מצטער..." לחש.

"תירגע, ראג׳יב," אמרה רדהא בקול נעים, "מה שחשוב הוא שאתה שוב
איתנו, אתה תחלים, אני יודעת."

כאילו לא שמע את מה שאמרה, הוא המשיך: "הכספת... עקבתי אחרי
תהליך הפתיחה שלה פעמים כה רבות, עד ש... עד שהצלחתי לגלות את
הצופן... בערב, כשהיה נדמה לי שכולם הלכו, ניסיתי לפתוח אותה... זה
עבד... מצאתי שם את התיק של ראם סינג... הוצאתי אותו... אבל טאמאל
מהאנטה נכנס פתאום... לא הרגשתי שהוא עומד שם... לא יודע כמה זמן
הוא עמד והסתכל על מה שאני עושה... שמעתי את הקול שלו מאחורי הגב
שלי... הסתובבתי אליו... הוא עמד מולי בידיים שלובות ועיניים קרות, ושאל
מה אני עושה שם... גימגמתי משהו על זה שהכספת נשארה פתוחה
ושהתנדבתי לעשות בה סדר... אז הוא שאל ב... בציניות: ממתי התפקיד שלך
הוא לעשות סדר בכספת שלנו? לא ידעתי מה להגיד... הוא לקח את התיק
שהוצאתי, הסתכל על השם, אמר לי להחזיר אותו אל הכספת ולסגור אותה.
עשיתי את זה...״

הוא השתתק. המאמץ היה, ככל הנראה, גדול מדי בשבילו. חיכינו שעה
ארוכה עד שחזר ודיבר.

"חשבתי ש... שהוא פשוט יחסל אותי שם, אבל הוא הסתובב והלך
מהחדר... יצאתי במהירות מהאשראם... מצאתי ריקשה שתחזיר אותי
הביתה... הבנתי שמאהנטה לא יעבור על העניין בשתיקה... רציתי להגיע
מהר אל הדירה, לומר לך שהם עלולים לפגוע בי ובך, אולי גם ברדהא...
פתאום ראיתי משאית דוהרת מולנו. צרחתי לנהג הריקשה לסטות מן הדרך,
אבל... אבל הוא היה איטי מדי... שמעתי קול נפץ אדיר, אני זוכר שעפתי
באוויר ונחבטתי בקרקע... הספקתי עוד לראות את המשאית מגבירה מהירות
ונעלמת, זחלתי אל נהג הריקשה וחילצתי אותו בקושי מן ההריסות של הרכב.
לא נשאר מה לעשות, הוא היה מת... ידעתי שמי ששלח את המשאית לחסל
אותי יחזור בוודאי אל מקום התאונה, כדי לוודא שגם אני לא נמצא בין
החיים... גררתי את עצמי אל חורשת עצים לא רחוק משם... שמעתי משאיות
חולפות על פני הכביש הסמוך... אני לא יודע איך הגעתי בסוף אליכם...״

279

"אתה יודע מי האנשים שניסו להרוג אותך?" שאלתי.

"לא... אני רק יכול לנחש שמהאנטה שלח אותם."

"הוא בעצמו לא ילכלך את הידיים שלו בדם," אמרה רדהא, "הוא שלח אחרים לעשות את זה."

"כמו תמיד," אמרתי.

"דיברת מספיק," רכנה רדהא על ראג'יב, "עליך לנוח. הכול בסדר עכשיו. מטפלים בך כמו שצריך." הוא ניסה לחייך. היא אספה את כף ידו אל תוך כף ידה, רכנה עליו ונשקה על מצחו.

ראג'יב עצם את עיניו, ופניו נעוו מכאב. הנר דעך במהירות. הלהבה נחנקה, והפצוע נעטף באפלולית. ליד המיטות הסמוכות ריצדו עדיין נרות אחדים. לא ראינו את שפתיו של ראג'יב נעות, אבל שמענו את קולו מנסה להגיע אלינו.

"איזה יום היום?" שאל.

"יום שלישי."

"מה השעה?"

"קצת אחרי שתיים."

"מה יהיה?" הוא נשמע נרעש, "אני... אני לא אוכל להיות על הרכבת..."

פתאום נזכרתי. הרכבת לווראנאסי, הקבוצה של כת השמים. ראג'יב אמור היה לצאת איתם בעוד שעות אחדות.

"מתי יוצאת הרכבת?" נלחצתי.

"ב... בשש ורבע בבוקר."

פחות מארבע שעות נותרו לצאת הקבוצה. תכניתו של ראג'יב להיות על הרכבת הזאת, להגיע עם הקבוצה אל נהר הגאנגס, ושם לחפש את ראם סינג, קרסה והתרסקה לנגד עיני. שבועות חיכינו לרגע הזה, להזדמנות הזאת, ועתה היא התרחקה לפתע מאיתנו.

"נוכל לחכות ל... לפעם הבאה," לחש ראג'יב.

ידעתי שהוא אומר זאת רק כדי להרגיע אותי. שלושה או ארבעה חודשים של המתנה עד לנסיעתה של קבוצה נוספת היו סיכון גדול מדי בשבילי ובשבילו. לא יכולתי עוד להישאר בפונה.

רדהא אמרה:

״כשראג׳יב יחלים אקח אותו הביתה, לגואה. תשתדל למצוא דרך לצאת מהודו. לא תוכל להישאר כאן לבדך.״

זרם החשמל התחדש לפתע, והחדר הואר בתאורה חיוורת. היה עלי להחליט מה לעשות. שום חלופה שחשבתי עליה לא היתה טובה. בסופו של דבר היתה אפשרות אחת, ובה בחרתי. לא האפשרות הטובה ביותר, דווקא האפשרות הגרועה ביותר. אבל מבחינתי, האפשרות היחידה.

״אתם תיסעו לגואה,״ אמרתי, ״אני אעלה על הרכבת.״

״לבדך?״ רדהא פערה זוג עיניים נדהמות, וראג׳יב הניע בידו לאות מחאה.

״כן,״ אמרתי, ״לבדי.״

על אף מחאותיו של ראג׳יב ואזהרותיה של רדהא הייתי נחוש בדעתי, שהרדג׳אני־אקספרס של 06.15 לווראנאסי תצא לדרכה לא רק עם טאמאל מהאנטה וקבוצתו, אלא גם איתי. הזמן דהר ללא רחמים. בנסיבות רגילות הייתי חוזר אל הדירה, מחליף את בגדי שהוכתמו בדמו של ראג׳יב, לוקח כמה בגדים להחלפה וכלי רחצה. אבל מאז פציעתו של ראג׳יב המצב השתנה. הנסיבות שוב לא היו רגילות כל כך. חששתי לשוב אל הדירה, משום שהמתנקשים עלולים היו לחכות שם כדי להשלים את המלאכה. שמחתי שכל כספי נמצא בארנקי.

הלכתי אל חדרי השירותים וקירצפתי את חולצתי כדי להסיר ממנה את כתמי הדם של ראג׳יב. לא הצלחתי להסירם כליל, אבל צבעם התחלף לחום. זה הותיר כתמים מכוערים על החולצה, אבל אף אחד מהם לא היה דומה לדם, וזה מה שהיה חשוב אחרי הכול. אחר כך חזרתי לחדרו של ראג׳יב ונשארתי צמוד למיטתו, מנסה לנסוך בו וברדהא את ההרגשה שהגעתי אל ההחלטה הנכונה. שניהם ניסו לשכנע אותי שטעיתי.

הבוקר הפציע. נפרדנו בנשיקות. ראג׳יב הסיר לאיטו את שעון היד שלו והתעקש שאקח אותו למזכרת. זה היה שעון זהב ישן ובעל ערך. סירבתי לקבלו, אבל לא הצלחתי לשכנע את ראג׳יב לחזור בו. ענדתי את השעון על פרק ידי ויצאתי משם אל הרחוב.

ריקשה לקחה אותי לתחנת הרכבת. ציפיתי להיכנס לתחנה ריקה כמעט מאדם בשעת בוקר מוקדמת כל כך. תחת זאת נבלעתי בתוך המון נוסעים שמילאו את כל חדרי ההמתנה והרציף, התגודדו ליד הקופות או היו שקועים בשינה עמוקה על הריצפה. לוח יעדי נסיעה ומועדי יציאה שהיה תלוי מעל הקופות הודיע כי רכבות שונות יעצרו בתחנה במהלך השעות הקרובות. רובן ככולן היו רכבות מאסף איטיות המאפשרות נסיעה זולה על הגג החשוף. לעומתן, הרכבת המהירה לווראנאסי היתה חד־מחלקתית, מהודרת למדי. היא אמורה היתה לעבור את המרחק בין שתי הערים בפחות מרבע הזמן שעושה זאת רכבת מאסף. היא היתה גם יקרה הרבה יותר.

קניתי כרטיס. איש מן הקבוצה לא הכיר אותי ואני לא הכרתי אותם. לא חששתי שיהיה עלי לשבת במחיצתם. איש מהם לא אמור היה לחשוד בי שאינני נוסע תמים.

הסתתרתי בתוך ההמון ובלשתי אל פתחי הרכבת שהמתינה על אחד הרציפים. זוגות של שוטרים באו והלכו, ואני עשיתי תמרוני התחמקות בלתי פוסקים כדי שלא יבחינו בי. דקות אחדות לפני מועד יציאתה של הרכבת עצר לפני בניין התחנה מיניבוס ובו קבוצה של נשים וגברים בגלימות תכלת. כולם נשאו על חזם "עיני חתול" ירוקות. עקבתי אחריהם מרחוק עד שעלו לאחד הקרונות הראשונים. שמחתי בכל זאת שקיבלתי מקום בקרון האחרון, הרחק מהם.

עליתי על הרכבת והתיישבתי ליד החלון. צפירה ארוכה חתכה את אוויר הבוקר, והרכבת זזה ממקומה. עד מהרה דהרנו במהירות רבה על פני המסילה העולה צפונה. כל המושבים בקרון היו תפוסים על־ידי הודים לבושים היטב ונמוכי קול ועל־ידי תיירים אמריקניים לבושים בטעם רע וצעקניים מדי. מיזוג האוויר פעל כהלכה, והמושב היה נוח דיו כדי לאפשר לי לשקוע בשינה שכל כך הייתי זקוק לה.

אחר הצהריים, כמעט בבת אחת, היכתה בי תחושת רעב. נזכרתי שלא אכלתי ולא שתיתי כמעט דבר במהלך היממה האחרונה. פי התמלא ריר כשחשבתי על מרק מליגואטני ועל כבש ביוגורט. קמתי ממקומי והלכתי לקרון המזנון. מאחר ששעת ארוחת הצהריים כבר חלפה, היו שם כמה וכמה שולחנות פנויים. התיישבתי ליד אחד מהם, והמלצר הביא לי תפריט. עיינתי

בו. היה שם בדיוק מה שרציתי. עברתי אל נספח המשקאות. היססתי אם לבחור בירה או יין, כשמישהו שאל אם שאר המקומות ליד השולחן תפוסים. בלי שהרמתי את עיני מן התפריט, השבתי בשלילה. החלטתי שאשתה בירה. הרמתי את ידי כדי לקרוא למלצר, ועיני חלפו במהירות על מי שהתיישב מולי. היו שם שניים. אחד מהם בחן את התפריט, והשני בחן אותי. עינינו נתקלו. פניו היו מוכרים, אבל לא ידעתי מהיכן.

"נראה לי שכבר נפגשנו," הוא אמר והגבר שישב לידו הרים את עיניו מן התפריט והביט אף הוא בי. שניהם לבשו גלימות תכולות וענדו "עיני חתול", היה להם מיבנה גוף חסון, קומה תמירה ופנים חמורים. גידפתי בחשאי. שנאתי את הרעיון שמישהו מהפמליה של כת השמים יצטרף לשולחני.

"כבר נפגשנו?" חזרתי על הדברים שאמר. לא הצלחתי להיזכר.

"אתה האיש שביקר לפני ימים אחדים אצל נהריקה סינג," הוא לא חדל לסקור אותי בעיניו, "ראיתי אותך יוצא מן הבית."

"אני חושב שאתה טועה," אמרתי במהירות. עכשיו היה לי ברור: הוא היה האיש בביואיק השחורה שהגיע לביתה כאשר אני יצאתי משם, הוא האיש שהסתודד עם השומר.

"תזכיר לי מי אתה..." ניסיתי לשוות לקולי גוון רגוע.

"שמי מהאנטה... "

טאמאל מהאנטה! אביה של נהריקה סינג, הבוס של האשראם בפונה, האיש שהפתיע את ראג'יב בעת פריצת הכספת, האיש ששלח אחריו אנשים לרוצחו.

"ומה שמך?" שאל.

רציתי לומר פול אוואנס, אבל נזכרתי בפורץ שחיטט בתיקים שלי בדירה שחלקתי עם ראג'יב, הפורץ שנשלח על־ידי כת השמים בפונה. הם שאלו את ראג'יב מי אני, הוא השיב שאני בריטי מטורף שבא ללמוד מדיטציה באשראם של אושו. טאמאל מהאנטה עשוי לזכור את השם הזה ולהבין שהייתי שותפו של ראגיב.

"שאלתי מה שמך," הזכיר לי מהאנטה בקרירות.

"אני לא נוהג למסור את שמי לכל אחד," התקשחתי.

המלצר ניגש לקבל הזמנות, אבל מהאנטה הורה לו בקוצר רוח להסתלק.

הרגשתי כעכבר שהמלכודת סגרה עליו בחבטה.

הוא פנה אל חברו לשולחן.

"מאין, לדעתך," שאל בנימה לגלגנית, "הגיע לכאן הבחור הזה? היית אומר שהוא בריטי? אמריקני? אולי ישראלי?"

"אמריקני?" ניסה הבחור לנחש בקול עמום.

"אף פעם אל תשפוט דברים על־פי המראה שלהם," אמר טאמאל מהאנטה, "היית מאמין שהאיש הזה הוא ישראלי?"

"לא," השיב השני בפליאה מדומה, "לא הייתי מאמין."

הרגשתי שהשיחה מידרדרת לכיוון שבלשון המעטה לא בישר טובות.

"אני לא יודע על מה אתה מדבר," אמרתי וחשתי צמרמורת חולפת בגופי. רציתי לדעת אם נהריקה סינג סיפרה לו על שיחתנו מרצונה או שהוא כפה עליה לדבר.

"אל תעמיד פנים," כעס כשהוא רוכן לעברי, "אני יודע ואתה יודע שהצגת את עצמך בפני נהריקה סינג כישראלי מתל אביב."

"זו אי־הבנה," היה כל מה שיכולתי להגיד. היתה לו עמדת יתרון בולטת. הוא ידע את האמת.

"מי אתה?" שאל, "מדוע אתה משקר לי, ומה אתה עושה על הרכבת הזאת?"

הדו־שיח הזה התנהל לקראת סוף רע. רציתי להסתלק משם מהר ככל האפשר. בעיני רוחי ראיתי את תכנית המעקב שלי אחרי מהאנטה מתנפצת לרסיסים.

קמתי ממקומי, אבל ההודי הושיט את רגלו מתחת לשולחן וחסם בפני את הדרך.

"שב," פקד, "עוד לא גמרתי איתך."

הרכבת החלה להאט את מהלכה. מן החלון ראיתי את בתיה הראשונים של עיירה. רציפים של תחנה קטנה התקרבו אלינו, ומאות אנשים נושאי צרורות ותינוקות ובעלי חיים מילאו אותם. מבקר הכרטיסים עבר בקרון והכריז על רבע שעה הפסקה.

"בוא איתנו," ניסר קולו של מהאנטה . שניהם הזדקפו ועמדו מעלי, מצפים שאקום ממקומי. הבריון לפת את זרועי ומשך אותי אליו. העפתי

מבט מהיר סביבי. איש לא הבחין בנעשה. הסועדים והמלצרים היו שקועים בענייניהם. יכולתי כמובן לצעוק, לעורר מהומה, ואז מה? תגיע משטרה שתזהה אותי מיד ותשליך אותי למעצר. מי בכלל יאמין לי ששני הגברים בגלימות הכחולות מבקשים לפגוע בי? אנשים יחשבו שיצאתי מדעתי. מה אעשה כדי למנוע מהשניים לחסל אותי?

נדחפתי קדימה בידי מהאנטה וחברו. שאלתי את עצמי אם הבירנון היה אחד מאלה שניסו להתנקש בחייו של ראג׳יב. ככל שחשבתי על כך, נראה לי שזוהי אפשרות סבירה ביותר.

הלכנו לאורך קרון המסעדה עד הפתח הפונה אל הרציף. הבירנון דחק בי להמשיך ללכת, לא לעצור.

"צא החוצה," פקד עלי. חיפשתי ללא הרף נתיב מילוט. אילו פתחתי במרוצה, הוא היה מדביק אותי מיד. כל איבריו העידו שהכושר שלו עולה על שלי. ירדתי במדרגות הברזל אל הרציף. הבירנון נצמד אלי כשעשיתי זאת. שמתי לב שטאמאל מהאנטה נשאר ברכבת. גם הפעם לא התכוון ללכלך את ידיו בשום מעשה מזוהם.

הבירנון היה סמוך אלי, כמעט צמוד לגופי. מה עכשיו? האפשרות הטובה היתה שיוביל אותי עוד כיברת דרך, ישאיר אותי בעיירה הזאת וישוב אל הרכבת. האפשרות הרעה היתה שיחסל אותי בסימטה נידחת וייפטר ממני לנצח. פילסנו דרך בין ההמון, חצינו את התחנה ונכנסנו לסימטה צרה מאחוריה. מוחי סער ממחשבות מילוט שונות, שאף אחת מהן לא היתה מעשית. הרגשתי בעליל שסופי מתקרב. ברוב ייאושי הצעתי לאיש כסף כדי שיניח לי. זה לא עזר. התגובה המיידית שלו היתה צעקה נזעמת.

"שתוק!" קרא, "אני לא זקוק לכסף שלך."

עצרנו בלב הסימטה. למזלי הרע, לא היה שם איש. הייתי יכול להיאבק איתו, אך לא היה לי שום סיכוי להכריעו. עם זאת, הייתי חייב לעשות משהו כדי להציל את חיי. לא ייתכן שאין דרך לחלץ את עצמי מן הצרה הזאת.

הבירנון אחז בכתפי וסובב את גופי אליו. הלפיתה שלו הכאיבה לי. בטווח של שתי אצבעות משם היה הגרון שלי. לא היה קל מלהקיף אותו בכפות ידיים חזקות וללחוץ... אבל משהו קרה לפתע. הידיים הגדולות צנחו מטה. קבוצת אנשים הגיחה מאחד הבתים והתקרבה אלינו בדרכה אל התחנה.

הסתכלתי על הקבוצה. היא מנתה שישה סיקים. כל אחד מהם חבש טורבן עם סמל מתכת קטן, למותניהם היו פגיונות פלדה. לא יכולתי לצפות לבשורה טובה יותר. אלוהים היה בעזרי. זה היה הנס שייחלתי לו, וזו היתה ההזדמנות האחת והיחידה. ידעתי שאם לא אעשה מעשה עכשיו, דיני נחרץ. ניתקתי בבת אחת ממקומי וזינקתי אל תוך הקבוצה.

"עיזרו לי," צעקתי והוריתי בידי על הבירִיון שניצב לרגע המום במקומו, מתקשה להתמודד עם המיפנה הפתאומי.

כמו על־פי פקודה שלפו כל השישה את פגיונותיהם. להבי המתכת הגיחו מנדניהם בשריקה מאיימת והתנופפו באוויר, מושחזים עד דק. הבירִיון בהה בהם בהפתעה גמורה, סבב לאחוריו ונמלט במהירות הבזק לעבר הרכבת. שמעתי צפירה הקוראת לנוסעים לחזור אל הקרונות. הסיקים החזירו את הפגיונות לנדנן וניסו לברר מה קרה. המצאתי סיפור כלשהו על ניסיון לשדוד אותי. הם הציעו ללוות אותי, אבל העדפתי להמתין זמן מה, עד שהרכבת תצא והבירִיון יהיה עליה. כשהגעתי לבסוף אל התחנה, הרכבת המהירה לווראנאסי כבר לא היתה שם.

35

הרמתי את עיני אל השלט הדהוי שתלה על בניין התחנה. זה היה מקום שמעולם לא שמעתי את שמו. בתי העיר שניצבו מאחורי תחנת הרכבת היו ישנים ומזוהמים, והמוני הודים, פרות, קופים וריקשות מילאו את הרחובות. במרחק ביצבצו כיפותיהם של שניים או שלושה מקדשים. מימי לא הרגשתי בודד כל כך. שאלתי את עצמי מה אני עושה כאן, לאן הגעתי. הרי היה לי כל מה שאדם יכול לשאוף אליו — בריאות, כסף, מעמד, משפחה. קיבלתי את כל אלה כמובנים מאליהם. הייתי שבע, מתנשא, דרכתי על גוויות, חיפשתי הנאות, בגדתי. עכשיו אני משלם את המחיר. משפחתי התמוטטה, כספי אבד, דעך הדחף שלי לדהור קדימה, לכבוש, להרקיע שחקים, הרגשתי עירום בגוף ובנפש.

ההיגיון שלי אמר שכאן, בתחנת הרכבת העלובה אי שם בהודו, יסתיים למעשה המסע שלי בעקבות כת השמים, לא נראה שיש טעם לעקוב אחריהם עוד. הם זיהו אותי, הם יזהו אותי כשיראו אותי שוב, הם יעשו הכול כדי להיפטר ממני ביעילות רבה יותר.לפונה לא יכולתי לחזור. לא היה לי מה לעשות שם בלי עזרתו של ראג'יב, ואת העזרה הזאת לא הייתי מעז לבקש אחרי ניסיון ההתנקשות בחייו. אולי אשוב סוף סוף הביתה? אבל גם זה לא היה פשוט. מי יכול היה להבטיח לי שבנמל התעופה לא יתגלה הדרכון המזויף שלי? מי יכול היה לערוב לי שבמקרה כזה לא יכלאו אותי בכלא הודי למשך שארית חיי?

צנחתי על ספסל שהתפנה זה עתה ממשפחה הודית עניפה. איש זקן ישן מתחת לספסל, רוכלים הסתובבו סביבי והציעו תה ומיני מאפה, ילדים ערומים עם מבט עצוב בעיניים ביקשו ממני נדבות. חשבתי על הדרך שעשיתי עד כה, חשבתי על כך שדווקא עכשיו, ברגע האחרון, נבצר ממני להשלים את

המשימה שלקחתי על עצמי. לא היתה לי שום תכנית פעולה מוגדרת, אבל חשתי שאין לי ברירה, שיהיה אשר יהיה אני חייב להמשיך. הפחתי בעצמי ללא הרף תחושה של ביטחון ונחישות. הלכתי אל קופת הכרטיסים וביקשתי לברר אם צפויה רכבת מהירה כלשהי לווראנאסי בשעות הקרובות. הפקיד הביט בי בתמיהה, כאילו הגחתי מעולם אחר.

"הרכבת המהירה האחרונה לווראנאסי כבר נסעה היום," אמר, "הרכבת הבאה, אדוני, תגיע לכאן רק מחר בצהריים." שאלתי אם קיים בסמוך שדה תעופה מקומי. הוא השיב בחיוב. נתמלאתי שימחה. זה עשוי היה להיות פתרון מעולה, להגיע לוואראנסי בטיסה לפני שתגיע לשם הרכבת, להמתין לה בתחנה ולעקוב בזהירות אחרי הקבוצה של מהאנטה.

יצאתי אל הרחוב, עצרתי מונית ולאחר זחילה מורטת עצבים בכביש הצר והעמוס שיצא מן העיירה עמדתי בפתח אולם הנוסעים של שדה התעופה.

זה היה נמל תעופה מן המוזנחים שראיתי מימי. הבניין הראשי זעק לשיפוץ, אולם הנוסעים היה ריק כמעט לחלוטין, שני פקידים משועממים ישבו ליד דלפק ישן ושתו תה. מן החלונות שנשקפו אל מסלולי ההמראה ראיתי רק מטוס אחד, שצוות טכני טיפל במנועיו.

אמרתי לאחד הפקידים שעלי להיות בווראנאסי עוד הערב ושאלתי מה יוכל להציע. האיש לא נזקק לעיין ברשימת ההמראות והנחיתות כדי לדעת את התשובה.

"אין לך סיכוי, אדוני," אמר בשוויון נפש, "המטוס הבא יוצא מכאן רק בחמש אחר הצהריים, והוא טס לכיוון ההפוך." שאלתי אם יש אפשרות לטוס בו ולהחליף מטוס בתחנה הבאה כדי להגיע בעוד מועד לווראנאסי. הפקיד השיב בשלילה. "תבוא מחר בצהריים," הציע, "תוכל לטוס מכאן לניו דלהי ומשם לווראנאסי."

נראה שאכן הכול חברו יחד כדי למנוע ממני להמשיך בדרכי. הלכתי אל המזנון הקטן וקניתי בקבוק של מים מינרליים. שדה התעופה שנשקף מן החלון היה קטן וכמעט ריק. ראיתי שוב את המטוס שנמצא בתיקון, אבל ראיתי פתאום משהו נוסף. הרחק בקצה השדה נחת לאיטו מטוס דו־מושבי קטן ומיושן. אדם אחד יצא מתוכו ופסע לעבר ביתן סמוך. קיוויתי בכל ליבי שעליתי על פתרון נפלא. אם הטייס שראיתי יסכים להטיס אותי לוואראנסי,

זה יאפשר לי להגיע לשם בזמן.

הרגשתי שאני חייב למהר אליו. חציתי באין מפריע את המסלול של שדה התעופה ונכנסתי לביתן. הטייס ישב ליד שולחן עץ רעוע בחדר עלוב ומילא מיסמך כלשהו. שאלתי אם המטוס בחוץ מיועד לשימוש מסחרי. הוא תלה בי עיניים בוחנות.

"בשבילך?" שאל. השבתי בחיוב.

"לאן אתה רוצה לטוס?" הוא היה הודי כבן ארבעים, לא מגולח ולבוש בסרבל מוכתם.

"אני חייב להיות בווראנאסי עוד היום. כמה זמן ייקח לטוס לשם?"

"בין שלוש לארבע שעות."

שאלתי מה המחיר.

"חמשת אלפים דולר," אמר. זה היה מחיר מוגזם ביותר, אבל הוא ראה לפניו מישהו לחוץ וניסה את מזלו. לא היו לי חמשת אלפים, בקושי היו לי אלפיים. הצעתי לו את כל הסכום. הוא אמר: "תבדוק שוב בכיסים שלך, אולי תמצא עוד משהו." הפכתי את הכיסים כדי שייווכח בעצמו שאין בהם דבר. הוא עיקם לרגע את פרצופו.

"טוב," אמר אחרי היסוס קל, "אני אטיס אותך תמורת מה שיש לך."

הוא יצא אל מחוץ לביתן, שאב דלק מחבית ומילא את מיכל המטוס. אחר כך טיפסנו אליו. זה היה כלי טיס שבימים כתיקונם לא הייתי מעז לטוס בו תמורת כל הון שבעולם. המושבים היו קרועים, זגוגית החלון הקדמי שיוועה למטלית שתסיר ממנה את האבק. היו לי ספקות חמורים אם נהגתי כהלכה כשסיבכתי את עצמי בהרפתקה האווירית הזאת.

אחרי כמה ניסיונות התנעה התעורר המנוע לחיים. המטוס זחל על פני המסלול, צבר מהירות והמריא ברעש מחריש אוזניים. טסנו נמוך. תחתינו חלפו ערים ועיירות, שדות ודרכים ונהרות. מזג האוויר היה אביך, וגשם ירד לפרקים. הרוח טילטלה את המטוס הקל, כיסי האוויר בלעו והקיאו אותנו לסירוגין. הטייס עישן סיגריות זולות שעוררו בי בחילה. התפללתי שהטיסה תגיע לקיצה מהר ככל האפשר, וזה כמעט מה שקרה, אפילו מהר מן הצפוי. טסנו מעל מישור של שדות ירוקים. המנוע היה יציב, הגשם שכך והשמים התבהרו. לא היה בעצם שום סימן מבשר רעות, כשהטייס היפנה אלי את

ראשו ואמר פתאום:

"מצטער, אני חושב שנצטרך לנחות בשדה התעופה הכי קרוב." הוא הוסיף שקלט תשדורת שחזתה מזג אוויר סוער במיוחד. "אני לא בטוח שאוכל לקחת סיכון," אמר, "בטח לא בשביל הכסף ששילמת לי." הבנתי אותו היטב. הוא לא חשש ממזג האוויר, אולי אפילו בדה את סיפור הסופה מליבו. הוא פשוט רצה עוד כסף. ראיתי אותו דוחף את ההגאים קדימה ומתחיל להנמיך.

"אתה יודע שאין לי פרוטה," אמרתי. הוא הביט בי, כאילו שקל מה יוכל לדרוש ממה שנמצא עלי: חולצה, מכנסיים, נעליים.

"תראה לי את השעון שלך," אמר בחמדנות והצביע על השעון של ראג'יב, "זאת אומרת, אם אתה רוצה להגיע לווראנאסי בזמן." אילו יכולתי, הייתי מעיף אגרוף לפרצופו ונהנה למראה הדם שיפרוץ משם. השעון הזה היה יקר לי מאוד. כשהסרתי אותו מעל פרק ידי חשתי כאב, כאילו קטעו לי את היד כולה. הטייס חייך ומשך את ההגה. חזרנו וטיפסנו לגובה הטיסה הרגיל שלנו. מזג האוויר היה יציב לכל אורך הדרך.

נחתנו בשדה התעופה הקטן של וראנאסי וגלשנו על המסלול עד שעצרנו.

"הגענו בזמן," אמר הטייס בחיוך נבזי, "עכשיו אתה שבע רצון?"

בלעתי את הקללה שעמדתי לפלוט. נזכרתי שלא נותרה לי אפילו רופיה אחת בכיס. שאלתי אם יוכל לתת לי כמה עשרות רופיות כדי שאוכל להגיע העירה. החיוך נמחה מעל פניו.

"כמובן שלא," אמר בקול נוקשה, "מצידי, אתה יכול ללכת לשם ברגל."

כל הכעס שהיה אצור בי גאה בבת אחת. כעסתי על שניצל את המצוקה שלי, כעסתי על הזלזול שהפגין. הוא החל להתיר את רצועת הביטחון שלו, ואני עשיתי מה שרציתי לעשות במשך השעות האחרונות, ובמשך כל היום כולו: היו בי כמויות עצומות של כעס ותסכול שביקשו להתפרץ. שלחתי את אגרופי והלמתי פעם אחר פעם בכל כוחי בפרצופו ובבטנו, עד שפרקי אצבעותי נשחקו מן המכות. הוא התקפל מכאבים ושמט את ראשו על ההגה. לקחתי את השעון וכמה שטרות מכיסו, השארתי אותו שרוע במקומו, גונח מכאב ודילגתי החוצה. יצאתי מן השדה וחיכיתי לאוטובוס שייקח אותי לתחנת הרכבת.

נלחמתי כדי לתפוס מקום באוטובוס הציבורי שיצא מנמל התעופה אל תחנת הרכבת. היתה שעת צהריים מאוחרת, והאוטובוס היה מלא על גדותיו בהינדים מזיעים מהתלהבות שנהרו אל הגאנגס כדי לחגוג את ה"שיווארטרי", יום ההודיה לאל שיווא. האירוע הזה מתרחש פעם בשנה, ואין הינדי מאמין שלא יעשה הכול כדי להשתתף בו.

הדרכים המובילות העירה היו פקוקות. עולי רגל לבושי גלימות כתומות נשאו אסלים מצועצעים על כתפיהם, ובכל אחד מן הדליים הקטנים שבשני קצות המוט היו מים קדושים ממעלה הגאנגס בהרידוואר, מרחק של יותר מ־1000 קילומטרים צפונה. חלקם של הבאים לווראנאסי עשו את הדרך ברכבות, חלקם הלכו ברגליים צבות שהשחירו מלכלוך ארבעה או חמישה שבועות כדי להגיע אל הנהר הקדוש, תחנתם האחרונה. רבים באו עם משפחותיהם מכל רחבי הודו במשאיות, ברכב פרטי ובאוטובוסים שרמקולים ענקיים השמיעו מעל גגותיהם שירי תהילה לאל שיווא. כולם התנקזו כנהר אדיר אל תוך העיר הסואנת, שקיבלה את פניהם בשאון מחריש אוזניים ובאלפי דוכנים של דברי מתיקה ומזכרות.

התנהלנו באיטיות רבה. בכל רגע ניתלו על האוטובוס חוגגים נוספים שרצו להגיע אל הנהר. כל מכונית וכל אופנוע צפרו ללא הרף, כל אדם שני צעק במלוא כוח ריאותיו דברים שלא הבנתי.

בתחנת הרכבת היה המצב גרוע עוד יותר. המונים, שכבר מילאו את מיצוות הרחצה בגאנגס והגישו תשורות של פרחים, כסף ופירות לשיווא במיקדש הזהב, הצטופפו על הרציפים בציפייה לרכבות שיסיעו אותם חזרה למקומות מגוריהם. רכבות שבאו פלטו בזו אחר זו אלפי עולי רגל חדשים שעוד לא היו בגאנגס. בתוך כל המהומה סבבו בעצלתיים פרות, קופים התנדנדו על גג התחנה, צרחו בקולות ניחרים וניסו לחטוף חלקי לבוש וארנקים, וקבצנים נכים ובריאים עמלו קשה לקבץ נדבות.

היו לי עוד שעתיים עד שהרדג'האני־אקספרס מפונה תעצור בתחנה. מצאתי מקום פנוי על מדרכה מזוהמת ממול והתיישבתי שם, ליד שורה של קבצנים, מצחצחי נעליים ומוכרי תרופות אליל. הודו בהחלט השפיעה עלי. כבר מזמן למדתי לאמץ את הקלות שבה אנשים מתייחסים למצבם. ישנים על המדרכה, כי אין להם מקום אחר לישון, ומתיישבים עליה בכל שעה

שמתחשק להם לנוח. הייתי רחוק מלהיות נקי. חולצתי היתה מוכתמת בסימנים שנותרו מכתמי דמו של ראג'יב, בשערות ראשי ובזקני דבקו אבק ולכלוך. חשבתי על מה שעומד לפני וראיתי רק שחורות. לא חסר היה הרבה שאחליט לשוב הביתה בלי שהגעתי אל היעד שהצבתי לעצמי. אבל ידעתי שגם זה לא יהיה פשוט. היה ברור לי שהמשטרה ההודית לא תניח לי לצאת מהמדינה כל עוד מחכים לי כמה כתבי אישום על סחר בסמים, על תקיפת סוהר ובריחה מכלא גואה ועל שימוש בדרכון בריטי מזויף. לא היתה לי פרוטה בכיסי, לא היה לי לאן ללכת, מעל ראשי ריחפה אימת המשפט שמצפה לי ואולי גם עונש מאסר של כמה שנים.

גירשתי בכוח את המחשבות האלה ממוחי וניסיתי לנחש מה בדיוק יקרה כשתגיע הרכבת. אנשים עברו על פני ולא נעצו בי מבט נוסף. הייתי כמו כל קבצן אחר ברחוב, והיו כאלה אלפים. פתאום נבהלתי למחשבה שטאמאל מהאנטה עלול להבחין שאני עוקב אחריו. לא יכולתי להרשות לעצמי שזה יקרה. חשבתי בקדחתנות על צורות שונות של הסוואה, עד שהגעתי אל הפתרון הפשוט מכולם. קמתי ממקומי והלכתי אל הספר, שישב על שפת המדרכה וגילח לקוח שהחזיק ראי סדוק. חיכיתי בסבלנות עד שסיים. התיישבתי ולקחתי לידי את הראי. נעצתי בזקן שלי מבט אחרון ואמרתי: "תוריד אותו, את הכול."

הייתי מוכן להכיר בעובדה שאלה לא היו בדיוק תנאים של מספרה מקצועית, אבל לא תיארתי לעצמי כמה זה יכול להיות גרוע. המכשיר היחיד שהיה בידי הספר היה תער קהה. הוא קצץ את זקני בסכין ואחר כך גילח אותו. סבלתי בדממה ייסורים קשים, קיוויתי רק שלא יפצע אותי. לא ברור לי איך, אבל הוא הצליח להימנע לפחות מזה. הדמות שהכרתי חזרה אלי מן הראי אחרי שעה קלה. היא הזכירה לי בבת אחת, בכאב חד, שהיו לי גם חיים אחרים. דיוקן הפנים היה שייך לאיש שהייתי לפני שכל זה קרה. חשבתי בגעגועים על המשפחה שעזבתי מאחורי, רחוק כל כך מן המקום הזה.

התמקחתי על כל רופיה ששילמתי לספר. כשאין לך כסף, גם פרוטה יכולה להיות סכום גדול. הוא ניפנף ברוגז בידיו, אני ניענעתי בנחישות את ראשי מצד אל צד. לבסוף השארתי לו עשר רופיות, כל מה שיכולתי להרשות לעצמי, והלכתי משם בלי לשלוח אליו מבט נוסף.

292

קיוויתי ששום שוטר לא יזהה אותי כאסיר הנמלט. פרט לכמה שערות
שיבה נוספות, נראיתי בדיוק כמו צילום הדיוקן שלי שהפיצה משטרת הודו
לאחר בריחתי מהכלא. רק עכשיו חדרה למוחי המסקנה שמשום בחינה לא
היה מצבי נוח במיוחד. עם הזקן, מהאנטה עלול היה לזהות אותי. בלעדיו,
עלולה היתה המשטרה להיזכר בי.

36

הרכבת המהירה מפונה איחרה בארבע דקות. ארבתי לקבוצה לא הרחק מפתח התחנה. לא היה קשה להבחין בלובשי הגלימות הכחולות שהתקרבו בדרכן החוצה. הם הלכו בשורה, טאמאל בראש, אחרון היה הביריון בעל הפנים הכעוסים.

הקבוצה פילסה דרכה בביטחה בין ההמון, הם עברו על פני הסבלים לובשי החולצות האדומות ונכנסו למיניבוס שהמתין להם. כל אחד מהם נשא תיק קטן.

זינקתי אל תוך ריקשה שעברה לידי וביקשתי מהנהג שייסע בעקבות הקבוצה. חצינו את הרחובות הראשיים בדרך אל העיר העתיקה, על גדת הגאנגס. עברנו שוב גיהינום של צפירות, שאון מכוניות וצעקות של אנשים. עמדנו שעה ארוכה בפקקי התנועה. הרמזורים כבו, והשוטרים, שניסו לחסום את הרחובות היורדים אל הגאנגס בפני כלי רכב, הרימו לבסוף ידיים והלכו לשתות תה.

אור היום דעך ושלל אורות צבעוניים עלו ברחובות. במקדשים של שיווא, בכל העיר, צילצלו הפעמונים. המיניבוס עצר בפתח סימטה צרה, שהסתעפה מן הרחוב הראשי אל תוך העיר העתיקה. ראיתי את הקבוצה יורדת אט אט מן המכונית, כאילו שום דבר לא יכול להפר את שלוות רוחה. הם לא דיברו זה עם זה, הם הלכו בעקבות טאמאל. זרקתי לנהג הריקשה את שארית הרופיות שלי בלי לחשוב אם הוא מסכים לתעריף שכפיתי עליו. שמעתי צפירה נזעמת ששלח אחרי כשחמקתי בעקבות הקבוצה.

הסימטה שלובשי הגלימות התכולות נכנסו אליה לא היתה רחבה מן המרחק שבין שתי זרועות אדם פרושות, ובתוך המירווח הצר הזה התנהלו שיירות של אנשים. פרות שנתקעו ביניהם עשו את צורכיהן באין מפריע.

בגומחות הבתים, מוארים בנורות זעירות וענודים זרי פרחים, היו פסלים של שיווא, גאנאש בנו, בעל ראש הפיל, ואל הקוף הנו־מאן. החשתי את צעדי כדי שלא לאבד את הקבוצה. מיקדתי את מבטי בהולכים האחרונים, אבל הם נעלמו מדי פעם, כשהמון נוסף נדחק אל תוך הסימטה ביציאה ממקדש כלשהו.

בבתי המגורים, בכוכי החנויות ובבתי האוכל הקטנים עלו אורות דלוחים ששפכו אור מועט על הסימטה. הצללים התארכו. ילדות קטנות רצו אחרי וביקשו בקשיש, אנשים בחליפות ניסו למשוך אותי לאחד מבתי המסחר למשי בקומות העליונות של הבתים. ברחתי קדימה.

מהר מאוד התחלפו ריחות התבשילים וצואת הפרות בריחות שריפה חריפים. עשן מדורות סמיך וצחנה של בשר חרוך פשטו על פני הסימטה והיכו בנחירי. לא הייתי צריך להתאמץ כדי להבין שהתקרבנו לאתר השריפה של גופות המתים.

ראיתי את לובשי הגלימות התכולות נכנסים לאחד הבתים. הם עלו בכמה מדרגות שהובילו מן הסימטה אל פתחו של בית דו־קומתי ונבלעו בפנים. נשארתי בחוץ, במרחק מה, ליד כוך, שאשה בסארי ססגוני טיגנה בו לביבות בצק וירקות. בחלונות הקומה השנייה של הבית הועלו אורות, וצלליות התנועעו בפנים. רמקול רחוק צרח תפילות לשיווא. עברתי על פני כמה כוכי חנויות, עד שמצאתי מישהו שדיבר אנגלית. שאלתי אם הוא יודע מי גר בבית ממול. הוא אמר שבדרך כלל לא גרים שם, שהבית שייך לכת כלשהי, ושכל כמה חודשים מגיעה לשם קבוצה של לובשי גלימות כחולות, שוהה כמה ימים, ונעלמת.

סבבתי את הבית. לא היתה שום כניסה נוספת. אם מישהו עתיד להיכנס או לצאת משם, הוא חייב יהיה לעשות זאת דרך הדלת הפונה אל הסימטה. תפסתי עמדת תצפית לא הרחק משם. לא היה ברור לי בדיוק למה אני מחכה, עם זאת ידעתי דבר אחד: האכסניה הזאת היא לא מה שאני מחפש. עיבדתי במוחי את הנתונים שכבר היו לי. ידעתי שהכסף שהצטבר בקופות האשראמים של כת השמים זרם לווראנאסי, ידעתי שסנג'אי עסק בהעברות של כספים אלה, ניחשתי שחייב להיות בווראנאסי מרכז פעילות חשוב של כת השמים, אולי מן המקום הזה גם הפעילו את ראם סינג. אם הניחוש שלי היה

נכון, היה עלי לעשות ככל יכולתי כדי לגלות את המרכז הזה, לגלות מי נמצא שם ומה נעשה שם.

לא היתה לי ברירה אלא להמשיך לעקוב אחרי טאמאל מהאנטה. הסתתרתי בסימטה, בתוך מבוא אפל של בית. שעה ארוכה חלפה, ואני מצאתי את עצמי חושש יותר ויותר שאסיים את המעקב שלי ללא תוצאות ואחזור הביתה. האנשים היחידים שיכלו לעזור לי, אם אצטרך לשוב לישראל, היו רדהא וראג׳יב. אם ראג׳יב עדיין בבית החולים, יהיה לי קל למצוא אותו. הוא ודאי ימצא דרך לחלץ אותי מווראנאסי ולהחזיר אותי לפונה, ואולי יצליח לסייע לי למצוא את הדרך לצאת מן המדינה למרות הדרכון המזויף שהיה ברשותי.

וראנאסי שוכנת בצפון הודו והחורף מקדים להגיע לשם. היה לי קר. צחנת הגוויות מאתר השריפה היתה בלתי נסבלת. נשמתי רק דרך הפה כדי להימנע מלהריח. יכולתי לחשוב על אלף מקומות אחרים שהייתי בוחר להיות בהם ברגע זה.

אבל לא חיכיתי לשווא. דלת הבית נפתחה לפתע, וטאמאל יצא ממנה. הוא היה לבדו. תחילה הסתכל ימינה ושמאלה, ואחר כך פנה בצעדים מהירים לעבר הנהר. בבת אחת שב האדרנלין לזרום בעורקי. ניתקתי ממקום המסתור והלכתי אחריו בתוך ענן העשן שמילא את הסימטה.

טאמאל פילס את דרכו בין ההמון שנהר אל מדורות הקבורה או חזר משם. הסימטה הובילה אל כיכר קטנה, שמכל עבריה היתמרו ערימות גדולות של עצי שריפה. גברים ונשים לבושי סחבות עסקו בשקילת העצים ובנשיאתם אל הגאנגס. במדרגות המובילות אל הנהר, לאורם של עמודי הפנסים, נישאו על אלונקות גוויות מכוסות יריעות בד מוזהבות. נושאי האלונקות הורידו את המתים אל הנהר, טבלו אותם במים הקדושים והניחום על מצעי העצים שעמדו לעלות באש. אלמנים בלבן, שגילחו את ראשיהם מחמת האבל, הלכו והביאו זרדים בוערים מן האש הקדושה שבערה ללא הרף בקרבת מקום, הציתו מדורות והניחו עליהן את יקיריהם. בלילה הזה, בגלל הזכות לעלות על המוקד בחגו של שיווא, היה מספר המתים גדול הרבה יותר מבכל יום רגיל, מפני ששום מתאבל לא רצה לחכות יום או יומיים, כפי שזה

קורה בדרך כלל, עד שיביא את הגופה לקבורה. חשבתי על כך, שבמהלך הלילה ודאי ייתוספו אל העולים על המוקד גם חלק מחניכי הסדנה של כת השמים.

טאמאל עצר ליד אחד הביתנים באזור הקבורה. הבחנתי מיד שהוא לא היה זר לאנשים שעבדו שם. הם שוחחו איתו בלבביות, חייכו אליו כאל מכר ותיק. באור הקלוש ראיתי אותו מוציא מכיסו שטרי כסף ומחלק להם. היה ברור לי שהוא בא לכאן כדי להבטיח שייעשו הסידורים המתאימים לשריפת ההתאבדות של אנשיו, או חלק מהם.

הוא השתהה זמן מה בביתן, יצא משם והתרחק מאתר הקבורה. למרבה ההפתעה, הוא לא חזר בדרך שבה בא. במקום לשוב אל הסימטה הוא פשוט הוסיף לצעוד לאורך הנהר. זיק של עניין ניצת בי מחדש. אספתי את שאריות המרץ שלי וצעדתי בעקבותיו. הפעם היה המעקב קשה יותר. על גדות הגאנגס התרכזו אלפי חוגגים. משפחות משפחות מילאו את המדרגות הרחבות היורדות אל המים, התפללו בסוכות עטורות פרחים, טבלו במים או שתו מהם, ברהמינים בלבן מכרו ברכות, מעסי צוואר וגב טיפלו בעולי רגל שעברו מאות קילומטרים כדי להגיע לכאן, רבים אחרים שייטו לאורך הנהר בסירות נושאות פנסים.

הבעיה שלי לא היתה ההמון העצום שנקהל שם. טאמאל היה גבוה משכמו ומעלה, איש שבלט בשטח ללא כל מאמץ מיוחד. הבעיה היתה הבאנג, המשקה המשכר שהוא חלק בלתי נפרד מהווי ה"שיווארטרי". את הנוזל הלבן הזה, שהוא תמהיל של סמים, חלב, אבקת אגוזים וסוכר, מוכרים מתוך דליים לאורך הרחובות הראשיים של וראנאסי. ביום החג ובאותו ערב היו על גדות הנהר אין ספור שיכורים ומסוממים שהתנדנדו תוך כדי הליכה, נטפלו לאנשים או נפלו המומים על הריצפה ונשארו שם. הם הפכו את המעקב אחרי טאמאל למשימה בלתי אפשרית כמעט. אחד מהם חיבק אותי ולא הירפה, אחר הגיש לי את כוס המשקה שלו והתאמץ לשכנע אותי ללגום מתוכה. עסקתי ללא הרף בניסיונות לדחות מעלי אנשים שהפריעו לי ללכת.

במאמץ רב הצלחתי להיצמד לעקבותיו של טאמאל. באחד ממקומות הטבילה המרכזיים של הגאנגס, הוא סטה לפתע ימינה מן המדרגות והלאה, חצה את גוש האנשים הגדול ונכנס בפתחו של ארמון לבן שנראה נטוש לכל

דבר, כמו רבים מארמונות הנהר שהיו שייכים בעבר לעשירי הודו. גם בחשיכה ניתן היה להבחין בשרידי העושר שהשתמרו, בפיתוחי האבן, במרפסות המעוצבות, בחלונות הגדולים הקרועים אל המים.

טאמאל נכנס אל תוך הפתח האפל והעלה אור בפנס כיס. המתנתי קצת ונכנסתי אחריו, נזהר שלא להשמיע רחש. גיששתי את דרכי כעיוור. קולות החוגגים נשמעו כאן כמו מעולם אחר, עמומים ורחוקים. ראיתי אלומת אור של פנס מרצדת אי שם לפני. עליתי אט אט. הרחתי ריחות של כתלים עתיקים, והרגשתי מתחת לרגלי מדרגות רחבות מן הרגיל. לא הרחק ממני, מתחת לדלת גדולה, הסתנן פס דק של אור. ראיתי את הפנס מתקדם לעבר הדלת. לפתע הוא כבה, וצעדיו של טאמאל שהחזיק בו — חדלו בבת אחת. גם אני עצרתי. היתה דממה שלא הבנתי את פשרה, ואז, קרוב מאוד אלי, נזרקה אל פני אלומת אור חזקה של פנס. הרמתי את ידי כדי להגן על עיני. גם בלי לראות את האיש שעמד לפני ידעתי שנקלעתי לצרה גדולה.

אורו של הפנס בחן את פני זמן מה, ואז אמר טאמאל:

"חשבת שהצלחת להטעות אותי? טעית. זיהיתי אותך גם בלי הזקן..."

הוא צחק וכף ידו החזקה לפתה את זרועי והובילה אותי לעבר הדלת. שמעתי קולות מבפנים. טאמאל מהאנטה משך בידית והדלת נפתחה. בפנים היה חדר העבודה המדהים ביותר שראיתי בחיי. הוא השתרע על פני שטח עצום, שולחן כתיבה ענקי ניצב סמוך לחלון מוגף, כל הקירות היו מצופים עץ אדמדם, רהיטים עתיקים מרהיבי עין מילאו את החדר, ושני גברים עמדו שם והביטו בי כשפתחתי את הדלת.

אחד מהם היה גבר קשיש, כסוף שיער, בגלימת תכלת, שלא ראיתיו מימי. השני היה ראם סינג.

37

הייתי המום. אני זוכר שהחזקתי בידי את ידית הדלת ולא הרפיתי, כאילו רציתי למנוע כל אפשרות שמישהו ימהר לסגור אותה בפני.

ראם סינג הביט בי במבט ארוך, לא מופתע. פניו היו רגועים. לא ראיתי עליהם שום סימן לרגשי אשם או לחרטה. פעמים רבות דמיינתי לעצמי את הרגע שבו אפגוש בו, את המילים הראשונות שאגיד. לעתים ראיתי את עצמי הולם בו באגרופי עד שייפול ארצה ללא הכרה, לעתים שמעתי את עצמי קורא לו "רוצח!", לא פעם, בתסריט שציירתי לי, היו במקום המיפגש גם אנשי משטרה שכבלו את ידיו באזיקים.

לא הייתי מסוגל לחוש שימחה על שהצלחתי לאתר אותו סוף סוף, כעסתי עליו כל כך, תיעבתי אותו כפי שלא תיעבתי איש מימי. הייתי מעדיף לראותו מוטל לפני ללא רוח חיים.

"אני רואה שאתה נרגש מאוד, מר שמיר," אמר האיש כסוף השיער, "שב בבקשה..."

הוא ידע את שמי. ניחשתי שהוא הכיר ודאי את כל הסיפור.

נשארתי לעמוד. התעלמתי מן האיש שדיבר, הישרתי מבט לעבר ראם סינג ובחמת זעם צעקתי:

"אתה רצחת את אשתי, רדפתי אחריך עד לכאן כדי שתתן את הדין על מה שעשית."

אף שלמעשה הייתי שבוי בידיהם, לא היה בליבי שמץ של פחד. הם אמנם יכלו עתה לעשות בי ככל שרצו, אבל חמתי בערה בי כל כך, עד שלא יכולתי לחשוב על שום דבר מסוג זה. זינקתי ממקומי לעברו של ראם סינג, רציתי להתנפל עליו מיד, אבל האיש שלא הכרתי חסם את דרכי.

"תירגע," אמר בקול מאופק, "אני חושב שהגיע הזמן שתקשיב."

הוא הציע לי לשבת על הספה. כשסירבתי, כמעט דחף אותי בעדינות כלפיה, התיישב בכורסה מולי והושיט לי קופסת עץ יפהפייה משובצת באם הפנינה. היו בה סיגריות מובחרות שהדיפו ניחוח נעים. דחיתי אותה. טאמאל מהאנטה וראם סינג עמדו מרחוק, נשענים על הקיר בשילוב ידיים, מביטים בשנינו בשלווה.

"קודם כל, מר שמיר, תרשה לי להציג את עצמי," אמר האיש בהציתו סיגריה. ענן העשן הריחני היה שונה כל כך מצחנת העשן של מדורות הקבורה, שבערו לא הרחק משם. הוא הוציא מכיס בגלימה קופסת כסף קטנה, שלף מתוכה כרטיס ביקור ומסר לי אותו באצבעות עדינות ומטופחות. קראתי: "בנסי לאל, וראנאסי. הודו."

"אני לא מכיר אותך," אמרתי.

"אני הסמכות העליונה של כת השמים," אמר.

"חשבתי שטאמאל מנהאטה הוא המנהיג שלכם. לא שמעתי עליך מעולם."

"טאמאל," השיב באורך רוח, "הוא מנהל האשראמים, הוא איש השטח שלנו. אני מעדיף להישאר מאחורי הקלעים. כך נוח לי יותר."

מהאנטה הינהן בראשו. ובכן, צדקתי. יש סמכות עליונה והיא נמצאת כאן, בווראנאסי. בנסי לאל מחליט, השאר מבצעים.

"ובכן," המשיך לאל, "בין שאר התפקידים שלי אני מטפל גם בכל הנושאים הכספיים של כת השמים. אני מחליט, למשל, כיצד להשקיע אותו. קח את הארמון הזה לדוגמא. אנחנו עומדים להקים כאן אשראם מפואר, הראשון על הגאנגס. שילמנו פרוטות תמורת החורבה הזאת במכירה פומבית, ואתה עוד תראה איזה בניין לתפארת נקים כאן..."

"כל הכסף הזה בא מאנשים ששיכנעתם להתאבד?" זעקתי.

"כל הכסף הזה בא מתרומות, מר שמיר."

הוא סטה מן הנושא, ואני לא רציתי להניח לו.

"אתם שיכנעתם את אשתי לתת לכם את כל כספנו ואחר כך רצחתם אותה!"

"אתה איש אמיץ," הוא התעלם ממה שאמרתי, "אני לא בטוח שאני מכיר עוד גבר אחד כמוך שהיה מסכן את חייו כפי שסיכנת את חייך. אהבת

אותה, לא כן?" הוא הבין מיד מה שלי נדרשו עשרים שנה כדי להבין.

לא נתתי לדברי החלקות שלו להשפיע עלי.

"אני רוצה לדעת למה הרגתם אותה, דבר איתי על זה!"

הוא ניער בזהירות אפר מקצה הסיגריה אל תוך מאפרת זכוכית.

"אם זה מה שאתה רוצה," אמר. הוא השתהה מעט ואחר כך המשיך: "ובכן, כדי להבין מה בדיוק קרה תרשה לי לומר לך כמה מילים על כת השמים ועל דרכה הרוחנית. אני יודע מה אתה חושב עלינו, וחשוב לי שתנסה להבין. אתן לך משל: כשאדם בא אל העולם הזה, הוא מקבל גוף שמשמש אותו כל חייו. הגוף הוא כמו מכונית שכורה. אנחנו משתמשים בו כדי להגיע ממקום למקום, מילדות לבגרות, מבגרות לזיקנה, אבל השאלה האמיתית היא מי הוא בעל המכונית, מי הוא זה ששולט באמת בנתיבי הנסיעה? אתה, כמו רבים אחרים, לא שאלת את עצמך את השאלה הזאת. היית מרוכז בנסיעה, הסתכלת דרך החלון וראית את המראות היפים, עצרת פה ושם כדי לאכול טוב, לבלות עם נשים, לעשות כסף, ולא הבנת שמה שראית הוא אשליה, לא המהות האמיתית של החיים. נהגת במכונית, אבל לא הבנת לאן אתה נוסע, לא ידעת מהי מטרת הנסיעה... אילו היית בוחן את עצמך, היית מגלה שהחיים שלך הם בעצם סבל מתמשך. לא אהבת באמת, לא נהנית מן החיבור לאנשים שאוהבים אותך, אהבת את מה שסיפק לך גירוי לרגע, אבל לא היית מאושר, לא גילית את הדרך הנכונה לחיות..."

היה לו קול רך וכישרון רב לשכנע את בני שיחו. בעל כורחי, מצאתי את עצמי מקשיב לו.

"הדרך שלנו," המשיך, "היא ללמד את נהגי המכונית, שהם יכולים למצוא את הדרך הנכונה, ולנסוע בה במקום לטעות בדרכים צדדיות. לשם כך אנחנו מביאים אותם אל סוף הדרך, מציבים אותם מול המוות, כדי שיבינו שהקץ קרוב והזמן קצר, אבל לא קצר מכדי לשנות את כיוון הנסיעה. כשאתה מסתכל למוות בעיניים, אתה מבין כמה מיותרת, כמה מוטעית היא הרדיפה אחרי החומרנות, הכסף, המעמד, ההנאות הגשמיות."

הוא פתח את החלון. עשן שריפת הגופות באתרי השריפה חדר פנימה אל החדר וצרב את נחירי.

"אנחנו," אמר, "מביאים את התלמידים שלנו אל אתרי השריפה כדי

שיעשו כאן מדיטציה. הם יושבים ליד המדורות, הם מתבוננים בזקנים שנפרדו ממשפחותיהם ומחכים למותם באולמות ההמתנה באתרי השריפה. גם לנזירים הטיבטים יש אתרים מיוחדים שבהם מחכים למוות, גם לאינדיאנים בארצות הברית היו אתרים כאלה. שמעת בוודאי על האסקימוסים הזקנים, שיוצאים אל המקום שבו יתבודדו עד שימותו..."

חשתי ריפיון בכל גופי. האיש האמין במה שאמר, בכך לא היה ספק. אבל הוא לא הבין שבדרך שבה הולכת הכת הזאת נופלים קורבנות על לא עוול בכפם.

"שיכנעתם את אשתי שהמוות יפתור לה את כל בעיות החיים," אמרתי, "יהיו הדעות שלכם על החיים אשר יהיו, העובדה המרה היא שאתם פשוט אחראים לרצח."

הוא לא הגיב, הוא היה שקוע מדי בנאום הלוהט שנשא.

"גם אתה, מר שמיר," אמר, "גם אתה היית צריך להיפגש עם המוות כדי להתעורר לחיים, כדי להשתנות, כדי להבין..."

בנסי לאל הביט בי בעיניים חודרות.

"עכשיו אנחנו מגיעים לראם סינג," אמר, "אני מבטיחך נאמנה, שראם סינג הוא לא רוצח, הוא לא קשר שום קשר לרצוח, הוא לא אחראי במישרין או בעקיפין להירצחו של איש."

"איך תקרא למה שעשה לאשתי?" צעקתי.

שום שריר לא זע בפניו של ראם סינג כשניצב ללא ניע ליד הקיר. לאל לא גילה אף הוא כל סימני התרגשות. הוא התעלם מן השאלה שלי.

"ראם סינג," המשיך, "הוא אחד המורים המבריקים ביותר שהיו לכת אי פעם. יש לו מטען עצום של יידע וכושר מנהיגות נדיר. בגיל צעיר מאוד הוא כבר נימנה עם המורים הרוחניים הטובים שהיו באשראם של גואה. הוא התקדם מהר בתוך הכת, מהר יותר ממרבית המורים שלנו. כשהוחלט להרחיב את הפעולות גם לאירופה ולארצות הברית, זה היה רק טבעי שנשלח אותו לשם. היו לו כל הכישורים להצליח, אבל זה לא היה כנראה מספיק, אולי משום שלא הובאו בחשבון רגישויות שונות של שלטונות החוק בארצות אלה. בכל אופן, באנגליה לא הצליח ראם סינג לפעול כפי שרצינו, בארצו

הברית, בגלל התאבדותו של זוג שלמד אצלו, התעוררה תקרית דיפלומטית חמורה, שאיימה לפגוע ביחסים בין אמריקה להודו. האמריקנים דרשו את הסגרתו. השלטונות בניו דלהי חקרו את העניין, ולא מצאו שיש עילה להסגרה."

"שיחדתם אותם," אמרתי.

"לא שיחדנו איש," אמר לאל, "הזוג בלוס אנג'לס הגיע אל ראם סינג וביקש שילמד אותם את העקרונות שלנו, והוא עשה זאת ברצון. הוא התגורר אצלם ולימד אותם, ואחר כך חזר להודו. רק כאן נודע לנו שהשניים התאבדו."

"ראם סינג סחט מהם את כל כספם."

בפעם הראשונה ניתק ראם סינג מהקיר שנשען עליו. הוא ניגש אלינו.

"הם תרמו את הכסף מרצונם," אמר.

"עכשיו תגיד לי שגם אשתי נתנה לך את הכסף מרצונה, לפני ששלחה יד בנפשה," אמרתי בלגלוג.

"בדיוק כך, מר שמיר. היא נתנה לנו את הכסף מרצונה."

לאל ניגש אל שולחן הכתיבה שלו, עיין בתיק כלשהו, רשם משהו וחזר אלי.

"אני מצטער על עוגמת הנפש שנגרמה לך, אדוני," אמר, "אנחנו אנשים הגונים, אנחנו לא נחזיק בכסף שלך אם אינך רוצה שנחזיק בו."

הוא הושיט לי המחאה.

"זה הסכום שאשתך תרמה לנו," אמר, "צירפתי את הריבית המקובלת. אודה לך, כמובן, אם תאשר לי בחתימתך שקיבלת את הכסף."

עכשיו הבנתי. הם רצו לקנות את שתיקתי, הם חשבו שהכסף יסתום את פי. אמרתי שלא עולה בדעתי לקבל את מה שהציע.

"אתם חבורה של רוצחים וסחטנים," הטחתי בו, "שום סכום שבעולם לא יפצה על החיים שקטפתם."

"אנחנו לא רצחנו את אשתך, אם לזה אתה מתכוון," אמר ראם סינג.

"היא לא היתה עושה זאת בעצמה, אלמלא שיכנעתם אותה שזו הדרך הטובה ביותר בשבילה."

"אשתך היתה במשבר, מר שמיר," אמר ראם סינג, "היא היתה מוכנה

303

לעשות הכול כדי להיחלץ ממנו."

"היא לא היתה הטיפוס שיאבד עצמו לדעת."

נדמה לי שראיתי צל של חיוך לעגני על שפתיו של ראם סינג.

"לא הכרת אותה, מר שמיר," הוא אמר, "היית רחוק ממנה הרבה שנים, לא ידעת מה היא חושבת ולא היה איכפת לך איך היא מרגישה."

השתררה שתיקה מעיקה. הוא היכה אותי בבטן הרכה.

"תשתה משהו?" שאל לאל כדי להפיג את המתח, "יש לי כמה יינות מעולים." הוא מזג לעצמו יין פורט ומזג גם לי. לא נגעתי בכוס. זו היתה אווירה סוריאליסטית מאין כמוה. שני הגברים התנהגו כאילו בסך הכול השתתפו בדיון רוגע על נושא רוחני, לא כנאשמים בפשע החמור ביותר.

"אם לא הרגשתם אשמים במותה של אשתי," אמרתי, "איזו סיבה היתה לכם לרצות לחסל אותי כשבאתי לכאן לחפש את האשמים במה שקרה לה?"

ראם סינג הרים גבה.

"איש מאיתנו לא רצה לחסל אותך," אמר.

"אם לא רציתם לחסל אותי, למה שיחדתם את משטרת גואה כדי שתפליל אותי בסחר סמים? אתם ציפיתם שיטילו עלי מאסר עולם ושלא אצא חי מן הכלא."

"עליך להאמין לנו," אמר בקול רוגע, "לא רצינו את רעתך."

"זה לא משכנע," אמרתי, "השוטרים תפרו לי תיק, איימו להעמיד אותי למשפט, לחסל אותי בצינוק אם לא אודה באשמה. הם לא עשו את זה על דעת עצמם."

"המשטרה רק הפחידה אותך," אמר ראם סינג, "הם לא התכוונו באמת להעמיד אותך למשפט, הם לא התכוונו לחסל אותך."

"אתם מנסים לשטוף לי את המוח," אמרתי, "אתם מעוותים את האמת."

בנסי לאל וראם סינג החליפו מבטים. סינג הינהן בראשו, כמו שלח אישור אילם לבנסי לאל.

"יש דברים שאתה לא יודע," אמר לאל.

"אם אתם מתכוונים שוב להתחמק מאחריות לרצח, אני לא רוצה לשמוע

דבר!"

"אנחנו רוצים לספר לך את האמת, רק את האמת."

"נסו," אמרתי, "אני לא מבטיח להאמין לכם."

"נתחיל מההתחלה," אמר בנסי לאל בקול שקט, "נתחיל מן התחנה הראשונה במסע שלך להודו."

"גואה."

"אנחנו לא זקוקים לעזרה, מר שמיר, אנחנו מכירים את כל הסיפור. למעשה, ידענו על כל צעד שעשית מרגע שנכנסת אל האשראם שלנו בגואה. ידענו על המעצר שלך, על הבריחה, על הנסיעה לפונה עם ראג'יב, על ההצטרפות של ראג'יב לאשראם של כת השמים בפונה ועל המעורבות שלך באשראם של אושו. ידענו על הדרכון המזויף שלך, על הביקור שלך אצל נהריקה סינג."

הרגשתי כאילו נמשך לפתע השטיח מתחת לרגלי. הייתי המום. מתברר שידעו עלי כל הזמן, מתברר שידעו גם על ראג'יב. כל הנסיונות של שנינו לכלכל את צעדינו בסתר היו חסרי תועלת. אנשי כת השמים עקבו אחרינו בלי שידענו, לא היתה תנועה שעשינו שנעלמה מעיניהם.

"פחדתם שנגלה עליכם את האמת," מילמלתי, "לכן דאגתם להשליך אותי אל הכלא, לכן שלחתם נהג משאית לרצוח את ראג'יב, לכן זממתם לחסל אותי בתחנת הרכבת בדרך לווראנאסי..."

בנסי לאל לא חדל לחייך.

"אתה טועה, מר שמיר," אמר, "אתה לא קורא נכון את המפה. כל מה שרצינו היה שתגיע הכי רחוק שאפשר, כל מה שרצינו היה שתעמוד במבחן."

עכשיו כבר הייתי מבולבל לגמרי. לאן הם רצו שאגיע? לאיזה מבחן התכוונו? לאל הצליח לסבך את העניינים ללא הרף.

הוא רצה להמשיך, אבל תשומת הלב שלי רותקה אל המקום שבו עמד רק לפני דקות אחדות ראם סינג. הוא לא היה שם עוד. העברתי את מבטי במהירות על פני החדר. ראיתי דלת פתוחה בקיר שמאחורי שולחן הכתיבה הענקי. הייתי יכול להישבע שהיא היתה סגורה קודם לכן. בנסי לאל לקח לידיו את בקבוק הפורט והציע לי שוב כוסית כאילו לא אירע דבר. משהו

מוזר התרחש לנגד עיני ואני לא ידעתי מה טיבו, אבל דבר אחד ידעתי בביטחה: ראם סינג ניסה להיעלם שוב. הייתי חייב לעצור אותו לפני שיישמט מידי פעם נוספת ואולי לתמיד.

דהרתי לכיוון הדלת שבקיר ונבלעתי בתוכה, בלי שאיש יספיק לעצור בעדי. הייתי משוכנע שראם סינג ברח לאחד מחדרי הארמון הזה. רצתי במסדרון חשוך. פתחתי דלת אחרי דלת וראיתי חדרים גדולים וקטנים. חלקם משופצים ומרוהטים, חלקם לא. אור קלוש הסתנן מן החוץ, מן הנורות הצבעוניות שלאורך הנהר, וקולות עמומים של תפילות עלו מן הגאנגס. הוספתי לעבור מחדר לחדר, קראתי ללא הרף בשמו של ראם סינג, משלה את עצמי שזה עשוי לעזור, שהוא אכן יגיח ויפול לתוך זרועותי. לא הכרתי את מבוך המסדרונות של הארמון הלבן, הוא הכיר אותם ללא ספק טוב ממני. הסיכויים לאתר אותו פחתו בכל רגע.

פתחתי עוד דלת.

זה היה החדר היחיד שהיתה בו מנורת חשמל מוארת. זו היתה מנורת קריאה, שניצבה בפינה ליד חלון והטילה מעגל קטן של אור סביבה. עיני התרוצצו סביב החדר, מחפשות ללא הרף. היו שם כורסה, ספה, שולחן, שידה וארון. החלון הגדול השקיף על הנהר.

גב הכורסה שהיתה סמוכה אל המנורה היה מופנה אלי, ראיתי קצהו של ראש מבצבץ ממנה. רצתי לשם והתייצבתי מול הדמות.

ברכי פקו בבת אחת. מפי בקעה זעקה נוראה, בלתי אנושית, שהידהדה בין הכתלים כרעם מתגלגל:

"עופרה!!!"

38

היא ישבה בכורסה, חיוורת, ועיניה הסתכלו בי. היא היתה רזה משזכרתי, היא היתה יפה משזכרתי.

קראתי שוב בשמה, כדי לאמת את מה שראו עיני. הייתי בטוח שזהו חזיון תעתועים, שאני הוזה מעייפות, מפחד. באצבעות רועדות נגעתי בשערה, במצחה, בעיניה, בשפתיה, כמנסה לאמת את מה שראיתי.

"חיכיתי לך," אמרה. עיניה נעצמו והכרתה אבדה.

לא הבנתי דבר. ראשי היה סחרחר, איבדתי את שיווי המשקל, מישהו תמך בי. אני לא זוכר הרבה ממה שקרה בשעות שלאחר מכן. דמויות מטושטשות מילאו את החדר, ראם סינג, בנסי לאל, טאמאל מהאנטה, שני רופאים.

מתוך עירפול חושים שמעתי קטעי דברים על הצורך להעביר את עופרה לבית חולים, אחד הרופאים אמר שהיא סובלת מחולשה ומהתרגשות יתר. מישהו שאל אם אני מעוניין להצטרף לאשתי באמבולנס. אני מניח שהשבתי בחיוב. נסעתי איתה לבית החולים, וישבתי ליד מיטתה בחדר שהועמד לרשותה.

לא גרעתי ממנה את עיני ומוחי סער ממחשבות. שאלתי את עצמי, האם הם אילצו את עופרה לביים את מותה? ואם הם עשו זאת, מה היתה הסיבה?

ביקשתי לטלפן הביתה.

את השיחה הראשונה קיימתי עם ד"ר אורי בראון. הוא צרח משימחה כששמע שעופרה חיה. לא ידעתי להשיב לו מה קרה. אמרתי שכאשר יתבהרו הדברים יהיה הוא בין הראשונים לדעת. סיפרתי לו שהיא תשושה ונסערת, אבל אני מקווה שהכול יסתדר. ביקשתי שייגש אלי הביתה ויכין את כולם

לקראת שיחת הטלפון שלי. הוא אמר שיעזוב הכול ויילך לשם מיד. השארתי לו את מספר הטלפון של בית החולים.

כעבור זמן מה התקשרה אמה של עופרה. היא לא המתינה שאטלפן, והיא בכתה כל כך, עד שלא יכולתי להבין מילה ממה שניסתה לומר. עינב ודרור חטפו את הטלפון, עינב התייפחה וצחקה ללא הרף, ודרור צעק לתוך השפופרת משפטים מבולבלים. הם דיברו בעת ובעונה אחת, המטירו עלי שאלות רבות על מה שקרה, שאלו מתי יוכלו לדבר עם אמם. אמרתי להם שחוץ מן העובדה שעופרה בחיים אין לי מידע נוסף, הסברתי שהיא ישנה כרגע, וכנראה יחלוף זמן מה עד שיוכלו לשוחח איתה, אבל שלא ידאגו כי הכול יהיה בסדר, אמרתי שאינני יודע כרגע מתי נשוב אבל בוודאי זה לא ייקח זמן רב. אני לא בטוח שקלטו כל מה שאמרתי, הקריאות הנרגשות שלהם קטעו בכל פעם את דברי. בקושי הצלחתי להרגיעם.

מיד לאחר מכן טילפנתי אל בית החולים בפונה כדי לספר לראג׳יב. לשמחתי, זה היה יומו האחרון שם. סיפרתי לו את המעט שידעתי, אבל זה היה העיקר וזה הספיק. הוא אמר שהוא שמח שכך הסתיים המסע שלי.

"רציתי להודות לך," אמרתי לו, "אבל אני יודע שלעולם לא אוכל לגמול לך במידה שאתה ראוי לה."

הוא צחק.

"אני מאושר שמצאת את אשתך," אמר, "אני מאושר שהכרתי אותך, אני בטוח שתמיד נישאר ידידים." הבטחתי לו בהתרגשות לשמור על קשר הדוק וביקשתי לדבר עם רדהא. היא היתה שם, כרגיל, לידו, והיתה נסערת לשמוע את מה שקרה. היא גילתה לי שלמחרת מתכוננים ראג׳יב והיא לעזוב את פונה בדרכם לגואה.

"האם אני יכול להבין," שאלתי, "שיש סיבה טובה לנסיעה שלך איתו לגואה?"

"אתה יכול בהחלט להבין שיש לי ולראג׳יב סיבה טובה," צילצל קולה.

הלילה חלף לאט מדי. ישבתי ליד מיטתה של עופרה. התרופות הפילו אותה אל תוך שינה עמוקה. אני הייתי ער מתמיד. רציתי להבין, לעשות סדר במחשבות, אבל הכול התערפל מול עיני. אחות הביאה לי לשתות ולאכול.

השארתי את המזון בצלחת. יצאתי לכמה דקות מהחדר כדי להתקלח ולהתגלח. ביקשתי שישאילו לי חולצה חדשה, כדי שעופרה לא תראה כמה אני מזוהם כשתפקח את עיניה.

בבוקר ניכרה הטבה במצבה. שפתיה נעו והיא מילמְלה משהו לא ברור. ישבתי כל העת ליד מיטתה, החזקתי את ידה וליטפתי את שערותיה. מעט לאחר מכן היא פקחה את עיניה והביטה בי שעה ארוכה, במצחה עלו קמטים כשניסתה להבין היכן בדיוק היא נמצאת. נשקתי על לחייה.

"מיקי?" לחשה.

"אני כאן," אמרתי, "אני כאן... את לא לבד."

אני לא יודע אם קלטה בדיוק מה שאמרתי, אבל היא עצמה את עיניה שוב, ומבעד לעפעפיה הסגורים התגלגלו דמעות גדולות. מחיתי אותן בעדינות באצבעותי, נשקתי על עיניה, על שפתיה. חלפו דקות ארוכות עד שפקחה שוב את העיניים.

"הילדים..." היא דיברה חרש, "עינב ודרור... איפה הם?"

אמרתי לה שהם בבית ושדיברתי איתם אתמול והכול בסדר. סיפרתי לה שהיא נמצאת בבית חולים בווראנאסי, אמרתי שהובאה לשם לאחר שמצאתי אותה בארמון הלבן על הגאנגס. היו לי שאלות רבות כל כך, אבל עדיין חששתי לשאול. לא ידעתי אם היא מסוגלת להשיב. היא ראתה את התמיהות בעיני. לאט, בקושי, החלו לצאת מפיה מילה ועוד מילה, מילים שהתחברו למשפטים, לסיפור שלם, הסיפור שלא ידעתי.

"...הייתי במבוי סתום, לא היה לי אל מי לפנות, היחיד שיכולתי להישען עליו היה ראם סינג," היא לא גרעה עיניה ממני כשדיברה, "הוא היה כל כך מקסים, כל כך נפלא אלי, הוא היה רגיש וחכם, הוא ידע מראש כל מה שאני עומדת לעשות, הוא ניחש כל מה שאני רוצה... ואני נכבשתי בקסם שלו. היה כל כך קל להתחבר אליו, כי הוא ניסה לפתור את הבעיות שהיו לי עם עצמי ואת הבעיות שלי איתך... הלכתי אחריו אל הסדנה, ראיתי שם רק דברים טובים, הרבה רצון לעזור לאנשים, לקדם אותם אל עתיד טוב יותר... היו לנו שיחות ארוכות על המשברים הגדולים שעברתי, על המשבר בעבודה ובעיקר על המשבר איתך. הרגשתי שאם נמשיך ככה, אתה ואני, זה ייגמר רע. לא רציתי שזה יקרה. אהבתי אותך יותר מכל דבר אחר בעולם."

היא הפסיקה לזמן מה כדי לאגור כוח.

"אבל גם ראם סינג איננו קוסם," המשיכה, "משבר היחסים ביני ובינך החריף ללא הרף. ככל שעלית בסולם ההנאות שלך, עליתי אני בסולם הסבל שלי. דיברתי עם ראם הרבה על כך, ובסופו של דבר הוא הבהיר לי שכדי שנחזור להיות יחד, אתה ואני, גם אתה צריך להגיע לדרגת הסבל העליונה, להיפגש פנים אל פנים עם המוות, לעבור את המבחן שינקה ויזכך אותך ויאפשר לשנינו לשוב ולחיות באהבה... ראם סינג עזר לי להעמיד אותך במבחן. יחד שכרנו את הצריף ברישפון, ישבתי וכתבתי לכם מכתב פרידה. אם שמת לב, כתבתי שם על עזיבה, על פרידה, לא הזכרתי את המילה מוות. הבאנו אל הצריף את חומרי הדלק, השארתי בו את טבעת היהלום ו'עין החתול' שלי, בהנחה שהן ישרדו למרות האש, וישמשו הוכחה שגופי עלה שם בלהבות. הדלקנו את הכול. הכוונה היתה ליצור להבות חזקות כל כך, שיהיו עשויות לכלות גם את החלקים העמידים ביותר בגוף האדם כדי לעורר רושם שלא נשאר שום שריד לגופה..."

מחיתי אגלי זיעה שביצבצו על מצחי.

"המשיכי," אמרתי חרש.

"מישהו מכת השמים, איש ששמו סנג'אי, בא במיוחד מהודו והביא לי דרכון מזויף, יחד עם ראם סינג יצאנו מן הארץ מיד לאחר הדליקה... באמצעותי, ידע ראם סינג כל פרט עליך, על דרך החשיבה שלך, על מידת נחישותך, על כוחך הגופני והנפשי. הוא נטה לחשוב שלא הכול אבוד, הוא שיער שלא תסכים לעבור לסדר היום אחרי האסון שאירע, שתתצא לחקור, לחפש ולנקום. הוא הימר על כך שבתוך תוכך אתה עדיין אוהב אותי במידה כזאת שאולי תעזוב הכול ותיסע לחפש את האנשים שגרמו כביכול למותי כדי להעניש אותם... האנשים של כת השמים בהודו נתנו לי מחסה ועודדו אותי, אבל אני הייתי בודדה ומיואשת, כל הזמן חששתי שלא תגיע, ומה יהיה אז? האם אחזור פתאום הביתה? ומה אגיד לילדים, מה אגיד לך? ראם סינג והאנשים שלו דיברו על ליבי כל הזמן, הם שיכנעו אותי שנהגתי כהלכה, שהצעד הנורא שעשיתי כמוהו כניתוח קשה שאין מנוס ממנו כדי לרפא את החולה, כדי להשיבו לחיים. השריפה, המוות־כביכול, הכסף שנעלם, היו חלק בלתי נמנע מתהליך הריפוי של הזוגיות שלנו..."

היא קטעה שוב את דבריה. ניכר בה כי הזיכרונות, שיחזור הנסיבות שהניעו אותה לעשות את המעשה הנואש, גבו ממנה מאמצים נפשיים קשים.

היא השתתקה ואני נאלמתי.

לפתע נשמעה נקישה בדלת. פתחתי אותה ומצאתי מולי את ראם סינג. הוא עמד שם זקוף ובוטח. הבטנו זה בזה. לא ידעתי מה לומר, איך להגיב.

"מה שלומה?" שאל.

"היא עדיין זקוקה למנוחה."

"אוכל להיכנס?"

לא עניתי, אבל הוא לא חיכה לתשובה, ניגש אל עופרה ונגע בידה. היא פקחה את עיניה, הסתכלה בו והעלתה חיוך קל על שפתיה.

"התחלתי לספר למיקי..." אמרה, "אבל קשה לי להמשיך."

ראם סינג חייך, בפעם הראשונה.

"אני אמשיך," אמר. הוא הישיר אלי את מבטו, "תרשה לי, מר שמיר, לומר לך, שכת השמים ואני ראינו חשיבות רבה בהצלתה של עופרה. עזרנו לאנשים רבים להיחלץ ממשברים, ורצינו, כמובן, לעזור גם לה. המקרה שלה היה קשה, על פניו כמעט חסר סיכוי, לכן היינו צריכים להמר על שיטת פעולה מיוחדת, שחייבה אותנו למאמצים גדולים. הימרנו על כך שאתה עדיין אוהב את עופרה, הימרנו על האפשרות שתיסע להודו לחפש אותי ותגיע בדרך זו אל עופרה. העמדנו אותך במבחנים למן הרגע שבו הגעת לגואה. ניצלנו את הקשרים שלנו עם המשטרה כדי שתשליך אותך אל הכלא באמתלה פלילית כלשהי. הם בחרו לביים סחר בסמים, וזה היה בסדר מבחינתנו, כי רצינו להעמיד מכשולים בדרך שבחרת, רצינו שתסבול, שתתקרב אל סף הייאוש, שתתחרט על שבאת בכלל להודו. רצינו לדעת עד כמה אתה נחוש להמשיך במסע שלך למרות המכשולים העצומים שהעמדנו."

לא האמנתי למשמע אוזני.

"אתה מתכוון לומר, שהמשטרה היתה משחררת אותי בסופו של דבר בלי לעשות לי כלום?"

"בדיוק. טרפת לכולנו את הקלפים כשברחת משם. למען האמת, נבהלנו. חששנו שנאבד את עקבותיך. מרחנו קצת כסף במקומות הנכונים, כדי

שהמשטרה תביים מצוד אחריך. השוטרים הגיעו לבית של ראג׳יב, ואחד מהם, שהאיר בפנס לתוך מחסן המזון, גילה אותך שם. זה היה מספיק. לא היתה שום סיבה לעצור אותך, רצינו שהמשטרה רק תגלה היכן אתה נמצא, כדי שנוכל להמשיך לעקוב אחריך...״

נזכרתי באלומת האור של השוטר שטיילה סביבי כאשר הסתתרתי מתחת לריצפת ביתו של ראג׳יב. שמחתי אז על שהשוטר לא הצליח לחשוף אותי. עכשיו התברר לי שזה היה משחק מכור.

ראם סינג המשיך:

״התפעלנו מן העובדה שמצאת ידיד שהיה לך לעזר. ידענו על קיומו של ראג׳יב כבר בגואה והוספנו לעקוב אחריכם גם כשהגעתם לפונה. שלחנו לערוך חיפוש בדירה ששכרתם כדי להפחיד אתכם, להציב מכשול נוסף בדרך שהלכתם.״

וכל אותה העת הייתי בטוח, שוטה שכמותי, שאני מצליח להוליך שולל את כולם בזכות הדרכון המזויף והזקן שגידלתי.

״אבל...״ מילמלתי, ״אתם לא היססתם ללכלך את הידיים שלכם בדם... רצחתם את סנג׳אי, שלחתם משאית כדי שתדרוס את ראג׳יב, רציתם שימות.״

״אתה טועה,״ אמר ראם סינג, ״סנג׳אי מת מוות טבעי, כנראה מהתקף לב, רצח והריגה נוגדים לחלוטין את עקרונות הכת שלנו. על כל פנים, אנחנו בוודאי לא רצחנו אותו... ואשר לראג׳יב. טאמאל מצא אותו מחטט בכספת של האשראם, אבל אנחנו לא שלחנו בעקבותיו אף אחד כדי שיפגע בו. הוא נפצע מפגיעה של משאית, זו היתה תאונה מקרית, מצערת מאוד, כמו הרבה תאונות שקורות כאן. לנו לא היה כל חלק בה.״

עופרה הניעה את ידה כאילו ביקשה את רשות הדיבור. ראם סינג השתתק.

״אנשי כת השמים סיפרו לי על כל צעד שלך,״ אמרה, ״הם העמידו אותך במיבחנים כל הזמן, העלו אותך ללא הרף לדרגות הסבל הגבוהות ביותר, וככל שזה ייראה נורא, שמחתי על כל מבחן שעברת, על הנחישות שלך ללכת עד הסוף, להתקרב אלי ככל האפשר, לכפר על כל מה שעשית בעבר כדי להרחיק אותי ממך...״

התנדנדתי כמטוטלת בין הנטייה להבין ואפילו להצדיק את מה שנעשה

לי בשם האהבה, לבין התחושה המביכה שהוליכו אותי שולל. רציתי תשובות לכל השאלות שגדשו את מוחי.

"אם כל זה היה מבחן," אמרתי, "למה ניסיתם לרצוח אותי בתחנת הרכבת בדרך לווראנאסי?

"זה רק הדמיון שלך, מר שמיר," אמר ראם סינג בסלחנות, "כל מה שעשינו היה פשוט להעביר אותך עוד ועוד שלבים קשים, עוד ועוד ניסיונות לבחון את מידת הנחישות שלך, את מידת האהבה והקשר שלך עם עופרה. האיש בתחנת הרכבת לא היה נוגע בך לרעה, הוא פשוט רצה להשאיר אותך שם, כדי שלא תצליח לעלות על הרכבת ותיאלץ למצוא דרכים משלך להגיע אלינו. כאן, בווראנאסי, המעקב שלך אחרי טאמאל היה השלב האחרון במבחן הסבל והתושייה שלך, הוא נועד להוביל אותך אל עופרה..."

"אשתך לשעבר, נהריקה, הציעה לי לשוב הביתה. גם זה היה חלק מהמכשולים?"

"לא," אמר סינג, "נהריקה לא יודעת דבר."

עופרה העבירה את לשונה על שפתיה היבשות.

"קיווינו מאוד," אמרה, "שהתחנה האחרונה במסע שלך תהיה הארמון הלבן, שבו שיכנו אותי. מיום שבאתי לכאן כת השמים דאגה לכל צרכי. הם הדריכו אותי כיצד לעמוד במתח הנורא, כיצד להתגבר על החשש שמא לא תעבור את משוכות הקושי שהציבו לך, הם עזרו לי להתגבר על ייסורי המצפון הנוראים שהיו לי בגלל מה שעוללתי לעינב ולדרור, והסבירו לי שרק מותי יוביל אל המסע שלך אל עצמך, אל המסע שלך אלי; רק מתוך המוות ניוולד, אתה ואני, לחיים חדשים.

"הם הכינו אותי למיפגש איתך ולמיפגש עם הילדים. קודם לכן פחדתי מן הרגע שאתייצב מולכם, עכשיו אינני פוחדת עוד. אני חזקה, אני מוכנה."

הסיפור שלה שיבש את כל המערכות שבניתי. כל חיי שלטתי בגורלי ובגורלם של אחרים, זו הפעם הראשונה שאחרים שלטו בי, שאחרים הובילו אותי בדרך שלא תיכננתי בעצמי.

"אתם זקוקים למשהו?" שאל ראם סינג. נימת קולו היתה רכה וידידותית, דומה לזו שבה הציע בפעם הראשונה, אצלי במשרד, לחלץ את עופרה

מדכאונה.

"לא, תודה," אמרתי.

הוא איחל לאשתי התאוששות מהירה והלך.

"מה היית עושה," שאלתי את עופרה, "אילו לא נסעתי להודו? מה היית עושה אילו נסעתי אבל הייתי נשבר בדרך?"

היא השיבה מיד, כמו חיכתה לשאלה הזאת:

"ראם סינג הכין אותי לשלוש אפשרויות: האחת גרועה, השנייה גרועה פחות, רק השלישית טובה. האפשרות הגרועה ביותר היתה שלא תצא למסע הזה. היית מתאבל עלי בדיוק כמה שצריך, אחר כך היית ממהר לחזור אל השיגרה — עבודה, עשיית כסף, חיזורים אחרי נשים, בניית חיים חדשים. זה היה ממחיש לי את העובדה שהחלק שלי בחייך היה מיזערי, לא יותר. כמובן שהמסקנה הזאת היתה מכאיבה לי, אבל היא גם היתה מרוקנת אותי מאשליות, היא היתה מניעה אותי לקום וללכת, ולבנות לי את חיי בלעדיך. הייתי חוזרת, אבל לא הייתי חוזרת אליך.

"האפשרות השנייה היתה שהיית יוצא למסע ונשבר באמצע. אם בתחילת המסע הזה הייתי עשויה להתמלא בתיקווה, אולי גם עשויה להאמין שאתה אוהב אותי, הרמת הידיים שלך באמצע הדרך היתה מחזירה אותי לתחושת אי־הוודאות. במקרה כזה הייתי חוזרת אליך כדי לנסות לשקם את הריסות חיינו, משום שהוכחת רצון לעשות מאמץ, אבל הידיעה שלא אזרת כוח להגיע עד הסוף היתה גורמת לי לחשוב שנסעת להודו כדי להשקיט את המצפון המיוסר שלך ולא יותר. בשבילי זה היה תמרור אזהרה. אני לא בטוחה שהייתי מסוגלת לחיות לצידך זמן רב כשהספק הזה מקנן בליבי.

"האפשרות השלישית היא זו שעליה חלמתי ולה ציפיתי. ראם סינג אמר לי: דבר שניקנה בסבל ובייסורים יהיה תמיד יקר ערך בעיני מי שקנה אותו והוא ישמור עליו מכל משמר. ככל שדרגת הסבל והייסורים גבוהה יותר, ערכו של ההישג יהיה גדול יותר. לכן, מרגע שיצאת לדרך העלו ראם סינג וכת השמים בכל פעם את סף הסבל שלך, כדי שתדע להעריך את מה שתשיג בסופה של הדרך, כלומר: אותי ואת האהבה שלנו. הייתי מאושרת כאשר דיווחו לי שאינך מוותר, שאתה חותר לקראת המטרה כאילו חשת שאתה חייב את זה לי ולך, לחיינו המשותפים..."

היא ביקשה מים. הזדרזתי להביא לה, והיא בלעה אותם בלגימה אחת וביקשה עוד. כמו מבעד לערפל הבחנתי בעיניה התרות אחרי עיני.

"בוא נשמור על מה שהשגנו מיקי, זה מגיע לנו," אמרה.

דמעות פרצו מעיני והוקל לי. הדברים החלו להתבהר. הייתי כעיוור שחזר לראות. באיטיות, אפילו בביישנות, גיששו ידינו זו לקראת זו. שילבנו אצבעות ולחצנו חזק. ידענו שלא יהיה אפשר עוד להפריד בינינו.

אחרי שעות אחדות, כשאורה הרך של השמש השוקעת הציף את החדר, עופרה התיישבה וניסתה לרדת מהמיטה. תמכתי בה. גופה היה רפוי וצעדיה מהוססים, אבל היא הצליחה ללכת אל המקלחת. נכנסתי איתה פנימה, רחצתי את גופה, ניגבתי את טיפות המים במגבת ועזרתי לה להתלבש. היא ביקשה שאספר לה על כל מה שעבר עלי ועל הילדים. סיפרתי אט אט את מה שקרה לי מן הרגע שבו נודע לי על האסון ברישפון. היו דברים רבים שלא ידעה.

סיימתי את הסיפור כאשר ישבה כבר במיטתה ואכלה מעט מן הארוחה שהובאה אליה. היא הביטה בי ארוכות, ובפעם הראשונה מאז ראיתיה בארמון היא שלחה את ידה ונגעה בפני.

"אני לא מצליחה," אמרה, "להעלות על דעתי מישהו שהיה עושה מה שאתה עשית."

"אני אוהב אותך מאוד..." אמרתי, "אני מבקש שתסלחי לי."

"לסלוח?" עיניה היו פקוחות, והכחול שבהן היה כמו ים רוגע.

"אני אשם בכל מה שקרה, עופרה..."

"בוא נסכים בינינו, שמעתה ואילך נדבר על כל דבר ונחלוק יחד הכול," אמרה ולקחה את ידי בידה, "בוא נסכים בינינו שמהיום הזה ואילך לא נעשה שום דבר שנצטער עליו."

התנשקנו ובדיוק אז שמעתי שיעול קל מאחורי. ד"ר אורי בראון עמד שם.

"מצטער שאני מפריע," אמר, "חשבתי שאתם זקוקים לי." הוא הגיע בטיסה דחופה ומייגעת ועצר בתחנות ששכח את מספרן. עופרה חיבקה אותו בדמעות, ואני לחצתי את ידו ולא יכולתי לומר דבר. זו היתה מחווה שלא אשכח לעולם.

39

מצבה של עופרה השתפר מאוד. ד"ר בראון ואני היינו לצידה ללא הרף. נוכחותו של רופאה האישי זירזה ללא ספק את התאוששותה.

ביום שעמדנו לעזוב את בית החולים ואת הודו ולטוס לארץ, בדרכונים חדשים שהנפיקה לנו הקונסוליה הישראלית, בא ראם סינג להיפרד מאיתנו. הוא ועופרה התחבקו בחום. נזכרתי במכתב שנתן לי קצין החקירות של משטרת ישראל, המכתב שעופרה כתבה אל סינג. הרגשתי צביטה בלב, אבל חשתי שלעולם לא ארצה לדעת מה באמת היה טיב היחסים ביניהם. ידעתי רק זאת, שעופרה אהבה אותי יותר מכול.

היה מוזר ללחוץ את ידו של ראם סינג אחרי כל מה שקרה. מבוכתי לא נעלמה מעיניו. הוא קרא בדיוק את המתרחש בלבי.

"מר שמיר," אמר, "עשית את כל הדרך הארוכה והקשה הזאת עד לכאן. אתה עצמך אולי לא מבין עדיין מה קרה לך, אילו תהליכים נפשיים עברת, מה השלת מעצמך ובאילו כלים חדשים הצטיידת. כשפגשתי אותך בפעם הראשונה, בתא המעצר של נמל התעופה בישראל, היית עורך דין שחצן עם מכונית ספורט יקרה, בגדים יקרים וגינונים של נער שעשועים עשיר. היתה לך מאהבת, אולי לא רק אחת, היית מכונה של הנאות, כל מה שהיה חשוב לך היו החיים הטובים שלך, הסיפוקים המיידיים, המהירים. אף אחד לא עניין אותך, לא אשתך, לא הילדים שלך. הם היו לך מסגרת, אבל לא תוכן. עכשיו הבט היטב ותראה את השינוי שהסבל חולל בך. ככל שעלית בסולם הסבל, ככל שנראית כמו העניים המצטופפים על גדות הגאנגס, לבוש סחבות, ללא סמלי המעמד שלך, ללא המכונית, ללא הכסף, קרה לך משהו נפלא: התעשרת ברגשות אנושיים. ככל שנעשית מזוהם יותר ומטונף יותר, התנקית מן הרוע, מן הצביעות, מהאנוכיות ומהשקר. חתרת לקראת האמת

316

וזכית באהבה שאיבדת. דע לשמור על מה שזכית ביושר, במאמץ."

ההתרגשות חנקה את גרוני. רציתי לומר משהו, אבל המילים ניתקעו בפי. בנסי לאל וטאמאל מהאנטה נכנסו לחדר בפנים זוהרים. הם העניקו לעופרה ולי מזכרות פרידה קטנות.

לא גילינו לאיש, פרט לבני המשפחה הקרובים, את המועד שבו נגיע לארץ. לא רצינו שהעיתונאים יידעו, רצינו שקט ומנוחה. רק אמה של עופרה, הורי והילדים חיכו לנו כשנחתנו. הם פגשו אותנו בחדר מיוחד שביקשתי להעמיד לרשותנו. שם יכלו הכול לפרוק מעצמם את המתח והמועקות שהצטברו בחודשים האחרונים. עמדנו שם כולנו, חבוקים כגוש אחד, ולא חדלנו לבכות ולצחוק.

הבית היה מוצף זרי פרחים שהילדים הביאו. הכול בהק מניקיון כפי שעופרה אהבה. על הכר שלה, על המיטה שלנו, היתה מונחת מתנה קטנה של עינב, האבן הוורודה, קמע המזל שעופרה קיבלה מראם סינג והעניקה לעינב. עופרה לקחה את האבן בידה. ראיתי שהיא נרתעת, נשאבת אל הזיכרונות, אל האיש שהעניק לה אותה, אבל היא חזרה מיד לעצמה.

"תודה, עינב," היא אמרה ונשקה לילדה, "אני אשמור על האבן הזאת מכל משמר."

נשארתי בבית ולא מיהרתי לשוב אל המשרד. רציתי להיות עם עופרה. היה עלינו להתרגל שוב זה לזה. במרוצת המסע שלי בהודו למדתי על בשרי מהי בדידות, למדתי לעזור, לוותר, להתחשב. עכשיו למד כל אחד מאיתנו מחדש את נפשו ואת גופו של השני. בפעם הראשונה עשינו אהבה גם ביום. היינו אוכלים יחד ארוחות בוקר, עשינו ג'וגינג, הלכנו לקניות ושוחחנו ארוכות על הדרך שבה אנו רוצים לחיות מעתה ואילך. מעולם לא שיתפתי את עופרה בבעיותי, כמעט לא סיפרתי לה על עבודתי. כששאלה, אמרתי שאינני רוצה להכביד עליה. האמת היתה שלא רציתי בקשר הדוק מדי. עכשיו הרגשתי שהייתי רוצה לספר לה כל דבר, לשאול בעצתה, לקבל את תמיכתה.

בהרבה מן השיחות הללו השתתפו גם הילדים. הם גילו לנו, שבצד הצער על מותה של עופרה, הם כעסו עליה על שעשתה זאת. הם הרגישו שהיה עליה לשקול גם את טובתם, להיות מודעת לקשיים שיעמדו בפניהם כשהיא

לא תהיה עוד איתם. את הכעס הזה שמרו בליבם כדי לא להעציב אותי עוד יותר. "מה שחשוב," סיכמה עינב, "שאמא חזרה וכולנו פתחנו דף חדש, אנחנו מסתכלים קדימה אל העתיד, לא אל העבר." היא אמרה עוד, שגם דרור וגם היא תמימי דעים שמה שקורה עכשיו בבית מכפר בהחלט על עוול הנטישה.

הצעתי שנפתח סדנה לטיפוח הזוגיות, ועופרה תנהל אותה. היה לשנינו הרבה מה לתרום בשטח הזה. החלטנו שלא נגבה כסף בעד ההשתתפות בסדנאות שנקים. לא היתה לנו בעיה לממן אותן. כספנו הוחזר לנו על־ידי כת השמים, וחלק ממנו הספיק בהחלט לצורך זה.

הסדנה הראשונה שפתחנו ברמת אביב נחלה הצלחה שעלתה על כל הציפיות שלנו. זוגות שחיי הנישואין שלהם התערערו, זוגות שעמדו על סף פירוד, גברים ונשים שהיו במשבר שאחרי הפרידה, רווקים ורווקות שתיכננו להינשא עמדו בתור כדי לשמוע את הדברים שיש לעופרה ולי לומר. דיברנו על דרכים להקל את הסבל ולהגדיל את האושר. דיברנו על חשיבות התא המשפחתי בחברה דורסנית, קשה ותובענית. דיברנו על תפקיד האהבה והנתינה. עופרה הפתיעה אותי, כשהתגלתה כמרצה בחסד. חייתי איתה יחד כל כך הרבה שנים והיא עדיין הצליחה להפתיע אותי.

בתוך כמה שבועות הפכנו למרצים מבוקשים. נסענו להרצות בכל חלקי הארץ. מצאתי את עצמי עוסק בזה יותר מאשר בענייני משרדי, אבל אהבתי את האתגר החדש, אהבתי לעבוד עם עופרה. העבודה המשפטית עניינה אותי עכשיו הרבה פחות. איתן, ממלא מקומי במשרד, סיפר לי שהתביעה הכללית עירערה על זיכויו של שמעון ליטני מאשמת האונס של חגית. בהיעדרי מן הארץ הוא שכר את שירותיו של עורך דין אחר, שעשה עבודה נוראה. בית המשפט העליון ביטל את פסק הדין בטענה שהיו עוד ראיות לא מעטות שהשופט בבית המשפט המחוזי לא שם לב אליהן, ופסק על עריכת משפט חוזר. תיעבתי את עצמי על שעשיתי יד אחת עם ליטני כדי להוליך שולל את בית המשפט. שמחתי שעתה ייעשה צדק.

חגית טילפנה אלי אחרי שחזרתי כדי לאחל לי ולעופרה הרבה אושר ובריאות. קולה היה רחוק מלעורר בי התרגשות כלשהי. רציתי לשכוח את החיזור המביך שלי אחריה, שמחתי שהוא הסתיים כפי שהסתיים. היא סיפרה

לי שהיא עדיין מתגוררת בדירה ששכרתי, שמצאה עבודה כקלדנית, וכי אחרי פקיעת החוזה היא תאריך כנראה את תקופת השכירות. היא הציעה לי לשלם ממשכורתה תמורת שכירת הדירה בחודשים שחלפו, אבל אני לא הסכמתי לקחת מידיה כסף. מגורי החינם היו המעט שיכולתי לעשות כדי לפצות אותה על הכוונות הרעות שלי.

עופרה ואני חזרנו להודו לאחר חודשים אחדים, כאשר רדהא וראג׳יב הזמינו אותנו לחתונתם בגואה. כשהגענו לשם, התעקש ראג׳יב להביא אותנו בעצמו מנמל התעופה אף על פי שהיה נתון בעיצומן של ההכנות לנישואיו. רדהא באה איתו. התחבקנו בהתרגשות.

ה״אמבסדור״ הישנה של ראג׳יב, המונית שעוררה בי זיכרונות רבים כל כך, הזדקנה מאוד מאז שירתה אותנו. ראג׳יב הצליח לבצע בה שיפוץ כלשהו, אבל זה לא הפיח בה רוח חיים של ממש. הזדחלנו מנמל התעופה אל ״טאג׳ פורט אגוואדה״, המלון הסמוך לכלא, ושם נפרדנו מראג׳יב. קיבלנו ביתן מקסים שצפה אל הנוף, אבל שהינו בו שעה קלה בלבד. עצרנו מונית ונסענו לפאנג׳ין, עיר הבירה, כדי לקנות מתנה לחתונה.

כל הכפר לבש חג ביום הכלולות. היו שם המון סארי ססגוניים, חליפות גברים מגוהצות, זרי פרחים מדיפים ניחוח, הרבה אוכל הודי חריף, המון ממתקים. ראג׳יב, לבוש בבגדי חתן, הגיע למקום החתונה לאחר שחצה את הכפר רכוב על סוס, תזמורת כלי נשיפה צועדת לפניו, ותושבי הכפר מריעים לו. רדהא היתה יפה מתמיד. היא לבשה סארי אדום וענדה תכשיטי זהב, שעברו במשפחתה מדורי דורות. כוהן דת צייר נקודת בינדהי אדומה על מצחיהם, והם הקיפו את האש הקדושה שבע פעמים כנדרש.

בשעת לילה מאוחרת, משנסתיימה החתונה והאורחים כבר פרשו, הלכתי עם רדהא וראג׳יב להראות להם את המתנות שקנינו לחתונתם. מתנות הנישואין שהבאנו היו מעט מן המעט שהיינו שנינו, עופרה ואני, חבים להם. לרדהא נתנה עופרה את כל הריהוט וציוד המטבח הדרוש להם. המתנה של ראג׳יב חיכתה לו בחורשה הסמוכה, מוסתרת כדי שלא יוכל לראותה קודם לכן. היתה זו ״אמבסדור״ לבנה חדשה לחלוטין. הזוג הצעיר עמד המום ליד המכונית, והתקשה להגיב. בפעם הראשונה מאז הכרתי את ראג׳יב ראיתי

דמעות בעיניו.

נפרדנו בנשיקות מהזוג הצעיר ואיחלנו להם הרבה אושר. הבטחנו לבוא לשם
שוב. נותר לנו עוד לילה אחד בגואה. היה זה לילה חם ונעים, אופייני ללילות
הדרום. ירדנו בבגדי ים אל החוף. נכנסנו אל בין הגלים, שחינו והשתעשענו
כזוג צעיר נטול דאגות, כשקרן אורו של המגדלור, קרן האור שלא אשכח
לעולם, סובבת ונעלמת ללא הרף מעל לראשינו.

יצאנו מן המים, השתרענו על החוף, והבטנו בכוכבים ובירח המלא. אי
שם, לא הרחק, שקקו החופים ממסיבות ריקודים, סמים ויין. אנחנו לא היינו
זקוקים לכל אלה, כדי שליבנו יהיה מלא. אהבנו יותר מאי פעם בחיינו,
התחבקנו והתנשקנו ועשינו אהבה בלהט על החול.

"זהו ירח הדבש הכי יפה שהיה לי," לחשה עופרה באוזני, "חבל כל כך
שזה ייגמר מחר."

"זה לא ייגמר מחר," הבטחתי, "זה לא ייגמר לעולם."